COLLECTION FOLIO

Flannery O'Connor

Les braves gens ne courent pas les rues

Traduit de l'anglais
par Henri Morisset

Gallimard

Titre original :

A GOOD MAN IS HARD TO FIND

Flannery O'Connor (1926-1964) est une romancière sudiste. Son pays est la Géorgie. Après avoir fait des études à l'Université d'Iowa, elle a passé sa vie dans son vaste domaine de Milledgeville, où sa santé fragile la condamnait à une existence recluse. Pourtant, l'univers qu'elle dépeint est fait de vigueur et de violence. C'est le Sud avec ses noirs, ses petits blancs misérables, ses charlatans et ses prophètes, une humanité en proie à la superstition, à la jalousie, à la fureur criminelle.

C'est le grand traducteur Maurice-Edgar Coindreau qui a fait connaître en France cette œuvre intense : *Mon mal vient de plus loin, Et ce sont les violents qui l'emportent, Le Mystère et les mœurs, Pourquoi ces nations en tumulte ?* et *La Sagesse dans le sang* qui a inspiré un film à John Huston.

Les braves gens ne courent pas les rues.

La grand-mère ne voulait pas aller en Floride. Elle voulait aller voir des parents dans l'est du Tennessee et elle essayait par tous les moyens d'amener Bailey à changer d'avis. Bailey était le fils chez qui elle habitait, le seul qu'elle eût. Il était assis devant la table, à l'extrême bord de sa chaise, penché sur les pages orange de la rubrique sportive du *Journal.* « Dis donc, Bailey, lis-moi ça », jeta-t-elle. Elle était debout auprès de lui, une main plaquée sur sa hanche frêle, tandis que l'autre, dans un grand froissement de papier, brandissait le journal vers la tête chauve de son fils. « Écoute-moi ça, Bailey, le type qui s'est baptisé le Désaxé s'est échappé de la Prison fédérale et se dirige vers la Floride ; t'as qu'à lire, tu verras ce qu'il a fait à ces pauv' gens ; moi je voudrais pas emmener mes enfants là où un criminel comme ça se balade en liberté. J'en aurais trop lourd sur la conscience. »

Comme Bailey ne levait même pas la tête, elle fit volte-face vers la mère des enfants, une jeune femme en pantalon, au visage insignifiant et rond comme une lune, avec un foulard vert noué autour, dont les deux bouts pointaient comme des oreilles de lapin. Elle était assise sur le canapé, un bol à la main, et donnait un jus d'abricot au bébé. « Les enfants sont déjà allés en Floride, poursuivit la grand-mère ; vaudrait mieux les emmener ailleurs, pour changer ; ils verraient du pays et ça leur ouvrirait l'esprit. Ils ne sont jamais allés dans l'est du Tennessee. » La mère sembla ne pas entendre, mais le garçon de huit ans, John Wesley, un gamin trapu, portant lunettes, dit : « Si tu n' veux pas aller en Floride, pourquoi qu' tu restes pas à la maison ? » Il était assis par terre en train de lire des *comics* avec sa petite sœur June Star.

— Elle resterait pas à la maison pour tout l'or du monde, dit June Star sans lever sa tête blonde.

— Oui-da, et qu'est-ce que tu ferais si le Désaxé t'attrapait ? demanda la grand-mère.

— J' lui allongerais une baffe, dit John Wesley.

— On la ferait pas rester ici pour un million de dollars, dit June Star. Il faut qu'elle aille partout où qu'on va. Elle céderait pas sa place pour un boulet de canon.

— Très bien, ma petite ! dit la grand-mère. Je m'en rappellerai la prochaine fois que tu me demanderas de te friser les cheveux.

June Star déclara que ses cheveux frisaient naturellement.

Le lendemain matin, la grand-mère était la première dans la voiture, prête à partir. Elle avait mis dans un coin son gros sac de voyage qui ressemblait à une tête d'hippopotame, et, dessous, elle cachait le panier où elle avait enfermé Pitty Sing, le chat. Elle ne voulait pas qu'il reste trois jours tout seul dans la maison ; il s'ennuierait trop sans elle et elle craignait qu'il n'aille se frotter à l'un des brûleurs du gaz et qu'il ne s'asphyxie. Bailey n'aimait pas arriver dans un motel avec un chat.

Elle était assise à l'arrière, flanquée de John Wesley et de June Star. Bailey et la mère des enfants étaient devant avec le bébé. Ils partirent à huit heures quarante-cinq, le compteur de la voiture indiquant 55 890 milles. La grand-mère inscrivit les chiffres : ce serait intéressant de calculer au retour le nombre de milles parcourus. Il leur fallut vingt-cinq minutes pour arriver dans la grande banlieue d'Atlanta.

La vieille dame s'installa confortablement, quitta ses gants de coton blanc et les mit avec son sac à main contre la vitre arrière. La mère des enfants était toujours en pantalon, avec un foulard noué autour de la tête, mais la grand-mère avait un canotier de paille bleu marine, ceint d'un ruban flottant, et un bouquet de violettes blanches était piqué au bord. Elle avait mis sa robe bleu marine à pois blancs. Les poignets en étaient d'organdi blanc agrémenté de dentelle, comme le col, où elle avait épinglé un discret bouquet de violettes artificielles contenant un sachet de parfum. En cas d'accident, quiconque la trouverait morte sur la grand-route verrait immédiatement qu'elle était une dame bien.

Elle dit qu'à son avis ça allait être un bon jour pour voyager, ni trop chaud ni trop froid : elle avertit Bailey que la vitesse limite était de 55 milles et que les agents motocyclistes se cachaient derrière les panneaux publicitaires et les boqueteaux et qu'ils fonçaient à votre poursuite sans vous laisser le temps de lever le pied de l'accélérateur. Elle signala les détails intéressants du paysage : Stone Mountain; le granit bleu qui venait par endroits franger la route; les bas-côtés d'argile rouge vif avec des veinules mauves; et les différentes cultures qui faisaient sur le sol un entrelacs de lignes vertes. Le soleil revêtait les arbres de lumière argentée, et le plus humble arbuste lançait des feux. Les enfants lisaient des *comics* et leur mère s'était rendormie.

— Traversons la Géorgie en vitesse, dit John Wesley; comme ça, nous n'aurons pas à la regarder trop longtemps.

— Si j'étais un petit garçon, dit la grand-mère, je ne parlerais pas ainsi de l'État où je suis né. Le Tennessee a ses montagnes et la Géorgie ses coteaux.

— Le Tennessee n'est qu'un dépotoir de rustauds, dit John Wesley, et la Géorgie un État de pouilleux.

— Et comment! reprit June Star.

— De mon temps, dit la grand-mère en croisant ses mains où paraissaient les veines, de mon temps, les enfants avaient plus de respect pour leur État natal, leurs parents et tout le reste. On les élevait autrement mieux... Oh! Regardez ce joli négrillon! dit-elle, en montrant du doigt un petit nègre à la porte d'une cabane. « Est-ce que ça ne ferait pas un joli tableau? » demanda-t-elle, et tous se retournèrent pour regarder le petit nègre par la vitre arrière. Il leur fit bonjour de la main.

— Il n'avait pas de culotte, dit June Star.

— C'est plus que probable. Dans les campagnes, expliqua la grand-mère, les petits nègres ne se mettent rien dessus. C'est pas comme nous. Si je savais peindre, c'est ce tableau-là que je ferais.

Les enfants échangèrent leurs illustrés. La grand-mère proposa de tenir le bébé et la mère des enfants le lui passa par-dessus le siège. Elle l'assit sur ses genoux, le fit sauter et lui parla des choses qui défilaient de chaque côté. Elle roula les yeux, fit des contorsions avec sa bouche et colla son visage maigre et parcheminé contre celui de l'enfant, doux et satiné. De temps en temps, le bébé lui faisait une sorte de sourire. Ils longèrent un champ de coton avec un enclos en son milieu, où se trouvaient cinq ou six tombes — on eût dit une petite île. « Regardez le cimetière ! dit la grand-mère, l'index tendu. C'est là que toute la famille se faisait enterrer. Il appartenait à la plantation.

— Où est la plantation ? demanda John Wesley.

— « Autant en emporte le vent ! » répondit la grand-mère. « Ha, Ha ! »

Quand les enfants eurent fini tous les *comics* qu'ils avaient emportés, ils ouvrirent le carton à provisions et se mirent à déjeuner. La grand-mère mangea un sandwich au beurre de cacahuètes et une olive, et défendit aux enfants de jeter la boîte et les serviettes en papier sur la route. Quand ils n'eurent plus rien à faire, ils jouèrent à choisir un nuage et à faire deviner aux deux autres la forme qu'il évoquait. John Wesley en trouva un qui avait la forme d'une vache et June Star devina juste, mais John Wesley dit que c'était pas ça, qu'il représentait une auto. June Star dit qu'il trichait, et ils s'envoyèrent des gifles par-dessus la grand-mère.

La grand-mère dit qu'elle leur raconterait une histoire s'ils se tenaient tranquilles. Lorsqu'elle racontait une histoire, elle la mimait avec force gestes, roulait les yeux, branlait le chef. Elle dit qu'au temps où elle était demoiselle, elle avait été courtisée par Mr. Edgar Atkins Teagarden, de Jasper (Géorgie). C'était un très bel homme, dit-elle, et qui avait du savoir-vivre : tous les samedis après-midi il lui apportait une pastèque où étaient gravées ses initiales : E. A. T. Or, un samedi, Mr. Teagarden apporta la pastèque et comme il n'y avait personne, il la déposa devant la porte d'entrée et repartit à Jasper dans son boguet; mais personne ne trouva jamais la pastèque, et pour cause : un petit nègre l'avait mangée lorsqu'il avait vu les lettres E. A. T. [1] ! Cette histoire chatouilla la glotte de John Wesley qui gloussa à n'en plus finir, mais June Star n'y trouva rien de drôle. Elle dit qu'elle n'épouserait jamais un homme qui se contentait d'apporter une pastèque le samedi. La grand-mère dit qu'elle aurait bien dû épouser Mr. Teagarden, car c'était un homme distingué, qui avait acheté un des premiers stocks de coca-cola, et qu'il était mort il y avait quelques années à peine, avec une très jolie fortune.

Ils s'arrêtèrent à La Tour pour acheter des sandwichs au barbecue. La Tour était un poste à essence qui faisait dancing, mi-bois mi-stuc, dans une clairière à la sortie de Timothy. Un gros bonhomme nommé Red Sammy l'exploitait, et la bâtisse était couverte d'affiches, placardées au reste en bordure de la route, bien avant d'y arriver : DÉGUSTEZ LE FAMEUX BARBECUE DE SAMMY. SUPÉRIEUR AU MEILLEUR. FAITES HALTE CHEZ SAMMY, LE JOYEUX VÉTÉRAN. Y VENIR, C'EST Y REVENIR.

Red Sammy était allongé dehors à même le sol, devant l'établissement, la tête sous un camion; tout près de lui, un singe gris d'un pied de haut, attaché par une chaîne à un petit arbre à chapelets, jacassait. Le singe se réfugia d'un bond dans l'arbre et grimpa jusqu'à la plus haute branche dès qu'il vit les enfants sauter de la voiture et courir vers lui.

A l'intérieur, la Tour n'était qu'une longue pièce sombre, avec un comptoir à un bout, des tables à

1. Jeu de mots intraduisible, E. A. T. signifiant « mange ».

l'autre et la piste de danse au milieu. Ils s'assirent tous à une table en planches près du juke-box ; la femme de Red Sam, une grande brune à la peau très mate, plus sombre encore que ses cheveux et ses yeux, vint prendre la commande. La mère des enfants mit une pièce de cinq cents dans la machine et fit jouer *La Valse du Tennessee,* et la grand-mère dit que cet air lui donnait toujours envie de danser. Elle demanda à Bailey s'il voulait danser mais il se contenta de lui jeter un regard exaspéré. Il n'avait pas le caractère heureux de sa mère, et les voyages le rendaient nerveux. Les yeux bruns de la grand-mère étincelaient. Elle rythmait la musique de la tête et se trémoussait sur sa chaise. June Star demanda un disque pour faire des claquettes. La mère mit une autre pièce et choisit un air très rapide. June Star s'avança sur la piste et fit son numéro habituel.

— C' qu'elle est mignonne, dit la femme de Red Sam, en se penchant par-dessus le comptoir. Voudrais-tu rester ici et être ma petite fille à moi...

— Des clous ! répondit June Star. J' voudrais pas habiter dans une baraque pareille pour un million de dollars ! et elle regagna la table en courant.

— C' qu'elle est mignonne, répéta la femme avec une moue polie.

— T'as pas honte, June Star ! glapit la grand-mère.

Red Sam entra et dit à sa femme de cesser de se prélasser sur le comptoir, et de se dépêcher de servir les clients. Il portait un pantalon kaki qui lui arrivait à peine aux hanches et son ventre en débordait comme un sac de farine qui ballottait sous sa chemise. Il alla s'asseoir à une table près d'eux, puis émit un bruit curieux, mi-soupir mi-modulation de tyrolienne. « Encore roulé ! dit-il. Rien à faire ! » Il passa un mouchoir gris sur sa figure cramoisie où la sueur ruisselait. « Par les temps qui courent, on ne sait plus en qui avoir confiance, dit-il. C'est pas la vérité ?

— Pour sûr que les gens ne sont plus aussi convenables qu'avant, dit la grand-mère.

— Deux gars sont venus ici la semaine dernière, dit Red Sam ; ils avaient une Chrysler. C'était une vieille bagnole cabossée, mais elle marchait bien et les gars m'avaient fait bonne impression. Ils m'ont dit qu'ils travaillaient à l'usine. Eh bien, me croirez-vous, je leur ai fait crédit. Je vous demande un peu pourquoi que j'ai fait ça ?

— Parce que vous êtes un brave garçon ! » répondit la grand-mère sans hésiter. Red Sam sembla surpris par cette réponse :

— Vous avez p'tête raison, dit-il.

Sa femme arriva avec la commande ; elle portait les cinq assiettes à la fois, sans plateau ; deux dans chaque main, et une en équilibre sur le bras. « Dans ce bas monde, dit-elle, il y a personne à qui se fier. Personne sans exception », répéta-t-elle en regardant Red Sammy.

— Avez-vous lu dans les journaux ce qu'on dit du Désaxé, ce criminel qu'a pris la clef des champs ? demanda la grand-mère.

— Ça m'étonnerait pas qu'il vienne nous agressionner ici même, dit la femme. S'il sait qu'on s' trouve ici, je serais pas surprise de le voir arriver. S'il apprend qu'il y a quatre sous dans la caisse, je serais pas étonnée, mais pas du tout, qu'il...

— Ça suffit, dit Red Sam, va leur chercher leur coca-cola. » La femme s'exécuta.

— Les braves gens ne courent pas les rues, dit Red Sammy. Le monde devient impossible. Je me souviens du temps où qu'on pouvait partir en laissant la clef sur la porte. Ça se reverra plus jamais. » La grand-mère et lui parlèrent du bon temps révolu. Elle déclara qu'à son avis l'Europe était l'unique responsable de l'état de choses actuel : elle dit qu'à voir faire l'Europe, on pouvait croire que les Américains étaient tous des richards, et Red Sam dit que ça valait même pas la peine d'en parler, vu qu'elle avait entièrement raison. Les enfants sortirent en courant dans l'éclatante lumière blanche et ils regardèrent le singe dans le frêle feuillage de l'arbre à chapelets. Il était en train de s'épucer avec un soin extrême et croquait les puces une à une, comme une friandise.

Ils repartirent dans la pleine chaleur de l'après-midi. La grand-mère s'assoupissait mais, au bout d'une minute, ses ronflements la réveillaient. Après Toombsboro, elle se réveilla pour tout de bon et se souvint d'une vieille plantation des environs qu'elle était allée voir au temps où elle était jeune fille. Elle dit que la maison avait six colonnes blanches sur la façade et qu'une allée de chênes y conduisait ; de chaque côté il y avait une petite tonnelle ceinte d'un treillis de bois où l'on allait s'asseoir avec son prétendant après une promenade dans le jardin. Elle se rappelait parfaitement la bifurcation qui y conduisait. Elle savait que Bailey ne consentirait jamais à perdre un moment pour jeter un coup d'œil sur une vieille maison, mais plus elle parlait, plus elle avait envie de la revoir et de savoir si les petites tonnelles jumelles étaient toujours en place. « Il y avait un panneau secret dans les boiseries de cette maison », dit-elle insidieusement. C'était une pure invention, mais si grisante qu'elle poursuivit : « Le bruit courait aussi que toute l'argenterie de la famille y avait été cachée quand Sherman avait traversé le pays, et que jamais on ne l'avait retrouvée...

— Hé, dit John Wesley, allons-y voir ! Nous, on la retrouvera ! On sondera toutes les boiseries, et on mettra la main dessus ! Qui habite cette maison ? Où c'est qu' faut bifurquer ? Dis p'pa, est-ce qu'on peut pas tourner là-bas ?

— On n'a jamais vu une maison avec une boiserie secrète ! cria June Star de sa voix stridente. Allons voir la maison avec la boiserie secrète ! Dis p'pa, je voudrais qu'on aille voir la maison avec la boiserie secrète !

— Je sais que c'est pas loin d'ici, dit la grand-mère. Ça ne prendrait pas plus de vingt minutes.

Bailey avait le regard fixé sur la route et la mâchoire raide comme un fer à cheval. « Non », dit-il.

Les enfants se mirent à crier et à hurler qu'ils voulaient voir la maison avec la boiserie secrète. John donna des coups de pied dans le siège avant, et June Star se cramponna à l'épaule de sa mère et elle lui dit en lui pleurnichant sans répit dans le creux de l'oreille qu'ils ne pouvaient jamais s'amuser, même en vacances, qu'ils ne pouvaient jamais faire ce qu'ILS voulaient. Le bébé se mit à brailler et John Wesley cognait si fort dans le siège avant, que son père sentait les coups de pied lui labourer les reins.

— Bon ! cria-t-il, et il arrêta la voiture à un parking sur le bas-côté.

— Est-ce que vous allez tous la fermer ? Voulez-vous la fermer rien qu'une minute ? Si vous la fermez pas, nous n'irons nulle part.

— Ce serait très instructif pour eux, dit à mi-voix la grand-mère.

— D'accord ! dit Bailey, mais souvenez-vous de ça :

c'est la première et la dernière fois qu'on s'arrête pour une bêtise pareille. La première et la dernière.

— Le chemin de terre où il faut que tu bifurques est à environ un mille derrière nous, dit la grand-mère ; je l'ai repéré au passage. Je peux te guider, proposa-t-elle.

— Un chemin de terre ! grogna Bailey.

Ils firent demi-tour, et tandis qu'ils mettaient le cap sur le chemin de terre, la grand-mère se rappela d'autres détails à propos de la maison, la splendide verrière au-dessus du porche d'entrée, et le chandelier dans le hall. John dit que le panneau secret devait se trouver à l'intérieur de la cheminée.

— Vous ne pourrez pas entrer dans cette maison, dit Bailey. Vous ne savez pas qui y habite.

— Pendant que vous serez tous devant à parler aux gens, moi je filerai derrière et je rentrerai par la fenêtre, suggéra John Wesley.

— Tout le monde restera dans la voiture, dit la mère.

Ils prirent le chemin de terre et la voiture avança en cahotant et en soulevant un tourbillon de poussière rose. La grand-mère évoqua l'époque où il n'y avait pas de routes pavées et où l'on ne faisait pas plus de trente milles dans une journée. Le chemin était accidenté, avec des fondrières par endroits, et il y avait des virages secs, avec des bas-côtés dangereux. Parfois ils débouchaient sur le faîte d'une colline, et dominaient les cimes bleutées des arbres, à des milles à la ronde ; l'instant d'après, ils étaient dans un bas-fond rouge, et les arbres recouverts de poussière les dominaient à leur tour.

— Cette maison ferait bien de montrer son nez en vitesse, dit Bailey, sans quoi je fais demi-tour.

Il semblait que depuis des mois personne n'eût emprunté cette route.

— Ça n'est plus très loin, dit la grand-mère, mais à l'instant même où elle prononçait ces paroles, une pensée horrible lui vint à l'esprit. Elle en était si troublée que son visage s'empourpra, ses yeux se dilatèrent, ses pieds s'agitèrent, et firent chavirer son sac de voyage calé dans le coin. Au moment où il se renversa, le journal dont elle avait couvert le panier du chat se souleva, et Pitty Sing, furieux, bondit sur l'épaule de Bailey.

Les enfants dégringolèrent de la banquette et leur mère, sans lâcher le bébé, fut éjectée par la portière ; la grand-mère piqua dans le siège avant. La voiture fit un tonneau et alla atterrir, en se couchant sur le flanc gauche, dans un ravin à quelque distance de la route. Bailey resta rivé au volant, et le chat lui adhérait au cou comme une chenille. C'était un chat avec des raies grises, une grosse tête blanche et un nez orange.

Dès que les enfants virent qu'ils remuaient bras et jambes, ils sortirent à quatre pattes de la voiture, en criant : « On a eu un ACCIDENT ! » La grand-mère était recroquevillée sous le tableau de bord, et elle souhaitait d'être blessée afin que le courroux de Bailey lui fût quelque temps épargné. La pensée horrible qui lui était venue avant l'accident, c'était que la maison dont elle avait un si vivace souvenir ne se trouvait pas en Géorgie, mais dans le Tennessee. Bailey, à deux mains, détacha Pitty Sing de son cou et le balança par la vitre contre le tronc d'un pin. Puis il sortit de la voiture et se mit en quête de la mère des enfants. Elle était assise contre le remblai du fossé creusé dans la terre rouge, et elle tenait le bébé qui poussait des cris perçants ; elle avait seulement une coupure au visage et une épaule cassée. « On a eu un ACCIDENT », hurlaient les enfants, fous de joie.

— Mais personne n'a été tué », dit June Star déçue, alors que la grand-mère sortait clopin-clopant de la voiture, le chapeau encore fiché sur la tête, mais le devant en était brisé et se redressait à angle droit, l'air conquérant; par contre, le bouquet de violettes pendait sans gloire sur le côté. Tous, sauf les enfants, s'assirent dans le fossé pour se remettre du choc et ils tremblaient comme des feuilles.

— Peut-être qu'une voiture va passer, dit la mère des enfants d'une voix sourde.

— Je crois bien que j'ai quelque chose de cassé, dit la grand-mère en se palpant le côté, mais personne ne lui répondit. Bailey claquait des dents. Il portait une chemisette jaune imprimée de perroquets bleu vif, et son visage était aussi jaune que sa chemise. La grand-mère décida de ne pas signaler que la maison était dans le Tennessee.

La route les surplombait de quelque dix pieds et ils ne voyaient que la cime des arbres qui se trouvaient de l'autre côté. Derrière le fossé où ils étaient assis il y avait d'autres arbres, hauts, sombres, serrés. Bientôt ils aperçurent une voiture assez loin, au sommet d'une colline; elle descendait doucement vers eux comme si ses occupants les observaient. La grand-mère se remit sur pied et des deux bras fit de grands gestes pour attirer leur attention. La voiture continua d'avancer lentement, disparut dans une courbe et reparut, roulant plus doucement encore, au sommet de la côte d'où ils avaient fait la culbute. C'était une grosse voiture noire un peu cabossée; elle ressemblait à un corbillard. Il y avait trois hommes à l'intérieur.

Elle stoppa juste au-dessus d'eux, et pendant quelques minutes le conducteur les observa d'un regard fixe, sans expression, en silence. Puis il tourna la tête et marmonna quelque chose aux deux autres qui descendirent. L'un était jeune et corpulent : il avait un pantalon noir et un sweater rouge orné sur le devant d'un étalon en relief. Il passa derrière eux et vint se placer à leur droite, et resta là, le regard vague, la bouche entrouverte en une espèce de grimace molle. L'autre portait un pantalon kaki, une veste à rayures bleues, et un chapeau gris si enfoncé qu'il lui cachait presque tout le visage. Il alla se placer à leur gauche, sans se presser. Ni l'un ni l'autre ne disait mot.

Le conducteur descendit de la voiture, et resta à côté, sans cesser de les regarder. Il était plus âgé que les deux autres. Ses cheveux commençaient à grisonner et il portait des lunettes à monture d'argent qui lui donnaient l'air d'un universitaire. Il avait le visage marqué et il ne portait ni chemise ni gilet de corps. Son blue-jean était trop étroit pour lui et il tenait à la main un chapeau noir et un revolver. Les deux autres étaient armés aussi.

— On a eu un ACCIDENT, crièrent les enfants.

La grand-mère eut le sentiment bizarre que l'homme à lunettes ne lui était pas étranger. Son visage lui était même presque aussi familier que celui d'une très vieille connaissance, sans qu'elle parvînt pourtant à l'identifier. Il s'éloigna enfin de la voiture et entreprit de descendre le talus, en posant les pieds avec précaution, pour ne pas glisser. Il avait des chaussures havane et blanc, et pas de chaussettes ; ses chevilles étaient rouges et minces.

— Bonsoir, dit-il. Je vois que vous vous êtes payé un joli petit saut !

— Nous avons fait deux tonneaux, dit la grand-mère.

— Un seulement, corrigea-t-il. Nous avons vu comment que ça s'est passé. Hiram, essaye leur voiture et vois si elle marche, dit-il tranquillement au garçon qui portait un chapeau gris.

— Pourquoi que vous avez ce pistolet ? demanda John Wesley. Qu'est-ce que vous voulez fabriquer avec vot' feu ?

— Madame, dit l'homme à la mère des enfants, voudriez-vous dire à ces enfants de s'asseoir à côté de vous ? Les enfants, ça me rend nerveux. Je veux vous voir tous assis là où que vous êtes.

— Pourquoi qu' vous nous commandez ce qu'il faut qu'on fasse ? demanda June Star.

Derrière eux, la ligne noire des arbres s'ouvrait comme une bouche d'ombre.

— Venez ici mes petits, dit la mère.

— Maintenant écoutez, intervint soudain Bailey. Nous sommes dans une drôle de situation ! Nous sommes...

La grand-mère poussa un cri. Elle se releva d'un bond et dévisagea l'homme un moment. « Vous êtes le Désaxé, dit-elle. Je vous ai reconnu tout de suite. »

— Oui, ma petite dame, dit l'homme en ébauchant un sourire comme si, malgré tout, il n'était pas mécontent d'être reconnu. Mais ça aurait bien mieux valu pour vous tous que vous m'ayez pas repéré, ma petite dame. »

Bailey tourna vivement la tête vers sa mère, et lui dit quelque chose qui choqua même les enfants. La vieille dame se mit à pleurer et le Désaxé rougit.

— Madame, faut pas en faire une maladie : ça

arrive qu'un homme dise des choses qu'il pense pas. J' crois pas qu'il voulait vous causer d' cette façon.

— Vous ne tireriez pas sur une dame, n'est-ce pas ? demanda la grand-mère, et elle sortit un mouchoir propre de sa manche pour s'en tamponner les yeux.

Le Désaxé, de la pointe du soulier, fit un petit trou dans la terre puis le reboucha. « Ça me coûterait d'avoir à faire ça », dit-il.

— Écoutez, cria la grand-mère : je sais que vous êtes un brave homme. Vous n'avez pas l'air commun. Je sais que vous venez sûrement d'une famille bien !

— Oui, madame, dit-il, y avait pas mieux sur terre. » Son sourire découvrait une rangée de solides dents blanches. « Dieu n'a jamais créé une femme mieux que ma mère, et papa avait un cœur en or fin », déclara-t-il. Le garçon au sweater rouge était venu derrière eux, pistolet à la hanche. Le Désaxé s'assit sur ses talons. « Occupe-toi des enfants, Bobby Lee, dit-il ; tu sais qu'ils me rendent nerveux. » Il les regarda tous les six, serrés les uns contre les autres, et il semblait embarrassé, comme s'il ne trouvait rien à dire. « Y a pas un nuage dans le ciel, remarqua-t-il, en levant les yeux. J' vois pas le soleil, mais j' vois pas de nuage non plus.

— Oui, c'est une belle journée, dit la grand-mère. Écoutez, dit-elle, vous ne devriez pas prendre ce nom de Désaxé, parce que je sais que dans le fond vous êtes un brave garçon. Ça saute aux yeux.

— Silence ! hurla Bailey. Silence ! Que tout le monde la ferme et me laisse m'occuper de ça ! » Il avait la position du coureur prêt à bondir pour un sprint, mais il restait sur place.

— J' suis très touché, madame, dit le Désaxé, et il

traça un petit cercle sur le sol avec le canon de son revolver.

— Ça prendra une demi-heure pour réparer c'te chignole, cria Hiram, en levant la tête de dessous le capot.

— D'ac. Mais d'abord emmène-les avec Bobby Lee faire un petit tour là-bas, lui et le gosse », dit le Désaxé, en désignant Bailey et John Wesley. « Les gars ont quelque chose à vous demander, dit-il à Bailey. Ça vous ennuierait d'aller faire deux ou trois pas dans le bois avec eux ? »

— Écoutez, commença Bailey, nous sommes dans une situation terrible ! Personne ne s'en rend compte. Sa voix craqua soudain et ses yeux avaient pris le bleu intense des perroquets de sa chemise. Il semblait pétrifié.

La grand-mère leva la main pour remettre en place le bord de son chapeau, comme si elle allait accompagner son fils dans le bois, mais le bord lui resta à la main. Elle le regarda une seconde d'un air stupéfait, puis le laissa choir à terre. Hiram fit lever Bailey en le tirant par le bras comme s'il aidait un vieillard. John Wesley prit la main de son père, et ils se dirigèrent vers le bois, Bobby Lee fermant la marche. Comme ils arrivaient à la lisière pleine d'ombre, Bailey se retourna, s'appuya contre le tronc gris et nu d'un pin, et cria : « Je reviens dans une minute, maman, attends-moi !

— Reviens immédiatement ! cria sa mère de toutes ses forces, mais ils disparurent dans le bois.

— Bailey, mon petit ! » appela la grand-mère d'une voix poignante, mais elle s'aperçut qu'elle regardait le Désaxé accroupi devant elle. « Je sais bien que vous êtes un bon garçon, dit-elle avec l'énergie du désespoir. Vous n'êtes pas du tout commun. »

— Non, j' suis pas bon, dit le Désaxé après un silence, comme s'il avait soigneusement pesé les affirmations de la grand-mère ; mais j' suis pas non plus ce qu'y a de pire sur la terre. Papa disait que j'étais pas de la même race que mes frères et sœurs. « Vous savez, qu'il disait, il y en a qui passent toute leur vie sans jamais se poser de questions ; et y en a d'autres qui veulent toujours savoir le pourquoi et le comment ; c'est le cas de ce garçon : il fourrera son nez partout ! »

Il mit son chapeau noir et brusquement leva les yeux, puis il regarda vers les profondeurs du bois, comme s'il était très gêné, une fois encore.

— Je regrette d'être sans chemise devant vous, mesdames, dit-il, et sa tête s'enfonça un peu dans ses épaules. On a enterré les vêtements qu'on avait quand on s'est défilé, et on fait aller en attendant de trouver mieux. On a emprunté ceux-là à des gens qu'on a rencontrés, expliqua-t-il.

— C'est très bien comme ça, dit la grand-mère. Bailey a peut-être une chemise de rechange dans sa valise.

— Je vais me rendre compte tout à l'heure, dit le Désaxé.

— Où l'emmènent-ils ? hurla la mère des enfants.

— Papa aussi était un type pas ordinaire ! dit le Désaxé. Y avait pas moyen de le rouler. Pourtant lui n'a jamais eu d'ennuis avec les autorités. Il avait le chic pour les posséder.

— Vous aussi vous pourriez être honnête si vous vouliez faire rien qu'un petit effort, dit la grand-mère. Comme ça serait magnifique d'avoir une vie bien rangée, bien comme il faut, et de ne pas penser tout le temps qu'on vous pourchasse... Le Désaxé continuait à gratter le sol avec le canon de son revolver comme s'il était plongé dans ses pensées. « C'est vrai, madame, on a toujours quelqu'un à ses trousses », murmura-t-il.

La grand-mère remarqua la minceur de ses omoplates, qui semblaient saillir de derrière le chapeau : elle s'était levée et le dominait maintenant. « Est-ce que vous faites quelquefois votre prière ? » demanda-t-elle.

Elle vit le chapeau noir bouger entre les omoplates. « Jamais », dit-il.

Il y eut un coup de pistolet dans le bois, suivi presque immédiatement d'un second. Puis tout fut silence. La tête de la grand-mère pivota vers le bois. Elle entendit la rumeur du vent qui glissait dans les cimes des arbres, comme une longue aspiration voluptueuse. « Bailey, mon petit ! », appela-t-elle.

— J'ai été chanteur de cantiques pendant un temps, dit le Désaxé. J'ai fait à peu près tous les métiers. Deux fois dans le service armé, infanterie et marine, ici et à l'étranger ; marié deux fois ; j'ai été fossoyeur, puis employé des chemins de fer, j'ai labouré la bonne vieille terre, j'ai été pris dans un cyclone, j'ai vu un homme brûler vif. » Il leva les yeux vers la mère des enfants assise tout contre June Star, aussi blêmes l'une que l'autre, et le regard absent. « J'ai même vu fouetter une femme », dit-il.

— Priez, priez ! dit la grand-mère, priez !...

— A c' que j' me rappelle, j'étais pas un mauvais diable dans le temps, dit le Désaxé d'une voix presque rêveuse, mais à un certain endroit de la route j'ai fait quelque chose de mal, et j'ai récolté du pénitencier. Ils m'ont enterré vivant. » Il la fixait si intensément qu'elle ne pouvait détacher ses yeux de son visage.

— C'est alors qu'il aurait fallu essayer de prier, dit-elle. Qu'aviez-vous donc fait pour aller au pénitencier, la première fois ?

— Qu'on se tourne à droite ou à gauche, y avait un mur, dit le Désaxé, en levant les yeux vers le ciel sans nuage. On regardait en l'air, y avait le plafond ; en bas, le plancher. Je me rappelais plus ce que j'avais fait, madame. J'avais beau rester assis et réfléchir pour le retrouver, j'y arrivais pas ; j'y suis pas encore arrivé à l'heure qu'il est. Y a des fois que j'ai bien cru que ça allait venir, mais y a pas moyen.

— Peut-être qu'ils vous ont enfermé par erreur, suggéra la vieille dame.

— Non, madame, dit-il, y avait pas d'erreur : ils avaient un dossier sur moi.

— Vous aviez sans doute volé quelque chose, dit-elle.

Le Désaxé eut un petit ricanement. « Personne avait ce que je voulais, dit-il. C'est le médecin-chef du pénitencier qu'a dit que ce que j'avais fait, c'est que j'avais tué papa ; mais je savais bien que c'était un mensonge. Papa est mort en 19 de l'épidémie de grippe, et j'y étais pour rien. Il a été enterré dans le cimetière baptiste de Mount Hopewell : vous pouvez y aller vous rendre compte par vous-même.

— Si vous vouliez prier, dit la vieille dame, Jésus vous aiderait.

— C'est vrai, dit le Désaxé.

— Alors, pourquoi ne priez-vous pas ? demanda-t-elle, en frémissant soudain de plaisir.

— J' veux pas qu'on m'aide, dit-il ; je m' débrouille tout seul.

Bobby Lee et Hiram revenaient tranquillement du bois. Bobby Lee laissait traîner à terre une chemise jaune à perroquets bleu vif.

— Balance-moi cette chemise, Bobby Lee, dit le Désaxé. La chemise vint se poser sur son épaule et il la passa et la boutonna. La grand-mère n'arrivait pas à trouver ce que lui rappelait cette chemise. « Non, madame, dit le Désaxé ; j'ai découvert que le crime n'a aucune importance. Vous pouvez faire n'importe quoi, tuer un homme ou faucher un pneu à sa voiture, tôt ou tard vous vous rappelez plus ce que vous avez fait et vous êtes puni tout pareil. »

La mère des enfants s'était mise à pousser de profonds soupirs comme si la respiration lui manquait. « Madame, lui demanda-t-il, ça vous dirait d'aller avec Bobby Lee et Hiram rejoindre votre mari ?

— Oui, merci », dit-elle en un souffle. Son bras gauche pendait lamentablement, et de l'autre elle tenait le bébé qui s'était endormi.

— Allons, aide cette dame, Hiram ! dit le Désaxé, alors qu'elle peinait pour sortir du fossé. Et toi, Bobby Lee, prends la petite fille par la main.

— J' veux pas lui donner la main, dit June Star. Il me fait penser à un porc.

Le gros garçon rougit, et, en riant, la saisit par le bras et l'entraîna vers le bois, derrière sa mère et Hiram.

Seule avec le Désaxé, la grand-mère s'aperçut qu'elle n'avait plus de voix. Le ciel était vide de tout nuage et le soleil avait disparu. Autour d'elle il n'y avait que des bois. Elle voulait l'adjurer de prier. Elle ouvrit et ferma la bouche plusieurs fois avant qu'aucun son sortît. Finalement, elle se surprit à dire : « Jésus ! » Dans son esprit, cela signifiait « Jésus vous aidera », mais à la manière dont elle prononça le mot, on eût pu le prendre pour un juron.

— Oui, madame, acquiesça-t-il, Jésus a tout chamboulé. Lui et moi c'est la même histoire, sauf que LUI n'avait pas commis de crime, et qu'ils ont pu prouver que j'en avais commis un, parce qu'ils avaient ce dossier sur mon compte. Bien sûr, ils me l'ont jamais montré. C'est pourquoi que maintenant j' laisse ma signature. Il y a longtemps que j' me disais : trouve-toi une signature, signe tout ce que tu fais, et prends-en note. Comme ça on sait ce qu'on a fait, on peut comparer le crime et la punition et voir si ça colle ; et, à la fin du compte, on a quelque chose pour prouver qu'on a pas été juste avec vous. Si j'ai pris ce nom de « Désaxé », dit-il, c'est parce que j'arrive pas à faire tenir en équilibre, sur c'te balance qu'est faussée, le mal que j'ai fait et les punitions que j'ai ramassées.

Il y eut un cri perçant dans le bois, puis, presque aussitôt, une détonation.

— Est-ce que ça vous paraît juste à vous, madame, que toutes les punitions tombent sur le dos d'un tel, et rien sur un autre ?

— Jésus, cria la vieille dame, bon sang ne saurait mentir ! Je sais que vous ne tueriez pas une dame. Je sais que vous venez d'une bonne famille ! Priez ! Jésus, vous ne devriez pas tirer sur une dame. Je vous donnerai tout l'argent que j'ai !

— Madame, dit le Désaxé dont le regard s'enfonça aux profondeurs du bois, jamais j'ai vu un cadavre donner la pièce au croque-mort.

Il y eut deux autres détonations et la grand-mère leva la tête, telle une vieille dinde desséchée qui piaille pour avoir de l'eau : « Bailey, mon fils, Bailey, mon petit ! » cria-t-elle comme si son cœur allait se briser.

— Jésus est le SEUL qu'a ressuscité les morts, poursuivit le Désaxé, et IL n'aurait pas dû faire ça. IL a tout désaxé. S'IL a vraiment fait ce qu'IL a dit, y a plus qu'à tout envoyer promener et à LE suivre. S'IL l'a pas fait, y a plus qu'à profiter à plein des quelques minutes qui vous restent — tuer un gars, brûler sa maison, ou lui faire une autre vacherie. Y a pas de plaisir ailleurs, dit-il d'une voix qui grinçait de hargne.

— IL n'a peut-être pas ressuscité les morts, marmonna la vieille dame qui ne savait plus ce qu'elle disait ; la tête lui tournait, et elle s'affala dans le fossé, les jambes repliées sous elle.

— Je n'y étais pas, alors j' peux pas dire qu'IL l'a pas fait, dit le Désaxé. J'aurais bien voulu y être, continua-t-il en frappant le sol du poing. C'est pas juste que j'y sois pas été, parce que si j'y avais été, j'aurais su, et j' serais pas comme j' suis maintenant. » Sa voix semblait sur le point de se casser, et la grand-mère, une minute, redevint lucide. Elle vit, tout près du sien, le visage tordu de l'homme ; on eût dit qu'il allait éclater en larmes. Elle murmura :

— Mais vous êtes un de mes petits ! Vous êtes un de mes enfants à moi ! » Elle tendit le bras et lui toucha l'épaule. Le Désaxé recula d'un bond, comme si un serpent l'eût mordu, et lui tira trois balles dans la poitrine. Puis il posa son revolver à terre, retira ses lunettes, et se mit à les nettoyer.

Hiram et Bobby Lee revenaient du bois ; ils s'arrêtèrent au bord du fossé, et regardèrent la grand-mère, mi-assise, mi-couchée dans une flaque de sang, les jambes pliées sous elle comme un bébé, et le visage souriant à un ciel sans nuage.

Sans les lunettes, les yeux pâles du Désaxé étaient cernés de rouge et semblaient pleins d'innocence. « Enlevez-la et allez la jeter où que vous avez jeté les autres », dit-il en ramassant le chat qui se frottait contre sa jambe.

Bobby Lee se laissa glisser dans le fossé en chantonnant.

— C' qu'elle pouvait seriner les gens ! dit-il.

— Ç'aurait pas été une mauvaise femme, dit le Désaxé, si y avait eu quelqu'un pour la suriner à chaque minute de son existence.

— Marrant ! dit Bobby Lee.

— La ferme, Bobby Lee ! dit le Désaxé. Y a pas de vrai plaisir dans la vie.

Le fleuve.

L'enfant était immobile, l'air morne, au milieu du living-room, pendant que son père tiraillait le petit corps engourdi de sommeil pour enfiler un manteau à carreaux. Le bras était pris dans la manche, mais le père boutonna le manteau en vitesse et poussa le garçon vers une main pâle, piquetée de taches, qui se tendait par la porte entrebâillée.

— Il est rudement mal ficelé, dit une voix sonore qui venait du vestibule.

— Eh bien, alors, habillez-le vous-même! grommela le père; il n'est que six heures du matin! Il était en robe de chambre, pieds nus. Il conduisit l'enfant à la porte, et, comme il allait la refermer, il aperçut la silhouette de la femme, qui se dressait, squelette moucheté drapé dans un long manteau vert épinard, et casqué de feutre.

— Et l'argent pour nos tickets? dit-elle. Faudra qu'on prenne le car deux fois.

Il retourna dans la chambre pour chercher un peu de monnaie, et quand il revint, il trouva la femme et l'enfant debout au milieu de la pièce. Elle examinait les lieux d'un œil critique. « Si j' devais venir vous tenir compagnie, j' pourrais pas supporter longtemps tous ces mégots », dit-elle en ajustant le manteau de l'enfant à petits coups précis.

— Voici l'argent », dit le père. Il alla à la porte, l'ouvrit toute grande et attendit.

Après qu'elle eut compté son argent, elle le glissa dans son manteau et fit quelques pas vers une aquarelle accrochée près de l'électrophone. « Je sais l'heure qu'il est, dit-elle, l'œil rivé sur l'entrelacs de lignes noires qui transperçaient un chaos de plans aux couleurs criardes. C'est pas sorcier : j'embauche à dix heures du soir, je n' sors qu'à cinq heures et je passe une heure dans le bus de Vine Street.

— Je vois, dit-il, alors vous le ramènerez ce soir entre huit et neuf ?

— Peut-être plus tard, dit-elle. Nous irons jusqu'au fleuve : il y a une séance de guérison. Ce prédicateur-là ne passe pas souvent dans le coin... Jamais j'aurais dépensé mon argent pour une chose comme ça, dit-elle en désignant de la tête la peinture ; j'en aurais fait tout autant.

— Très bien, Mrs. Connin, nous vous verrons donc ce soir », dit-il, en tambourinant impatiemment sur la porte.

De la chambre parvint une voix sans timbre : « Apporte-moi de la glace. »

— C'est pas de chance que sa maman soit malade, dit Mrs. Connin. Qu'est-ce qu'elle a ?

— On n'en sait rien, marmonna-t-il.

— Nous demanderons au prédicateur de prier pour elle. Il a guéri des tas de gens. C'est le Révérend Bevel Summers. Peut-être qu'elle devrait aller le voir un jour !

— Peut-être bien, dit-il. A ce soir ! » Et il disparut dans la chambre.

Le petit garçon observait Mrs. Connin. Il restait silencieux. Son nez coulait et ses yeux pleuraient. Il avait quatre ou cinq ans, un visage allongé, un menton en galoche, et des yeux mi-clos, curieusement écartés. Il semblait muet et patient, comme un vieux mouton qui attend qu'on le fasse sortir.

— Tu aimeras ce prédicateur, dit-elle. C'est le Révérend Bevel Summers. Tu verras comme il chante bien !

La porte de la chambre s'ouvrit brusquement ; la tête du père parut :

— Au revoir, mon vieux, lança-t-il. Amuse-toi bien.

— Au revoir, fit le petit garçon en sursautant comme si on lui avait fait une piqûre.

Mrs. Connin jeta un dernier coup d'œil sur l'aquarelle. Puis ils sortirent dans le couloir et appelèrent l'ascenseur. « C'est pas moi qu'aurais voulu dessiner ça », dit-elle.

Dehors le matin grisâtre se brisait sur la double muraille des buildings vides et sans lumière. « Ça va se lever plus tard, dit-elle. Mais c'est la dernière fois de l'année qu'on pourra avoir un sermon au fleuve. Essuie ton nez, ma petite crotte en sucre. »

Il se mit à frotter sa manche dessus, mais elle l'arrêta. « C'est pas comme ça qu'on fait, dit-elle. Où est ton mouchoir ? »

Il fouilla dans ses poches en faisant semblant de le chercher tandis qu'elle attendait. « Y en a qui se moquent pas mal de la façon qu'ils vous font partir, murmura-t-elle à son image dans la vitrine du café. Débrouille-toi comme tu pourras. » Elle tira de sa poche un mouchoir à fleurs bleu et rouge, se pencha et s'occupa énergiquement du nez de l'enfant. « Maintenant souffle », dit-elle, et il souffla. « Tu peux le garder. Fourre-le dans ta poche. »

Il le plia et le rangea soigneusement dans sa poche; puis ils s'avancèrent jusqu'au carrefour, s'appuyèrent contre un drugstore au rideau baissé, et attendirent l'autobus. Mrs. Connin releva le col de son manteau si bien que, dans le dos, il se confondait avec son chapeau. Ses paupières se fermèrent petit à petit et on eût dit qu'elle allait s'endormir contre le mur. L'enfant lui pressa légèrement la main.

— Comment t'appelles-tu? demanda-t-elle d'une voix lourde de sommeil. Tout ce que je sais, c'est ton nom de famille. J'aurais dû demander ton prénom.

Il s'appelait Harry Ashfield et c'était bien la première fois qu'il eut l'idée de changer de prénom. « Bevel », dit-il.

Mrs. Connin s'écarta du mur. « Ça alors! Quelle coïncidence! Je t'ai dit que c'était le nom du prédicateur! »

L'enfant répéta : « Bevel. »

Elle le regarda longuement, comme s'il était devenu un petit phénomène. « Faut que je m'arrange pour que tu le voies aujourd'hui, dit-elle. C'est pas un prédicateur ordinaire. Il sait guérir aussi. Pourtant, il a rien pu faire pour Mr. Connin. J' sais bien que Mr. Connin n'avait pas la foi, mais un jour il avait dit qu'il essayerait n'importe quoi. Il avait les intestins qui se nouaient. »

Le trolley apparut, tache jaune au bout de la rue déserte.

— Maintenant, il est à l'hôpital de l'État, dit-elle, et ils lui ont enlevé un tiers de l'estomac. Je lui dis qu'y ferait mieux de remercier Jésus pour ce qu'il lui reste, mais il dit qu'il veut remercier personne... Ça alors! murmura-t-elle, Bevel!...

Ils s'avancèrent jusqu'aux rails. « Est-ce qu'il va me guérir ? » demanda Bevel.

— Qu'est-ce que t'as ?

— J'ai faim, dit-il après quelque hésitation.

— T'as donc pas pris ton petit déjeuner ?

— J'ai pas eu le temps d'avoir faim avant de partir, dit-il.

— Quand on sera arrivé à la maison, on mangera tous les deux, dit-elle. Moi aussi j'ai la dent.

Ils montèrent dans le bus, s'assirent non loin du conducteur, et Mrs. Connin prit Bevel sur ses genoux. « Maintenant, tu vas être mignon et me laisser faire un somme. Mais ne descends pas de mes genoux ! » Elle renversa la tête ; ses yeux se fermèrent peu à peu et sa bouche s'ouvrit, découvrant des dents longues et clairsemées, certaines en or, et d'autres plus noires que la peau de son visage. Puis elle se mit à souffler et siffler comme un squelette mélomane. Ils étaient seuls dans le bus avec le conducteur et lorsque l'enfant vit qu'elle dormait, il sortit le mouchoir à fleurs et l'examina. Puis il le replia, ouvrit une fermeture éclair dans la doublure de son manteau, l'y enfouit et ne tarda pas à s'endormir à son tour.

La maison de Mrs. Connin était à quelque huit cents mètres du terminus, un petit peu en retrait de la route. Elle était en brique couleur papier d'emballage, avec une véranda sur le devant et un toit en fer-blanc. Dans la véranda, il y avait trois garçons de taille différente, le visage pareillement couvert de taches, et une grande fille dont les cheveux étaient enroulés sur tant de bigoudis en aluminium que sa tête flamboyait comme le toit. Les trois garçons les suivirent, entrèrent et fermèrent la porte derrière Bevel. Ils le regardaient en silence, sans un sourire.

— Voici Bevel, dit Mrs. Connin, en retirant son manteau. C'est une coïncidence qu'il s'appelle comme le prédicateur. Ces garçons se nomment J. C. Spivey et Sinclair, et celle qu'est restée sous le porche s'appelle Sarah Mildred. Enlève ton manteau, Bevel, et accroche-le au montant du lit.

Les trois garçons le regardaient déboutonner son manteau. Ils ne cessèrent de l'observer, alors qu'il le suspendait au montant du lit, puis, immobiles toujours, ils examinèrent longuement le manteau. Brusquement, ils firent demi-tour, sortirent, et parlementèrent dans la véranda. Le regard de Bevel faisait le tour de la pièce. C'était à la fois une cuisine et une chambre à coucher. La maison se composait, en tout et pour tout, de deux pièces et de deux vérandas. Tout près de Bevel, à portée de son pied, la queue d'un chien de couleur claire montait et descendait entre deux lames de parquet, tandis qu'en dessous l'animal se frottait le dos contre le plancher de la maison. Bevel sauta à pieds joints sur la queue, mais le chien connaissait la musique, et la queue disparut juste avant que n'atterrissent les pieds de Bevel.

Les murs étaient couverts de photos et de calendriers. Il y avait dans deux cadres ronds les portraits d'un vieillard et d'une vieille femme à la lippe identiquement pendante; puis la photo d'un homme dont les sourcils semblaient jaillir de deux touffes de cheveux et se heurtaient en une mêlée confuse sur l'arête du nez; le reste du visage saillait comme une falaise abrupte et dénudée. « C'est Mr. Connin, dit Mrs. Connin en reculant un instant du poêle pour admirer la photo avec Bevel, mais elle ne lui ressemble plus. »

Le regard de Bevel se détacha de Mr. Connin pour se fixer sur une image en couleur placée au-dessus du lit, qui représentait un homme revêtu d'un drap blanc. Il avait de longs cheveux, un cercle d'or autour de la tête et il sciait une planche, sous le regard attentif de quelques enfants. Bevel allait demander qui c'était, lorsque les trois garçons rentrèrent et lui firent signe de les suivre. Il eut envie de ramper sous le lit et de s'agripper à l'un des pieds, mais les trois garçons l'attendaient en silence : au bout d'un moment, il les suivit à quelque distance. Ils tournèrent au coin de la maison, traversèrent un champ d'herbes jaunes et drues, et se dirigèrent vers l'enclos à cochons ; il avait cinq pieds carrés et était plein de porcelets. Les trois garçons avaient comploté de faire basculer Bevel dedans. Ils y arrivèrent les premiers, se retournèrent, et attendirent en silence, appuyés aux planches de l'enclos.

Bevel venait très lentement, ses pieds butant exprès l'un contre l'autre, comme s'il avait du mal à marcher. Un jour, sa garde l'avait oublié dans le parc, et des garçons qu'il ne connaissait pas l'avaient rossé, sans qu'il eût, cette fois-là, la moindre idée de ce qui allait lui arriver. Une puissante odeur d'ordures lui parvenait maintenant aux narines, et il entendait les allées et venues d'un animal sauvage. Il s'arrêta à quelques pas de l'enclos, pâle mais résolu. Les trois garçons ne bougeaient pas. Ils semblaient désemparés. Bevel s'aperçut que leurs yeux n'étaient plus fixés sur lui ; ils semblaient suivre quelque chose qui s'approchait dans son dos. Il n'osait tourner la tête pour voir ce que c'était. Sur le visage des trois garçons, les taches avaient blêmi, et leurs yeux étaient gris comme du verre. Seules leurs oreilles avaient des petits frémissements brusques. Rien ne se passa. Enfin celui qui était au milieu dit : « Elle nous tuerait ! » et il pivota sur place, apparemment découragé. Il grimpa sur le bat-flanc de la porcherie, et y resta en équilibre, le regard plongeant à l'intérieur.

Bevel s'assit par terre, stupéfait et soulagé, et il leur adressa un pauvre sourire. Celui qui était perché sur le bat-flanc lui lança un coup d'œil sévère. « Toi là-bas, dit-il, si t'es pas fichu de grimper pour voir les gorets, t'as qu'à soulever la planche d'en bas et regarder par là. » L'offre semblait partir d'un bon mouvement. Bevel n'avait jamais vu de vrais porcs ; il n'en avait vu que dans son livre d'images ; il savait que c'étaient de petits animaux dodus et roses, avec un nœud papillon, une queue en tire-bouchon, et une tête ronde, fendue jusqu'aux oreilles par un gros rire. Il se pencha et s'empressa de tirer sur la planche.

— Tire plus fort, dit le plus petit des garçons. C'est facile, c'est tout pourri ; t'as qu'à enlever cette pointe.

Bevel retira une longue pointe rougeâtre du bois vermoulu.

— Maintenant, commença une voix tranquille, t'as qu'à soulever la planche et coller ta tête dans le... C'était déjà fait. Mais une autre tête, grise, humide, revêche, se ruait sur la sienne, le faisait choir à la renverse alors qu'il tentait de s'extirper de dessous la planche. Une masse lui passa par-dessus le corps avec un grognement, revint à la charge, le souleva par-derrière, puis le fit détaler, droit devant lui ; d'une haleine, il traversa tout le champ jaune en poussant des hurlements, avec la bête bondissante à ses trousses.

Les trois Connin regardaient de leur place. Celui qui était assis jambes pendantes maintenait en place la planche détachée. Les visages n'avaient rien perdu de leur dureté, mais ils étaient moins tendus, semblait-il, comme s'ils eussent éprouvé une satisfaction relative.

— M'man va pas être contente qu'il ait fait sortir ce goret, dit le plus petit.

Mrs. Connin était dans la véranda de derrière. Alors que Bevel arrivait aux marches, elle le saisit et le souleva de terre. Le porcelet poursuivit sa course jusque sous la maison, où il s'effondra, pantelant. L'enfant hurla cinq minutes encore. Lorsqu'elle l'eut enfin apaisé, elle lui apporta son petit déjeuner et le garda sur ses genoux tant qu'il mangea. Le cochon gravit les deux marches de la véranda, et resta derrière la contre-porte. Il regardait à l'intérieur, tête basse et l'air malheureux. Haut sur pattes, il avait l'échine ronde, et le bout d'une oreille avait été enlevé d'un coup de dents.

— Ote-toi de là ! cria Mrs. Connin. Ce cochon ressemble à Mr. Paradise, le propriétaire du poste à essence. Tu le verras aujourd'hui, à la séance de guérison. Il a un cancer à l'oreille. Il y vient toujours pour montrer qu'il n'est pas guéri.

L'animal aux petits yeux plissés resta encore quelques instants sur le pas de la porte, puis s'éloigna lentement. « Je ne veux pas voir Mr. Paradise », dit Bevel.

Ils se dirigeaient vers le fleuve. Mrs. Connin allait en tête avec Bevel, les trois garçons suivaient en file indienne, et Sarah Mildred, la grande fille, fermait la marche pour avertir sa mère au cas où l'un des trois gamins filerait sur la route. On eût dit le squelette d'un vieux bateau, avec ses deux extrémités en pointe, qui eût lentement longé la grand-route. Le soleil blanc de ce dimanche suivait à quelque distance; il montait vite, se hâtait de traverser l'ouate grise d'un nuage, comme pour les rattraper. Bevel donnait la main à Mrs. Connin, et ne quittait pas des yeux la rigole orange et violette qui dévalait du revêtement bétonné de la grand-route. Alors l'idée lui vint qu'il avait eu de la chance que ses parents aient trouvé Mrs. Connin qui l'emmenait pour la journée, au lieu d'une garde ordinaire, qui vient s'installer à la maison ou vous promène au jardin public. On en apprenait bien davantage en quittant la maison. Rien que ce matin, il avait découvert qu'il avait été créé par un charpentier nommé Jésus-Christ. Avant il croyait que c'était un certain docteur Sladewall, un gros monsieur avec une moustache jaune, qui lui faisait des piqûres et qui croyait toujours qu'il s'appelait Herbert : c'était sans doute une blague : on avait la plaisanterie facile chez ses parents. Avant ce matin, il se serait dit, en y réfléchissant un peu, que Jésus était un mot comme « Oh ! », « Diable ! » ou « Dieu ! » — ou peut-être encore un type qui leur avait un jour chipé quelque chose. Lorsqu'il avait demandé à Mrs. Connin qui était cet homme enveloppé dans un drap, dans le cadre au-dessus du lit, elle l'avait regardé bouche bée, puis avait dit : « C'est Jésus », et elle l'avait regardé encore, un bon moment. Après quoi, elle était allée chercher un livre dans la pièce à côté. « Tu vois, lui avait-elle dit en ouvrant la couverture, ce livre appartenait à mon arrière-grand-mère. Je ne m'en séparerais pas pour tout l'or du monde. » Ses doigts avaient caressé une ligne écrite à l'encre noire, sur une page tachée. Elle avait lu à haute voix : Emma Stevens, Oakley, 1832, puis avait ajouté : « C'est pas rien que de posséder une chose pareille : chaque mot qu'est écrit dedans est parole d'Évangile. » Elle avait tourné une page et lu le titre : « La Vie de Jésus pour les enfants de moins de douze ans. » Et elle lui avait lu le livre en entier.

C'était un petit livre beige foncé, doré sur tranche, avec une odeur de vieux mastic. Il était abondamment illustré : on y voyait le charpentier extirper d'un homme un troupeau de pourceaux, de vrais cochons, gris et l'air pas commode, et Mrs. Connin avait dit que Jésus les avait tous chassés de cet homme. La lecture terminée, elle lui avait permis de s'asseoir sur le plancher et de regarder encore les images.

Juste avant de partir pour la séance de guérison, il s'était débrouillé pour glisser le livre dans sa doublure, pendant qu'elle avait le dos tourné. Chemin faisant, il s'aperçut que son manteau pendait un peu plus d'un côté que de l'autre. Son esprit était apaisé, enclin à la rêverie, et quand ils cessèrent de longer la grand-route pour s'engager dans un chemin d'argile rougeâtre qui se coulait entre deux talus de chèvrefeuille, il se mit à faire des bonds désordonnés et à la tirer par la main comme s'il voulait piquer un pas de course pour attraper la boule du soleil qui maintenant roulait devant eux.

Ils suivirent un moment le chemin de terre puis traversèrent un champ émaillé d'herbes mauves et pénétrèrent dans l'ombre d'un bois où le sol était tapissé de grosses aiguilles de pin. C'était la première fois qu'il entrait dans un bois, et il marchait avec précaution, en regardant de tous côtés, comme s'il eût pénétré dans un pays inconnu. Ils prirent une piste cavalière qui descendait en lacets entre des masses de feuilles rouges et craquelantes, et à un certain moment, alors qu'il s'accrochait à une branche pour ne pas glisser, son regard rencontra deux yeux glacés, d'un jaune vert, sertis dans les ténèbres d'un trou creusé au tronc d'un arbre. Le bois débouchait brusquement sur une prairie piquetée de vaches noires et blanches ; d'étage en étage, le pré descendait jusqu'à une large rivière orange où le reflet du soleil s'incrustait comme un diamant.

Sur la proche rive, il y avait un groupe de personnes qui chantaient. De longues tables étaient disposées derrière elles ; quelques voitures et des camions étaient parqués sur une route qui aboutissait au fleuve. Ils se hâtèrent de traverser la prairie, parce que Mrs. Connin, en s'abritant les yeux de la main, avait vu que le prédicateur était déjà entré dans l'eau. Elle posa son panier sur une des tables, puis poussa les trois garçons dans la foule, pour les empêcher de rôder autour des provisions. Elle tenait toujours Bevel par la main, et se fraya un chemin jusqu'au bord du fleuve.

Le prédicateur était à quatre ou cinq mètres de la rive, et l'eau lui arrivait aux genoux. C'était un homme jeune et de haute taille, avec un pantalon kaki qu'il avait roulé jusqu'à mi-cuisse. Il avait une chemise bleue, un foulard autour du cou, mais pas de chapeau, et ses cheveux clairs s'incurvaient en deux pointes qui venaient mourir au creux des joues. Son visage était très maigre, illuminé par l'éclat rouge que réfléchissait l'eau du fleuve. Il semblait avoir vingt ans à peine. Il chantait d'une voix haut perchée, nasillarde, qui dominait le chœur sur la rive. Sa tête était rejetée en arrière, ses mains croisées dans son dos.

Il acheva l'hymne sur une note aiguë puis garda le

silence, les yeux baissés vers l'eau. Il remua les pieds dans le courant, et son regard erra sur les gens massés au bord du fleuve. Ils attendaient, le visage grave et plein d'espérance ; tous les regards étaient fixés sur lui. Il remua encore les pieds, puis dit de sa voix nasillarde :

— Je ne suis pas très sûr de savoir pourquoi vous êtes ici : si vous n'êtes pas venus pour Jésus, vous n'êtes pas venus pour moi. Si vous êtes venus simplement pour voir si le fleuve vous débarrasserait de vos maux, vous n'êtes pas venus pour Jésus. On ne peut pas laisser ses maladies dans le fleuve. Je n'ai jamais dit ça à personne ». Il s'arrêta et regarda ses genoux.

— J' vous ai vu un jour guérir une femme ! cria soudain une voix aiguë, jaillie du groupe sur la rive. J'ai vu cette femme se lever et sortir de l'eau en marchant comme tout le monde, alors qu'elle y était entrée en boitant.

Le prédicateur leva un pied, puis l'autre. Son visage s'éclaira comme d'un furtif sourire. « Vous feriez mieux de rentrer chez vous si c'est pour ça que vous venez », dit-il.

Puis il leva la tête, les bras, et cria : « Écoutez, bonnes gens, ce que j'ai à vous dire ! Il n'y a qu'un seul fleuve, le Fleuve de Vie, fait du sang de Jésus. C'est dans ce Fleuve-là que vous devez laisser vos souffrances, dans le Fleuve de la Foi, dans le Fleuve de la Vie, dans le Fleuve de l'Amour, dans le beau Fleuve rouge du Sang de Jésus, ô mes frères ! »

Sa voix se fit douce et mélodieuse. « Tous les fleuves viennent de cet unique Fleuve et y retournent comme si c'était l'océan ou la mer — et si vous avez la foi, vous pouvez, dans ce Fleuve, déposer vos maux et vous en délivrer, parce que c'est le Fleuve qui a été créé pour emporter le péché — c'est un Fleuve qui est lui-même plein de maux, qui déborde de maux, et qui se dirige vers le Royaume du Christ pour être purifié ; il coule lentement, ô braves gens, lentement comme ce vieux fleuve dont les eaux rouges baignent mes pieds.

« Écoutez, psalmodia-t-il, j'ai lu dans saint Marc l'histoire d'un lépreux, dans saint Luc celle d'un aveugle, dans saint Jean celle d'un mort ! ô frères, écoutez ! le même sang qui rougit notre fleuve a purifié ce lépreux, donné la vue à cet aveugle, et a fait se lever ce mort d'entre les morts ! Vous qui êtes dans la peine, s'écria-t-il, déposez votre peine dans ce Fleuve de Sang, dans ce Fleuve de Souffrance, et regardez-le s'éloigner, se diriger vers le Royaume du Christ. »

Tandis que le prédicateur parlait ainsi, Bevel, à demi assoupi, suivait des yeux les cercles lents de deux oiseaux qui volaient en silence très haut dans le ciel. Sur l'autre rive, il y avait un bosquet de petits sassafras rouge et or et, au-delà, des collines couvertes d'arbres d'un bleu sombre ; un pin, ici et là, dressait sa silhouette au-dessus de l'horizon. Au loin se distinguait la ville, telle une grappe de verrues au flanc de la montagne. Les oiseaux descendirent en décrivant de grands cercles et se posèrent légèrement sur la cime du pin le plus haut, et ils y demeurèrent, arquant le dos comme s'ils portaient le poids du ciel.

— Si c'est dans le Fleuve de Vie que vous voulez déposer vos souffrances, alors avancez, dit le prédicateur, et déposez ici vos peines. Mais n'allez pas penser que tout est fini, car ce vieux Fleuve rouge qui charrie la souffrance poursuit sa route doucement, vers le Royaume du Christ. Ce vieux Fleuve est fait pour que vous y receviez le Baptême et pour que vous y déposiez votre Foi et pour que vous y déposiez vos peines, mais ce n'est pas cette eau boueuse qui vous sauvera. Cette semaine j'ai été en amont et en aval de votre fleuve, dit-il, mardi j'étais à Fortune Lake, le lendemain à Ideal, jeudi je suis allé en voiture avec ma femme jusqu'à Lulawillow pour y visiter un malade. Ces gens-là n'ont pas vu de guérison, dit-il, et son visage s'empourpra une seconde. Mais je n'ai jamais dit qu'ils en verraient.

Pendant qu'il parlait, une silhouette ténue s'était peu à peu avancée, comme en un volètement de papillon : c'était une vieille femme dont les bras s'agitaient ainsi que des ailes, et sa tête oscillait comme si elle allait choir d'un instant à l'autre. Elle parvint à se baisser au bord de l'eau, y plongea les bras et les remua en tous sens. Elle se courba un peu plus et se trempa le visage ; elle se redressa enfin, toute ruisselante, et ses bras ne cessaient de s'agiter ; elle fit deux ou trois tours sur elle-même, en aveugle, jusqu'à ce qu'un bras se tendît et la ramenât dans le groupe.

— Ça fait treize ans qu'elle est comme ça, glapit une voix. Faites circuler le chapeau et mettez-y d' la monnaie pour le p'tit gars. Il est pas là pour autre chose, pas vrai ?

C'était un énorme vieillard qui apostrophait ainsi le prédicateur aux pieds immergés. Le vieux ressemblait à quelque roche rebondie posée sur le pare-chocs d'une antique automobile grise et longue. Son chapeau gris était rabattu sur une oreille et relevé de l'autre côté, pour exhiber une enflure violacée sur la tempe gauche. Il était courbé en avant, ses mains pendaient entre ses genoux, et ses petits yeux plissés étaient presque fermés.

Bevel le regarda, médusé, et se cacha aussitôt dans les plis du manteau de Mrs. Connin.

Le prédicateur décocha un coup d'œil au vieillard, et leva le poing.

— Croyez en Dieu ou en Satan ! s'écria-t-il, optez publiquement ou pour l'un ou pour l'autre !

— Je sais par ma propre expérience, dit une voix de femme qui s'éleva, mystérieuse, parmi les assistants, je sais que ce prédicateur guérit. Mes yeux ont vu ! J'opte pour Jésus !

Le prédicateur leva prestement les bras et entreprit de répéter tout ce qu'il avait dit du Fleuve, du Royaume du Christ, et le vieillard assis sur le pare-chocs le fixait de ses petits yeux en coulisse. Bevel, de son refuge, risquait parfois vers lui un furtif regard.

Un homme en salopette et en veste marron se baissa, trempa vivement sa main dans l'eau, la retira, la secoua, puis se redressa ; et une femme tint un bébé au-dessus de l'eau et lui aspergea les pieds. Un homme s'éloigna de quelques pas, s'assit sur la rive, enleva ses chaussures et entra dans l'eau ; il y resta quelques instants, rejetant la tête aussi loin que possible ; puis il remonta sur la rive et remit ses chaussures. Cependant le prédicateur chantait, indifférent, semblait-il, à ce qui se passait.

Dès qu'il s'arrêta, Mrs. Connin souleva Bevel et dit : « Écoutez, prédicateur, aujourd'hui je garde un petit garçon de la ville. Sa maman est malade et il veut que vous disiez une prière pour elle. Et quelle coïncidence ! il s'appelle Bevel. » « Bevel, dit-elle en pivotant vers les gens derrière elle, tout comme lui ! C'est-y pas une coïncidence ? »

Il y eut un murmure et Bevel, par-dessus l'épaule de Mrs. Connin, fit un large sourire aux visages tournés vers lui. « Bevel », dit-il d'une voix claire, l'air assez satisfait.

— Écoute, Bevel ! dit Mrs. Connin, est-ce que tu as été baptisé ?

Il ne souffla mot, mais continua de sourire.

— J'ai comme une idée qu'il a jamais été baptisé, dit-elle en se tournant vers le prédicateur, le sourcil interrogateur.

— Lancez-le-moi, dit-il, et il fit un grand pas vers la rive et attrapa l'enfant.

Il le tint dans le creux du bras et scruta le visage qui souriait toujours. Bevel roula comiquement les yeux, porta brusquement sa figure contre le visage du prédicateur. « Mon nom est Bevvvvuuul », dit-il, en prenant une voix de basse et en faisant rouler sa langue d'une joue à l'autre.

Le prédicateur, lui, ne souriait pas. Son visage anguleux était rigide et ses yeux gris reflétaient le ciel presque incolore. Le vieillard assis sur le pare-chocs eut un rire sonore, et Bevel serra le col du prédicateur et ne le lâcha plus. Son sourire, maintenant, avait disparu. Il se rendait soudain compte que ce n'était pas une plaisanterie. Chez ses parents, on aimait beaucoup les blagues ; mais le visage du prédicateur vous faisait vite comprendre qu'aucun de ses gestes ni de ses paroles n'en était une. « C'est ma mère qui m'a appelé comme ça », dit-il précipitamment.

— As-tu été baptisé ? demanda le prédicateur.

— Qu'est-ce que c'est que ça ? murmura-t-il.

— Si je te baptise, dit le prédicateur, tu pourras aller au Royaume du Christ. Tu seras, mon fils, purifié dans le Fleuve de la Souffrance, et tu suivras le Fleuve profond de la Vie. C'est ça que tu veux ?

— Oui », dit l'enfant, et il pensa : « Alors je ne retournerai pas à l'appartement, j'irai sous le Fleuve. »

— Tu ne seras plus le même, dit le prédicateur. Tu deviendras quelqu'un.

Puis il tourna la tête vers la foule et reprit sa harangue ; par-dessus son épaule, Bevel regardait les fragments de soleil blanc éparpillés dans les eaux du fleuve. Soudain, le prédicateur dit : « Bien ! maintenant je vais te baptiser », et sans plus d'explications il resserra son étreinte, lui mit la tête en bas et la plongea dans l'eau. Il la maintint sous l'eau tout le temps qu'il prononça les formules consacrées, puis, d'une secousse, redressa l'enfant qui suffoquait et le fixa d'un regard sévère. Les yeux de Bevel étaient troubles et dilatés. « Maintenant tu es quelqu'un, dit le prédicateur. Avant tu ne comptais pas. »

Le petit garçon était trop abasourdi pour pleurer. Il crachait de l'eau boueuse et se frottait la figure et les yeux avec ses manches détrempées.

— N'oubliez pas sa maman, s'écria Mrs. Connin. Il veut que vous disiez une prière pour sa maman. Elle est malade.

— Bien ! dit le prédicateur. Nous prions pour une de Vos créatures plongée dans l'affliction et qui n'est pas ici pour porter son témoignage. Ta mère est-elle à l'hôpital ? demanda-t-il, souffre-t-elle ?

L'enfant le regarda, stupéfait : « Elle est encore au lit, dit-il de sa petite voix aiguë ; elle a la gueule de bois. » Il y eut un tel silence qu'il crut entendre les morceaux du soleil s'entrechoquer dans l'eau. Le prédicateur semblait aussi furieux qu'interloqué. La couleur se retira de son visage et le ciel parut s'assombrir dans ses yeux. De la rive fusa un rire énorme, et Mr. Paradise, en se tapant sur les cuisses, lança d'une voix tonitruante : « Te gêne plus ! guéris la femme affligée qu'a une cuite ! »

— La journée a été longue pour le petit », dit Mrs. Connin qui se tenait, avec l'enfant, à la porte de l'appartement, et examinait sans indulgence la pièce où les parents de Bevel recevaient des amis. « Je me doute qu'y a longtemps qu'il devrait être au lit. » Bevel avait un œil complètement fermé, et l'autre à moitié ; son nez coulait et, pour respirer, il gardait la bouche constamment ouverte. Le manteau à carreaux, encore humide, pendait d'un côté.

« Ça doit être elle, se dit Mrs. Connin, avec ce pantalon noir, ce long pantalon de satin, pieds nus dans des sandales, avec du vernis rouge sur les ongles des orteils. » Elle était allongée et occupait la moitié du canapé, les jambes croisées en l'air, la tête reposant sur le bras. Elle ne se leva pas.

— Eh bien, Harry ! dit-elle, as-tu passé une bonne journée ? » Elle avait un visage allongé, lisse et pâle, et ses cheveux couleur patate douce étaient tirés en arrière. Le père sortit de la pièce pour chercher l'argent. Il y avait deux autres couples. L'un des invités, un blond aux yeux bleu pervenche, assis dans un fauteuil, se pencha vers l'enfant et lui dit : « Alors, Harry, bonne journée ? »

— Il s'appelle pas Harry, mais Bevel, dit Mrs. Connin.

— Mais non, Harry ! dit la femme sur le canapé. L'un de vous connaîtrait-il quelqu'un affublé d'un prénom pareil ? »

Bevel semblait dormir debout, sa tête s'affaissait sur sa poitrine ; il la redressa soudain et ouvrit un œil ; l'autre était collé.

— Il m'a dit ce matin qu'il s'appelait Bevel,

protesta Mrs. Connin scandalisée. Comme notre prédicateur. Nous avons passé toute la journée au fleuve, pour l'entendre parler. Le petit a dit qu'il s'appelait Bevel, comme lui : voilà ce qu'il m'a dit.

— « Bevel », dit sa mère. Mon Dieu, quel nom !

— Ce prédicateur s'appelle Bevel et y' en a pas de meilleur dans la région. En plus de ça, dit-elle d'une voix que le défi faisait vibrer, il a baptisé cet enfant ce matin !

La mère se redressa d'un bond : « Quel culot ! » grommela-t-elle.

— C'est pas tout, dit Mrs. Connin, c'est un guérisseur, et il a dit une prière pour que vous guérissiez.

— Guérir, cria-t-elle, et de quoi, grand Dieu ?

— De votre mal, dit Mrs. Connin, glaciale.

Le père était revenu, un billet de banque à la main, et il attendait près de Mrs. Connin pour le lui donner. Ses yeux étaient frangés de minces filaments rouges. « Continuez, continuez, je veux tout savoir sur ce mal. La nature exacte a échappé à... » Il agita le billet en l'air et reprit, d'une voix qui s'effila en un murmure : « La guérison par la prière est d'un bon marché... »

Mrs. Connin restait figée sur place, les yeux rivés sur la pièce, tel un squelette auquel rien n'eût échappé. Puis elle pivota et, sans prendre le billet, ferma la porte sur elle. Le père se retourna avec un petit rire et haussa les épaules. Les autres regardaient Harry. L'enfant se dirigea, à pas traînants, vers sa chambre à coucher.

— Viens ici, Harry ! dit sa mère. Comme un automate, il changea de direction, et s'avança vers elle sans plus ouvrir les yeux. « Raconte-moi ce qui s'est passé aujourd'hui », dit-elle lorsqu'il fut auprès d'elle. Et elle entreprit de lui retirer son manteau.

— J' sais pas, marmonna-t-il.

— Mais si, tu sais, dit-elle en découvrant que le manteau pesait davantage d'un côté que de l'autre. Elle ouvrit la fermeture éclair de la doublure et attrapa de justesse le livre et le mouchoir qui s'en échappaient. « Où as-tu pris ça ? »

— Je sais pas, dit-il en essayant de mettre la main dessus. C'est à moi. Elle me les a donnés. »

Elle jeta le mouchoir et tint le livre en l'air, hors de sa portée. Puis elle se mit à le lire ; au bout d'un instant, son visage prit une expression si bouffonne que tous les invités s'approchèrent et regardèrent par-dessus son épaule. « Bon Dieu ! » dit l'un d'eux. Un autre, qui portait des lunettes aux verres épais, prit le livre, l'examina dans tous les sens. « Il a de la valeur, dit-il. Il intéresserait un collectionneur. » Et il alla s'asseoir dans un fauteuil à l'écart, le livre à la main.

— Ne laissez pas George partir avec, dit son amie.

— Sérieusement, ce livre a de la valeur : 1832 ! Bevel, à nouveau, changea de direction et reprit le chemin de sa chambre. Il entra, ferma la porte, et dans le noir gagna son lit à pas très lents ; il s'assit, enleva ses chaussures et se glissa sous le dessus-de-lit. Un instant après, la haute silhouette de sa mère parut, précédée par une large bande de lumière. Elle traversa la chambre sur la pointe des pieds, et s'assit sur le rebord du lit. « Qu'est-ce que cette buse de prêcheur a dit de moi ? chuchota-t-elle. Quels mensonges as-tu bien pu faire aujourd'hui, chéri ? »

Il ferma les yeux et la voix lui parvint de très loin, comme s'il était sous le fleuve, et sa mère à la surface. Elle le secoua par l'épaule : « Harry, dit-elle, courbée sur lui, la bouche contre son oreille, répète-moi ce qu'il a dit. » Elle le fit asseoir, et il eut l'impression de remonter du fond des eaux. « Dis-le-moi », chuchota-t-elle, et une haleine amère lui couvrit la face.

Il vit, tout près de lui, dans le noir, l'ovale blême du visage de sa mère. « Il a dit que j'étais plus le même, marmonna-t-il. Je compte, maintenant. »

Elle fit allonger l'enfant, lui glissa l'oreiller sous la tête. Une minute, elle resta courbée sur lui et, des lèvres, effleura son front. Puis elle se redressa, traversa la chambre au balancement rythmé de ses hanches et franchit la bande de lumière.

Le lendemain, il ne s'éveilla pas de bonne heure : pourtant l'appartement était encore plongé dans le noir et l'air y était confiné. Il restait allongé, et ses doigts s'évertuaient à nettoyer son nez et ses yeux. Puis il se mit sur son séant et regarda vers la fenêtre. Un pâle soleil s'y infiltrait, que les vitres mouchetaient de gris. De l'autre côté de la rue, à l'Empire Hotel, une bonne de couleur se tenait à l'une des fenêtres d'un étage supérieur, le visage appuyé sur ses bras croisés. Il se leva, mit ses chaussures, alla dans la salle de bains puis dans la pièce de devant. Il mangea deux biscuits garnis de crème d'anchois, qu'il trouva sur la table à thé, but un fond de bouteille de limonade puis chercha son livre mais ne le trouva nulle part.

Le silence de l'appartement eût été total sans le ronron du réfrigérateur. Il alla dans la cuisine et y trouva quelques morceaux de pain aux raisins ; il en fit un sandwich en y étalant un demi-pot de beurre de cacahuètes, grimpa sur le tabouret, s'y assit et se mit à mastiquer lentement son sandwich, en s'essuyant de temps en temps le nez à son épaule. Le sandwich achevé, il trouva un reste de chocolat dans une tasse, et le but. Il aurait préféré de la limonade, mais ils avaient mis les ouvre-bouteilles hors de sa portée. Il passa quelques instants à faire l'inventaire du réfrigérateur : une poignée de légumes ratatinés, qu'elle avait oubliés ; des oranges à peau brune qu'elle avait bien songé à acheter, mais non à presser ; trois ou quatre sortes de fromages et, dans un sac en papier, quelque chose qui avait la forme d'un poisson ; pour finir, un os de rôti de porc. Il laissa la porte du réfrigérateur ouverte et retourna dans le living-room plongé dans la pénombre et s'assit sur le canapé.

Il se dit que, jusqu'à une heure, ils n'auraient pas de glace et qu'ils seraient obligés d'aller déjeuner tous les trois au restaurant. Il était encore trop petit pour s'asseoir sur une chaise ordinaire, et le garçon lui apporterait la chaise pour enfants, mais il était trop grand pour elle. Il s'assit au milieu du canapé et donna des coups de talon dedans. Puis il se leva, erra dans la pièce, en regardant les mégots dans les cendriers, comme par habitude. Dans sa chambre, il avait des livres d'images et des blocs de papier mais presque tous étaient déchirés : il avait découvert que le moyen d'en avoir des neufs, c'était de déchirer les vieux. Il n'avait jamais grand-chose à faire dans la journée, manger mis à part ; pourtant il n'était pas bien gras.

Il eut l'idée de vider quelques cendriers sur le tapis. S'il n'en renversait que deux ou trois, elle se dirait qu'ils étaient tombés : il en vida deux et, du doigt, fit pénétrer soigneusement les cendres dans les poils du tapis. Puis il s'étendit sur le dos un moment, jambes en l'air, et examina ses pieds. Ses chaussures étaient encore humides, et il se prit à penser au fleuve.

Très doucement, l'expression de son visage changea

comme s'il voyait peu à peu apparaître ce qu'il cherchait sans le savoir. Brusquement, il sut ce qu'il voulait faire. Il se leva, entra sur la pointe des pieds dans leur chambre, et dans la pénombre, il chercha le sac à main de sa mère. Son regard suivit le long bras blanc de sa mère, qui pendait jusqu'au parquet, franchit la bosse blanche que faisait son père, traversa le bureau encombré de papiers, et se posa enfin sur le dos d'une chaise où le sac était suspendu. Il l'ouvrit, en tira un jeton d'autobus, et un demi-paquet de pastilles. Puis il sortit dans la rue, alla jusqu'au carrefour et grimpa dans l'autobus. Il n'avait pas pris de valise, car il n'y avait rien dans l'appartement qu'il eût envie d'emporter. Il descendit au terminus et s'engagea sur la route qu'il avait prise la veille avec Mrs. Connin. Il savait qu'il n'y avait personne chez elle, parce que les trois garçons et la fille allaient en classe, et Mrs. Connin lui avait dit qu'elle allait faire des ménages. Il passa devant sa cour et prit le chemin qui menait au fleuve. Les petites maisons de brique s'espaçaient; bientôt le chemin de terre prit fin, et il dut longer la grand-route. Le soleil était d'un jaune pâle, haut dans le ciel, et brûlant.

Il passa devant une baraque en bois avec une pompe à essence orange, sans voir un vieil homme sur le pas de la porte. Mr. Paradise, le regard vague, était en train de boire un jus d'orange. Il le finissait lentement et, par-dessus la bouteille, ses petits yeux plissés suivaient la frêle silhouette en manteau à carreaux, qui disparut au bout de la route. Il posa la bouteille vide sur un banc et s'essuya la bouche avec sa manche; il entra dans la baraque, prit sur l'étagère aux bonbons un bâton de peppermint long d'un pied et épais de deux pouces, et le mit dans sa poche latérale. Puis il monta dans sa voiture et roula lentement sur la grand-route où marchait l'enfant.

Lorsque Bevel arriva dans le champ piqueté d'herbes mauves, il était en sueur, couvert de poussière, et il le traversa à la course pour arriver dans le bois le plus vite possible. Alors il erra d'un arbre à l'autre, à la recherche du chemin qu'ils avaient pris la veille. Il découvrit une piste tracée dans les aiguilles de pin et la suivit jusqu'à ce qu'il aperçût le chemin qui, à travers les arbres, descendait en serpentant vers la vallée.

Mr. Paradise avait laissé sa voiture sur la route et gagné à pied le coin où il allait s'asseoir chaque jour : il y tenait une ligne qu'il n'appâtait jamais, en regardant l'eau couler sans fin devant lui. De loin, on eût dit un vieux rocher enfoui dans les buissons.

Bevel ne remarqua pas sa présence. Il ne voyait que le fleuve aux reflets rouge et or, et il sauta dedans avec ses chaussures et son manteau. Il avala un peu d'eau et cracha le reste, puis il resta immobile dans l'eau qui lui arrivait à la poitrine, et son regard erra alentour. Le ciel était d'un bleu très pâle, et d'une seule pièce, si l'on exceptait le trou qu'y forait le soleil ; ses bords étaient frangés par les cimes des arbres. Le manteau flottait à la surface et entourait l'enfant comme une corolle de lys multicolore, et il ne bougeait pas, souriant au soleil. Il était fermement décidé à ne plus perdre son temps avec des prédicateurs, mais à se baptiser tout seul, et à marcher cette fois jusqu'à ce qu'il découvre le Royaume du Christ dans le fleuve. Il n'avait que trop tardé, il plongea brusquement la tête sous l'eau, s'arc-bouta et avança.

Mais il se mit aussitôt à suffoquer, à cracher, et sa tête reparut à la surface. Il replongea, sans plus de succès. Le fleuve ne voulait pas de lui. Il essaya encore, et revint à l'air libre, étouffé à demi. Il en avait été de même lorsque le prédicateur lui avait plongé la tête sous l'eau : il s'était pareillement heurté à quelque chose qui repoussait son visage. Il s'arrêta et se dit soudain : « C'est encore une blague, une de plus ! » Il pensa à tout le chemin qu'il avait fait pour rien, et il se mit à cravacher l'eau de ses bras, à envoyer de grands coups de pied à cette sale rivière. Mais ses pieds déjà frappaient dans le vide. Il eut un gémissement de souffrance et d'indignation. Puis il perçut un appel, tourna la tête et vit une sorte de porc géant qui se ruait vers lui en bondissant, et qui brandissait un bâton vert et rouge, en poussant de grands cris. Il plongea encore et cette fois le courant qui l'attendait le prit dans sa longue main souple, et le tira vivement vers le large et les profondeurs. Sur le moment, il fut paralysé par la surprise, mais comme il savait qu'il allait vers son but et qu'il y allait vite, toute peur et tout ressentiment l'abandonnèrent.

De temps à autre, la tête de Mr. Paradise apparaissait à la surface. Finalement, à une bonne distance en aval, le vieil homme surgit des eaux, tel un monstre marin des légendes antiques, et il demeura immobile, les mains vides, ses yeux presque éteints scrutant le cours du fleuve, jusqu'aux confins où il se perdait.

C'est peut-être votre vie que vous sauvez

La vieille femme et sa fille étaient assises dans leur véranda lorsque Mr. Shiftlet arriva par le chemin de la ferme. La vieille femme se glissa jusqu'au bord de son fauteuil et se pencha en avant, en s'abritant les yeux de la main contre la lumière aveuglante du soleil couchant. Sa fille, qui était myope, continuait de jouer avec ses doigts. Bien que la vieille femme vécût seule avec sa fille dans cette campagne perdue et qu'elle n'eût jamais rencontré Mr. Shiftlet, elle avait de bons yeux et se rendit compte, malgré la distance, que l'inconnu était un chemineau et, de plus, un être inoffensif. La manche gauche de son pardessus était pliée en deux pour montrer qu'elle ne contenait que la moitié d'un bras et sa silhouette décharnée penchait légèrement de côté, comme inclinée par la brise. Il avait un costume noir et un chapeau de feutre marron, relevé devant et rabattu derrière ; il portait par la poignée une boîte à outils métallique. Il marchait d'un pas tranquille, le visage tourné vers le soleil qui semblait posé en équilibre sur la cime d'une modeste montagne.

La vieille femme ne changea pas de position jusqu'à ce qu'il fût parvenu à la cour de la ferme ; alors elle se leva, poing sur la hanche. Sa fille, dont la courte robe d'organdi bleu soulignait les formes épanouies, l'aperçut brusquement ; elle se dressa d'un bond et, l'index pointé vers lui, se mit à trépigner, et à jeter à tous vents des sons incompréhensibles. Mr. Shiftlet fit un pas dans la cour, posa sa boîte et souleva légèrement son chapeau dans la direction de la fille comme si elle n'était pas le moins du monde disgraciée ; puis il se tourna vers la vieille femme et le retira pour lui faire un grand salut. Il avait de longs cheveux noirs et lisses qui, séparés par une raie médiane, débordaient par-dessus les oreilles. Plus de la moitié du visage était constituée par le front, et pour maintenir les traits en équilibre, le bas était taillé en coup de serpe, avec des mâchoires proéminentes et dures comme celles d'un piège d'acier. Il paraissait jeune mais avait un air d'insatisfaction sereine, comme s'il eût eu une profonde connaissance de la vie.

— Bonsoir, dit la vieille femme. Elle n'était guère plus haute qu'un poteau de clôture en cèdre, et portait un feutre gris, enfoncé sur le front.

Le chemineau la regarda sans répondre. Il lui tourna le dos, se mit face au soleil, leva lentement son bras entier et la moitié de l'autre comme pour désigner une région du ciel, et sa silhouette ressemblait à une croix tordue. La vieille femme le regardait faire, les bras croisés sur la poitrine, comme si elle était la propriétaire du soleil. La fille le regardait aussi, tête tendue et bras ballants. Elle avait de longs cheveux d'un or qui tirait sur le rose, et les yeux aussi bleus que les plumes du cou d'un paon.

Il garda cette pose près d'une minute, puis il ramassa sa boîte, entra dans la véranda et s'assit sur la première marche. « Madame, dit-il d'une voix nasillarde mais ferme, je donnerais une fortune pour vivre dans un endroit où que je pourrais voir le soleil se coucher comme ça tous les soirs.

— C'est ce qu'il fait tous les jours chez nous », dit la vieille femme en se rasseyant. Sa fille l'imita et elle observait l'homme d'un regard rusé et circonspect, comme elle eût fait d'un oiseau qui se fût approché à portée de sa main. Il se pencha de côté, pour mieux fouiller dans la poche de son pantalon et en tira bientôt un paquet de chewing-gums dont il lui offrit une tablette. Elle la prit, défit le papier et se mit à mâcher sans quitter l'homme des yeux. Il tendit le paquet à la vieille femme mais elle se contenta de soulever du doigt sa lèvre supérieure pour montrer qu'elle n'avait plus de dents.

L'œil aigu de Mr. Shiftlet avait déjà fait l'inventaire de la cour — la pompe à l'angle de la maison et le gros figuier où trois ou quatre poules se préparaient à se percher pour la nuit — puis s'était posé sur un hangar où se percevait l'arrière carré et rouillé d'une auto. « Est-ce que vous conduisez, mesdames ? » demanda-t-il.

— Y a quinze ans que cette auto n'a pas roulé, dit la vieille femme. Du jour où que mon mari est mort, elle a eu fini de rouler.

— Rien n'est plus comme dans le temps, madame, dit-il. Le monde est en train de se pourrir.

— C'est vrai, dit la vieille femme. Vous êtes du coin ?

— J' m'appelle Tom T. Shiftlet, murmura-t-il, en regardant les pneus de la voiture.

— Enchantée de faire votre connaissance, dit la vieille femme. Moi je m'appelle Lucynell Crater, et voici ma fille Lucynell Crater. Qu'est-ce que vous faites dans notre coin, Mr. Shiftlet ? »

Il estima que la voiture était une Ford datant de 28 ou 29. « Madame, dit-il en concentrant toute son attention sur elle, laissez-moi vous dire quelque chose. Y a un docteur à Atlanta qu'a pris un couteau et qu'a enlevé le cœur de la poitrine d'un homme : *le cœur humain,* dit-il, penché vers la vieille femme. Et il l'a tenu dans sa main, et il a tendu la main paume en l'air comme si elle soupesait le cœur humain ; et il l'a étudié comme si c'était un poussin d'un jour ou deux, et puis, madame... » Il laissa peser un silence lourd de sens, et sa tête s'inclina lentement, et ses yeux couleur d'argile s'emplirent d'intense lumière. « Et puis, madame, il en sait pas plus long que vous ou moi.

— C'est vrai, dit la vieille femme.

— Et même s'il le charcutait avec son couteau il en saurait toujours pas plus que vous ou moi. Qu'est-ce que vous pariez ?

— Rien, dit la vieille femme prudemment. D'où c'est-il que vous venez, Mr. Shiftlet ?

Il ne répondit pas. Il plongea la main dans sa poche et en sortit un paquet de tabac et du papier à cigarettes ; il se mit à rouler une cigarette, adroitement, avec son unique main, et la fit glisser sous sa lèvre supérieure où elle tint toute seule. Il tira de sa poche une boîte d'allumettes, et en alluma une sur sa semelle. Il tint l'allumette enflammée comme s'il étudiait le mystère de cette flamme qui consumait l'allumette et montait dangereusement vers ses doigts. La fille se mit à faire du vacarme, l'index tendu vers la main menacée, mais à l'instant précis où la flamme allait l'atteindre, il se pencha, referma la main sur la flamme qui s'incurva vers son nez comme s'il voulait y mettre le feu, et la cigarette s'alluma.

Il lança l'allumette brûlée et un jet de fumée grise fusa de ses lèvres. Son visage s'éclaira d'un regard malin. « Madame, dit-il, de nos jours les gens font n'importe quoi et n'importe comment. Je peux vous dire que mon nom est Tom T. Shiftlet, et que je viens de Tarwater, Tennessee, mais vous ne m'avez jamais vu : comment pouvez-vous savoir si c'est pas un bobard ? Comment savez-vous que je m'appelle pas Aaron Sparks, de Singleberry, en Géorgie, ou George Speeds, de Lucy dans l'Alabama, ou bien encore Thompson Bright de Toolafalls, Mississippi ?

— Je sais rien de vous, marmonna la vieille femme, que l'ennui gagnait.

— Madame, dit-il, les gens se moquent pas mal de la façon dont ils mentent. Après tout, le mieux que je puisse vous dire, c'est que je suis un homme ; mais écoutez, madame... » Il s'arrêta et prit un ton plus inquiétant encore : « Qu'est-ce qu'un homme ? »

La vieille se mit à mâchonner une graine. « Qu'est-ce que vous transportez dans cette boîte en fer, Mr. Shiftlet ? » demanda-t-elle.

— Des outils, dit-il. Je suis charpentier.

— Bon, si vous venez ici pour travailler, je peux vous nourrir et vous coucher, mais je peux pas payer. J'aime mieux vous dire ça avant que vous commenciez », dit-elle.

Il ne répondit pas tout de suite et son visage ne prit aucune expression particulière. Il s'appuya à la frêle colonne qui soutenait la véranda. « Madame, dit-il d'une voix lente, y a des hommes pour qui des tas de choses comptent plus que l'argent. » La vieille femme se balançait dans son fauteuil à bascule sans rien dire, et la fille regardait le petit ressort qui montait et descendait dans le cou de l'homme. Alors il dit à la vieille femme que la plupart des gens ne s'intéressaient qu'à l'argent, « mais pourquoi, demanda-t-il, l'homme a-t-il été créé ? A-t-il été créé pour l'argent ? » Pourquoi croyait-elle avoir été créée ? Mais elle ne répondit pas à sa question ; elle continuait à se balancer en se demandant si un manchot était capable de refaire le toit de la loge du jardin. Il posa un tas de questions auxquelles elle ne répondit pas. Il lui dit qu'il avait vingt-huit ans et qu'il avait eu une vie mouvementée. Il avait été chanteur de cantiques, chef d'équipe dans les chemins de fer, employé dans une entreprise de pompes funèbres, et il avait fait de la radio trois mois avec Uncle Roy et ses Red Creek Wranglers. Il dit qu'il avait combattu et versé son sang pour son pays, vu tous les pays étrangers et que partout il avait rencontré des gens qui se moquaient éperdument de la façon dont ils se conduisaient. Lui n'avait pas été élevé de cette manière-là !

Une lune jaune et replète apparut dans les branches du figuier comme pour s'y percher avec les poulets. Il fallait, dit-il, s'évader dans la campagne pour voir vraiment tout l'univers : il aimerait vivre dans un endroit désert comme celui-là, où il pourrait voir le soleil descendre tous les soirs selon la volonté de Dieu.

— Êtes-vous marié ou célibataire ? demanda la vieille femme.

Il y eut un long silence. « Madame, finit-il par dire, où trouverait-on une femme innocente aujourd'hui ? J' voudrais pas d'une de ces roulures qu'y a qu'à se baisser pour les ramasser. »

La fille était complètement penchée en avant, la tête presque entre les genoux, les cheveux sur le visage et elle le regardait par une petite fenêtre triangulaire qu'elle y avait pratiquée. Elle tomba soudain comme une masse et se mit à geindre. Mr. Shiftlet la releva et l'aida à se rasseoir.

— C'est votre petite poupée ? demanda-t-il.

— Je n'ai eu qu'elle, dit la vieille femme, et c'est la fille la plus gentille de la terre. Je la donnerais pour rien au monde. Et capable, avec ça : elle sait laver le plancher, faire la cuisine, la lessive, donner le grain aux poulets et biner. Je la donnerais pas pour un coffret de bijoux.

— Non, dit-il d'une voix aimable, ne laissez jamais un homme vous l'enlever.

— Si un homme a des vues sur elle, dit la vieille, il faudra qu'il reste ici.

Le regard de Mr. Shiftlet s'était fixé sur une partie du pare-chocs qui brillait dans la pénombre. « Madame, dit-il en levant soudain son moignon comme pour désigner la maison, la cour, la pompe, y a pas une seule chose dans cette ferme que je pourrais pas vous réparer tout manchot que j' suis. J' suis un homme, dit-il avec une sombre dignité, même s'il me manque un bout de bras. J'ai, dit-il en tapotant sur le plancher du revers de la main pour souligner l'importance de ce qu'il allait déclarer, j'ai une intelligence morale. » Son visage plongé dans l'ombre fut brusquement illuminé par la lumière qui filtrait d'une porte et il regardait la vieille femme comme s'il eût été lui-même stupéfait par une si prodigieuse révélation.

La formule ne fit aucun effet sur la vieille femme. « Je vous ai dit que vous pouviez rester travailler ici un moment ; vous serez nourri et logé, si ça vous gêne pas de coucher dans la voiture.

— Écoutez, madame, dit-il avec un grand rire de

contentement, les moines de jadis couchaient bien dans leur cercueil.

— Ils étaient pas aussi avancés que nous, dit la vieille femme.

Le lendemain matin il s'attaqua au toit de la loge; Lucynell, la fille, était assise sur une pierre et le regardait travailler. Il y avait à peine une semaine qu'il était là, et on voyait déjà du changement. Il avait bouché les trous des escaliers de devant et de derrière, construit une nouvelle porcherie, rafistolé une clôture et appris à Lucynell, qui était aussi sourde que muette, à prononcer le mot « Ford ». La grosse fille aux joues roses était toujours sur ses talons, et elle disait « Forttddt » « Mmforrttdt » en battant des mains. La vieille femme les surveillait d'un œil, secrètement ravie. Une furieuse envie d'avoir un gendre la dévorait.

Mr. Shiftlet dormait sur le siège arrière de la voiture, étroit et dur aux reins, les pieds passant par la vitre. Il avait mis son rasoir et un pot d'eau sur une caisse qui lui servait de table de chevet; il avait appuyé un fragment de miroir contre la glace arrière et disposé soigneusement son pardessus sur un cintre accroché à l'une des portes.

Le soir il discourait, assis sur une marche, entre la mère et la fille qui se balançaient avec fougue sur leurs fauteuils. Les trois montagnes de la vieille femme se détachaient, très noires sur un ciel indigo et, de temps à autre, recevaient la visite de quelques planètes et de la lune, lorsqu'elle avait laissé les poules à leur poulailler. Mr. Shiftlet fit remarquer que s'il remettait la propriété en état, c'était parce qu'il y prenait un intérêt personnel. Il dit qu'il allait même faire remarcher la voiture. Il avait soulevé le capot, étudié les organes du moteur, et il était en mesure d'affirmer que cette voiture avait été construite au temps où les voitures étaient vraiment construites. « Maintenant, dit-il, un ouvrier met un boulon, un autre un deuxième boulon, un autre un troisième boulon, si bien qu'il faut un homme par boulon. C'est pourquoi les voitures reviennent si cher : on paie pour tous ces hommes. Mais si vous n'aviez qu'un homme à payer, votre voiture reviendrait bien moins cher; et cet homme prendrait de l'intérêt à la construire, elle serait donc meilleure. » La vieille femme approuva ce raisonnement. Puis Mr. Shiftlet déclara que ce qui n'allait pas dans le monde, c'était que les gens se moquaient de tout, que personne ne voulait se donner du mal et mettre le temps qu'il fallait. Il dit qu'il ne serait jamais arrivé à apprendre à Lucynell à dire un mot s'il avait plaint son temps ou s'il ne s'y était pas donné à fond.

— Apprenez-lui à dire autre chose, suggéra la vieille femme.

— Que voulez-vous qu'elle dise maintenant? demanda Mr. Shiftlet.

La vieille eut un large sourire édenté. « Apprenez-lui à dire : mon chou », suggéra-t-elle d'un air qui en disait long. Mr. Shiftlet savait fort bien ce qu'elle avait derrière la tête.

Le lendemain, il se mit à bricoler la voiture et lui dit que si elle voulait acheter une courroie de ventilateur, il pourrait mettre l'auto en marche.

La vieille femme lui dit qu'elle lui donnerait l'argent. « Vous voyez cette petite? demanda-t-elle en montrant du doigt Lucynell assise sur le plancher tout près de lui et qui le regardait avec des yeux demeurés bleus dans la pénombre. Si un jour un homme voulait l'emmener, je dirais : « Jamais personne ne m'enlèvera ma petite. » Mais s'il disait : « Madame je ne veux pas l'emmener je veux la garder ici », je dirais : « Monsieur, je peux pas vous en vouloir : à votre place, je laisserais pas filer l'occasion d'avoir un toit et la plus gentille des filles. Vous êtes rudement malin », que je lui dirais.

— Quel âge a-t-elle ? demanda Mr. Shiftlet, négligemment.

— Quinze-seize ans », dit la vieille femme. La fille approchait de la trentaine, mais personne ne s'en serait douté à cause de son air innocent.

— Ce serait une bonne idée d'y donner un coup de peinture aussi, fit remarquer Mr. Shiftlet. Vous voudriez pas qu'elle soit mangée à la rouille.

— On verra plus tard, dit la vieille femme.

Le lendemain il alla en ville et revint avec un bidon d'essence et les pièces dont il avait besoin. Vers le soir, il y eut des bruits terrifiants dans le hangar, et la vieille sortit précipitamment de la maison, croyant que Lucynell avait une crise. Lucynell était assise sur une cage à poulets ; elle tapait des pieds et hurlait « Forrttdt » « Mmforrttdt », mais le vacarme de la voiture couvrait ses cris.

Avec une salve d'explosions furieuses, la voiture sortit du hangar, majestueusement. Mr. Shiftlet se tenait très droit au volant. Son visage était empreint de gravité et d'humilité, comme s'il venait de ressusciter un mort.

Ce soir-là, dans la véranda, la vieille femme se remit à l'ouvrage sans tarder. « Vous voulez une femme innocente, n'est-ce pas ? demanda-t-elle d'un air engageant. Vous voulez pas de ces roulures...

— Non, j'en veux pas, dit Mr. Shiftlet.

— Une femme qui parle pas, continua-t-elle, ne peut pas vous casser la tête ni vous dire des grossièretés. C'est une femme comme ça qu'il vous faut... et elle est pas loin, dit-elle, en montrant Lucynell assise dans son fauteuil les jambes croisées et les pieds dans les mains.

— C'est vrai, convint-il, j'aurais la paix avec elle.

— Samedi prochain, dit la vieille femme, on peut prendre la voiture, aller tous les trois en ville, et vous vous mariez. »

Mr. Shiftlet, assis sur une marche, prit une pose confortable.

— Je peux pas me marier si vite, dit-il. Dès qu'on veut faire quelque chose, faut de l'argent et j'en ai pas.

— De l'argent, dit-elle, et pour quoi faire ?

— On peut pas s'en passer, dit-il. De nos jours, y a des gens qui font n'importe quoi n'importe comment ; mais moi, j'épouserais pas une femme si je n' pouvais pas l'emmener en voyage de noces comme une dame qu'a de la distinction. Je veux l'emmener à l'hôtel et bien la soigner. J'épouserais pas la duchesse de Windsor, dit-il avec force, si je pouvais pas lui payer l'hôtel et bien la nourrir. C'est comme ça que j'ai été élevé, et j'y peux rien. C'est ma vieille mère qui m'a donné des principes.

— Lucynell ne sait même pas ce que c'est qu'un hôtel, marmonna la vieille femme. Écoutez, Mr. Shiftlet, dit-elle en s'avançant au bord de son fauteuil, vous auriez un toit, un puits profond et la fille la plus innocente de la terre. Vous avez pas besoin d'argent... Voulez-vous que je vous dise quelque chose : il y a pas un endroit au monde qui voudra d'un pauvre chemineau estropié, sans toit et sans amis.

Les mots odieux envahirent la tête de Mr. Shiftlet comme un vol de busards s'abat sur la cime d'un arbre. Il ne répondit pas tout de suite. Il roula une cigarette, l'alluma et dit d'une voix égale :

— Madame, y a deux parties dans un homme : son corps et son esprit.

La vieille serra les gencives.

— Un corps et un esprit, reprit-il. Le corps, madame, c'est comme une maison, il va nulle part; mais l'esprit, c'est comme une auto : toujours en mouvement, toujours...

— Écoutez, Mr. Shiftlet, dit-elle, mon puits ne tarit jamais, ma maison est toujours chaude en hiver et y a rien d'hypothéqué ici. Vous pouvez aller vous renseigner au tribunal. Et sous le hangar, il y a une belle auto. » Elle présenta l'appât avec précaution. « D'ici samedi vous pourrez la peindre. Je payerai la peinture. »

Dans l'obscurité, le sourire de Mr. Shiftlet s'étira comme un serpent fatigué qui se réveille à la chaleur d'un feu. Un instant après, il fit machine arrière : « Je veux seulement dire que l'esprit représente plus que tout pour un homme. Ce qu'il faudrait, c'est que j'emmène ma femme pour un week-end sans être obligé de regarder à la dépense. Faut bien que je suive la route que mon esprit me dit de prendre.

— Je vous donnerai quinze dollars pour votre voyage, dit la vieille d'une voix aigre. C'est tout ce que je peux faire.

— Ça payerait tout juste l'essence et la chambre d'hôtel. Je pourrais pas la nourrir avec ça.

— Dix-sept dollars et demi, dit la vieille femme. C'est tout ce que j'ai, alors c'est pas la peine d'essayer de m'en soutirer davantage. Vous pourrez emporter un déjeuner froid.

Mr. Shiftlet fut très blessé par le mot « soutirer ». Il était sûr qu'elle avait d'autre argent cousu dans son matelas, mais il lui avait dit que son argent ne l'intéressait pas. « Je m'arrangerai pour que ça suffise », dit-il, et il se leva et partit sans discuter davantage. Le samedi, ils se mirent en route pour la ville : la peinture était à peine sèche. Mr. Shiftlet et Lucynell devinrent mari et femme, la vieille leur servant de témoin. Comme ils sortaient du bureau des mariages, le cou de Mr. Shiftlet se mit à s'agiter derrière sa cravate. Il avait l'air morose et amer, comme s'il avait été insulté et qu'on l'eût empêché de se défendre. « J' suis pas satisfait du tout, dit-il. Y avait juste une femme dans ce bureau pour tout faire, et tout ce qu'ils savent faire, c'est des paperasses et des prises de sang. Qu'est-ce qu'ils savent de mon sang? Même s'ils m'arrachaient le cœur de la poitrine, dit-il, ils n' sauraient rien de moi. Je suis pas satisfait du tout.

— Mais la loi l'a été, dit la vieille femme sèchement.

— La loi! dit Mr. Shiftlet en crachant par terre, c'est la loi qui m' satisfait pas.

Il avait peint la voiture en vert foncé avec une bande jaune au niveau des glaces. Ils s'installèrent tous les trois sur la banquette avant, et la vieille femme dit : « Est-elle pas jolie ma Lucynell? On dirait une poupée. » Lucynell avait une longue robe blanche que sa mère avait exhumée d'une malle, et un panama avec, sur le bord, un bouquet de cerises en bois, d'un rouge éclatant. Par moments, son air placide était troublé par l'apparition furtive de quelque pensée un peu malicieuse, aussi solitaire qu'une pousse verte surgie aux sables du désert.

— C'est le gros lot que vous avez gagné, dit la vieille femme.

Mr. Shiftlet ne la regarda même pas.

Ils retournèrent à la maison pour déposer la vieille femme, et prendre le déjeuner froid. Quand ils furent prêts à partir, elle se colla contre la voiture, et ses doigts s'agrippèrent à la vitre; des larmes se mirent à sourdre, et roulèrent dans les sillons crasseux de son visage. « C'est la première fois que je me sépare d'elle pendant deux jours », dit-elle.

Mr. Shiftlet mit le moteur en marche.

— Jamais j'aurais laissé un autre homme que vous me la prendre : mais vous j'ai vu que ça pouvait marcher. Au revoir, mon petit trésor, dit-elle en s'accrochant à la manche de la robe blanche. Lucynell la regardait dans les yeux mais ne semblait pas la voir. Mr. Shiftlet démarra lentement et elle dut lâcher prise.

En ce début d'après-midi, le ciel était limpide, d'un bleu très pâle. Bien que la voiture ne fît que du trente milles à l'heure, Mr. Shiftlet grimpait en imagination des côtes vertigineuses, fonçait dans les descentes, prenait de terrifiants virages, qui le grisaient et lui faisaient oublier son amertume de la matinée. Il avait toujours rêvé d'avoir une voiture, mais jamais il n'avait pu s'en payer une. Il conduisait le plus vite possible parce qu'il voulait arriver à Mobile à la tombée de la nuit.

De temps en temps, il s'évadait de ses pensées pour regarder Lucynell assise à côté de lui. A peine étaient-ils sortis de la cour qu'elle avait mangé le déjeuner; maintenant elle arrachait les cerises de son chapeau une à une et les jetait par la vitre. Il eut une impression d'accablement, malgré la voiture. Il avait roulé une centaine de milles lorsqu'il se dit qu'elle devait encore avoir faim, et à la première petite ville qu'ils traversèrent, il s'arrêta devant une auberge à la façade gris métallique, qui se dénommait le « Coin chaud ». Il y fit entrer Lucynell et commanda pour elle une assiette de jambon au gruau d'avoine. Le voyage lui avait donné envie de dormir et dès qu'elle fut grimpée sur son tabouret, elle posa la tête sur le bar et ferma les yeux. Il n'y avait personne au « Coin chaud », sauf Mr. Shiftlet et le serveur au comptoir, un adolescent pâle, avec son torchon graisseux sur l'épaule. Avant même que l'assiette fût prête, Lucynell ronflait doucement.

— Vous la servirez quand elle se réveillera, dit Mr. Shiftlet. Je vais vous régler maintenant.

L'adolescent se pencha vers elle, fasciné par les longs cheveux d'or aux reflets roses et les yeux mi-clos de Lucynell endormie. Puis il regarda Mr. Shiftlet. « On dirait un ange du bon Dieu », murmura-t-il.

— Elle fait de l'auto-stop, expliqua Mr. Shiftlet. Je n' peux pas l'attendre. Il faut que j'aille jusqu'à Tuscaloosa.

Le garçon s'inclina encore vers elle et toucha délicatement du doigt une mèche de cheveux d'or. Mr. Shiftlet partit.

Seul dans la voiture, il se sentit plus déprimé encore; sur le soir, il s'était mis à faire une chaleur étouffante et le pays était devenu plat. Aux profondeurs du ciel un orage se préparait lentement, sans un grondement de tonnerre, comme s'il voulait aspirer tout l'air de la terre avant d'éclater. Il avait aussi le sentiment qu'un homme nanti d'une voiture avait des devoirs envers autrui et guettait le signe d'un autostoppeur. De temps à autre, un panneau se dressait :

PRUDENCE. C'EST PEUT-ÊTRE VOTRE VIE QUE VOUS SAUVEZ.

De chaque côté de l'étroite route en surplomb, il voyait défiler des champs grillés par la chaleur, avec çà et là une cabane ou un poste à essence : il recevait de plein fouet les rayons du soleil déclinant; la boule rougeoyante, à travers le pare-brise, semblait aplatie à ses pôles. Sur le bord de la route, il aperçut un garçon en bleu de travail, un chapeau gris sur la tête : il ralentit et s'arrêta devant lui. Le garçon ne lui faisait aucun signe, mais il avait une petite valise en carton et, à la façon dont son chapeau était planté, on devinait que c'était un départ sans retour. « Mon garçon, dit Mr. Shiftlet, je vois que tu veux monter. »

Le garçon ne dit ni oui ni non; il ouvrit la portière et s'installa. Mr. Shiftlet démarra. Le garçon tenait la valise sur ses genoux, et croisait les bras dessus. Il détournait la tête, et fixait obstinément la vitre. Mr. Shiftlet se sentait mal à l'aise. « Mon garçon, dit-il au bout d'un moment, ma vieille mère est la meilleure et la première de toutes les mères du monde : la tienne n'a donc que le n° 2. » Le garçon lui décocha un regard sombre et se retourna vers la vitre. « Y a rien d'aussi doux, continua Mr. Shiftlet, qu'une vieille maman. C'est elle qui a appris à son fils ses premières prières, qui l'aime si personne ne l'aime, qui lui apprend ce qui est bien et ce qui ne l'est pas, et qui veille à ce qu'il suive le droit chemin. Mon garçon, si y a un jour que j'ai regretté dans ma vie, c'est bien celui où j'ai quitté ma vieille mère. »

Le garçon changea de position, mais ne tourna pas les yeux vers Mr. Shiftlet. Il décroisa les bras et mit la main sur la poignée de la porte. « Ma mère était un ange du bon Dieu, dit Mr. Shiftlet d'une voix presque étranglée. Il l'avait prise dans son Ciel pour me la donner, et moi je l'ai quittée. » Ses yeux s'embuèrent ; la voiture n'allait plus qu'au pas. Le garçon se retourna, rouge de colère. « Va te faire foutre en enfer, cria-t-il. Ma vieille est un sac à puces, et la tienne un vieux putois qui chlingue. » Il ouvrit brusquement la porte et sauta dans le fossé avec sa valise.

Mr. Shiftlet était si abasourdi qu'il roula une centaine de mètres avec la porte ouverte. Un nuage qui avait exactement la couleur du chapeau du garçon et la forme d'un navet avait voilé le soleil ; un autre, l'air moins engageant encore, était tapi derrière la voiture, prêt à bondir. Mr. Shiftlet eut l'impression que toute la pourriture de l'univers allait l'engloutir. Il leva son bras et le laissa retomber sur sa poitrine. « Seigneur, dit-il, que Votre colère éclate et balaie la fange de cette terre ! » Le navet continuait de descendre lentement. Quelques instants plus tard, un coup de tonnerre éclata derrière lui comme un rire énorme, et des gouttes de pluie fantastiques, larges comme des couvercles de boîtes de conserves, s'écrasèrent sur l'arrière de la voiture de Mr. Shiftlet. Il appuya sur le champignon, et, moignon au vent, fit la course avec la pluie diluvienne jusqu'à Mobile.

Un heureux événement.

Ruby franchit la porte de l'immeuble, se baissa pour poser le gros sac en papier avec les quatre boîtes de haricots extra-fins sur la table de l'entrée.

Elle était trop fatiguée pour dénouer l'étreinte de ses bras autour du sac, ou pour se redresser — elle restait sur place, le buste affalé, la tête posée sur le haut du sac comme un énorme légume rouge. Elle regarda, pétrifiée par la surprise, le visage qui lui faisait face dans le miroir terni et rongé de taches jaunes au-dessus de la table — un visage qu'elle n'arrivait pas à reconnaître. Sur la joue droite, une feuille craquelante de chou vert était collée : elle avait dû faire la moitié du chemin avec. Elle la fit sauter rageusement d'un revers de bras et se redressa en marmonnant : « Des choux verts ! » d'une voix assourdie par une colère qu'elle sut maîtriser. C'était une femme de petite taille, dont la silhouette évoquait une urne funéraire. Ses cheveux couleur de mûres s'entassaient autour de sa tête comme des petits pains à saucisses, mais certains rouleaux s'étaient défaits sous l'action de la chaleur et de la longue marche depuis l'épicerie, et se débandaient dans toutes les directions. « Des feuilles de choux! » dit-elle en crachant les mots comme des graines vénéneuses.

Il y avait cinq ans que Bill Hill et elle n'avaient mangé de choux verts et ce n'était pas maintenant qu'elle allait se mettre à en faire. Ceux-là, elle les avaient achetés pour Rufus, mais c'était bien la dernière fois. Après deux ans de service armé, on aurait pu penser que Rufus se contenterait de manger comme tout le monde, mais non. Lorsqu'elle lui avait demandé s'il voulait quelque chose de spécial, il n'avait même pas eu l'esprit de proposer un plat civilisé, il avait répondu : « Des choux verts. » Elle avait espéré que Rufus se serait transformé, aurait pris un peu de caractère. Erreur profonde! c'était une vraie lavette.

Rufus était son jeune frère, qui rentrait des opérations en Europe. Il était venu habiter chez elle, parce que Pitman, où ils s'étaient élevés, n'existait plus. Tous ceux qui y avaient habité avaient eu la bonne idée d'en partir, soit en mourant, soit en déménageant pour la ville. Elle avait épousé Bill B. Hill, originaire de la Floride, qui vendait des produits miracles, et ils s'étaient installés en ville. Si Pitman n'avait pas disparu, Rufus y serait encore. S'il était resté un seul poulet à Pitman, Rufus y serait resté aussi, pour lui tenir compagnie. Il lui en coûtait d'avoir à porter pareil jugement sur un membre de sa famille, sur son frère particulièrement, mais c'était un fait : Rufus était le bon à rien intégral. « Je m'en suis aperçue au bout de cinq minutes », avait-elle dit à Bill Hill son mari, et Bill Hill avait répondu, imperturbable : « Et moi, au bout de trois. » C'était humiliant qu'un mari comme Bill s'aperçoive qu'on a un frère de cet acabit.

Elle se dit qu'il n'y avait sans doute rien à y faire.

Rufus ressemblait à tous ses frères et sœurs : elle était la seule dans cette famille qui fût différente, la seule qui eût un peu d'énergie. Elle prit un bout de crayon dans son agenda de poche et écrivit sur le sac : « Bill, monte ça là-haut. » Au pied de l'escalier, elle rassembla tout son courage pour grimper jusqu'au quatrième.

L'escalier faisait une étroite déchirure noire au centre de l'immeuble ; un tapis gris taupe le recouvrait, qui semblait pousser sur le parquet. L'escalier se dressait à pic, comme celui d'un clocher. On eût dit qu'il se cabrait. A l'instant où elle mettait le pied sur la première marche, il se raidissait et se cabrait à son intention. Lorsqu'elle levait les yeux sur cette falaise de marches, sa bouche s'ouvrait et se refermait de dégoût. Au reste, le moindre escalier l'épuisait. Elle était malade. Madame Zoleeda le lui avait dit, mais elle s'en était déjà rendu compte. Madame Zoleeda était la chiromancienne de la 87e rue. Elle avait dit : « Une longue maladie », mais avait ajouté à mi-voix, avec l'air d'en savoir beaucoup plus long : « Mais elle sera suivie d'un événement heureux. » Puis elle s'était rassise avec un grand sourire : c'était une grosse femme, dont les yeux verts roulaient dans leur orbite, comme s'ils avaient été huilés. Point n'était besoin qu'elle fît tant de mystères : Ruby savait déjà quel était l'heureux événement : un déménagement. Depuis deux mois, elle avait la nette sensation qu'ils allaient déménager. Bill Hill ne pouvait plus s'y opposer bien longtemps. Il ne pouvait pas la tuer ! Son rêve, c'était d'habiter un proche faubourg — elle entreprit l'ascension, penchée en avant, agrippée à la rampe — un faubourg avec des magasins, une épicerie et un cinéma tout près. Ils habitaient dans le centre, mais les commerces ne se trouvaient qu'à huit rues de la sienne, et le supermarché encore plus loin. Elle ne s'était guère plainte pendant cinq ans, mais maintenant, malgré sa jeunesse, il y allait de sa santé. Que croyait-il donc qu'elle allait faire ? Se laisser tuer ? Elle avait quelque chose en vue à Meadowcrest Heights, une maison jumelle à stores jaunes. Elle s'arrêta à la cinquième marche pour souffler un peu. A son âge — trente-quatre ans — qui aurait pu croire que cinq marches puissent lui couper le souffle ? « Vas-y doucement, ma fille, se dit-elle, t'es trop jeune pour faire sauter tes vitesses. »

A trente-quatre ans une femme n'était pas vieille, loin de là. Elle se rappela sa mère à trente-quatre ans. On aurait dit une pomme jaune, toute ridée, aigre comme elle l'avait toujours été, toujours en train de rechigner. Elle se compara, à trente-quatre ans, avec sa mère au même âge. Les cheveux de sa mère étaient déjà gris — les siens ne le seraient pas, même si elle ne les teignait pas un peu. Toutes ces maternités, voilà ce qui avait tué sa mère. Huit enfants ! Deux morts à la naissance, un troisième à un an, un autre écrasé par une moissonneuse. Sa mère mourait un peu plus à chaque naissance. Et tout ça pourquoi ? parce qu'elle ignorait certaines choses, par ignorance, par ignorance pure et simple.

Et puis il y avait ses deux sœurs, mariées l'une et l'autre depuis quatre ans, avec quatre enfants chacune. Elle n'arrivait pas à comprendre comment elles pouvaient supporter ça — toujours fourrées chez le docteur, à se faire tripoter avec des instruments. Elle se souvenait quand sa mère avait eu Rufus. De tous ses frères et sœurs, elle était la seule qui n'avait pu y tenir : elle était allée jusqu'à Mesly — quinze kilomètres à pied — par un soleil torride ; elle était rentrée dans un cinéma, pour oublier ces cris ; elle avait vu deux westerns, un film d'épouvante, et un film à épisodes, puis elle était revenue à pied, pour découvrir que ça ne faisait que commencer, et elle avait dû entendre ça d'un bout à l'autre de la nuit. Tout ce martyre pour Rufus ! pour cette lavette, cette chiffe molle ! Elle l'imaginait avant sa naissance : il attendait, Dieu sait où, il ne faisait qu'attendre, attendre de transformer sa mère, qui n'avait que trente-quatre ans, en une vieille femme. Elle s'accrocha à la rampe et se hissa sur la marche suivante, en hochant la tête. Seigneur, qu'il l'avait déçue ! Elle qui avait informé tous ses amis que son frère rentrait d'Europe — et il était tombé un beau jour, avec l'air de n'être jamais sorti d'un toit à cochons.

Il faisait vieux, lui aussi, plus vieux qu'elle, avec quatorze ans de moins. Elle faisait très jeune pour son âge. Non pas qu'une femme soit vieille à trente-quatre ans, et en tout cas, elle avait un mari. Elle sourit malgré elle à cette pensée, car elle avait infiniment mieux réussi que ses sœurs : elles avaient épousé des garçons du coin. « Cet essoufflement », marmonna-t-elle en s'arrêtant encore. Elle décida de s'asseoir un moment.

Il y avait vingt-huit marches entre deux étages, vingt-huit ! Elle s'assit et bondit aussitôt : il y avait quelque chose sur la marche. Elle retint son souffle, puis retira l'objet : c'était le pistolet de Hartley Gilfeet, vingt-cinq centimètres de fer-blanc perfide. Hartley était un gamin de six ans qui habitait au cinquième. S'il avait été à elle, elle lui aurait sonné les cloches tant et si bien qu'il ne saurait même plus comment faire pour laisser traîner son bric-à-brac dans un escalier public. Elle aurait très bien pu tomber dans cet escalier et s'abîmer le portrait. Mais son imbécile de mère ne ferait rien au gamin, même si elle allait lui raconter la chose. Elle n'était bonne qu'à lui crier après et à dire aux gens qu'il était très intelligent. « Hartley-Ma-Chance », c'est comme ça qu'elle l'avait baptisé. « C'est tout ce que m'a laissé son pauvre papa ! » Son papa avait dit sur son lit de mort : « A part lui, je t'ai jamais rien donné ! », et elle avait dit : « Rodman, tu m'as donné un trésor, et la chance de ma vie » ; depuis ce temps-là, elle appelait le gosse « Ma-Chance ». « Ma-Chance ! je te le fesserais jusqu'à ce qu'il n'ait plus envie de dire son nom », grommela Ruby.

Les escaliers s'élevaient et descendaient, comme une bascule qui se balançait avec elle au milieu. Elle ne voulait pas avoir envie de vomir. Non, plus de ça — pas maintenant. Non. Elle n'avait pas mal au cœur. Elle s'assit sur l'escalier, les yeux étroitement fermés, jusqu'à ce que son vertige s'apaisât et que la nausée passât. « Non, je n'irai pas voir de médecin. Non. Non. » Elle n'irait pas. Il faudrait qu'on la mette complètement K.-O. avant de l'emmener chez un médecin. Depuis des années, elle se soignait toute seule, et pas si mal que ça : pas de longues indispositions, pas de dents à enlever, pas d'enfants, et tout ça sans l'aide de personne. Si elle n'avait été si prudente, elle aurait au moins cinq enfants, à l'heure qu'il était.

Plus d'une fois, elle s'était demandé si son essoufflement ne venait pas du cœur. De temps à autre, en montant les escaliers, elle ressentait une espèce de douleur dans la poitrine. Voilà ce qu'elle aurait voulu avoir : une maladie de cœur. Ce n'était pas très facile de vous enlever le cœur. Avant de pouvoir l'emmener à l'hôpital, il faudrait l'assommer, il faudrait — et si on la planquait là et qu'elle meure ?

Mais non, il n'y avait aucun risque.

Sait-on jamais — si elle venait à mourir ?

Elle se contraignit à chasser d'elle ces tragiques pensées. Elle n'avait que trente-quatre ans. Ce n'était qu'un petit malaise passager. Elle était rondelette et avait le teint frais. Encore une fois elle se compara à sa mère, et elle se pinça le bras et sourit. Elle n'avait pas mal réussi, car, en somme, ni son père ni sa mère n'avaient eu grande allure. Ils étaient du genre desséché, racorni, et Pitman les avait encore plus racornis, tout ça s'était ratatiné et glacé ensemble. Et c'est de ça qu'elle était sortie ! Une fille si pleine de vie ! Elle se leva, serra la rampe en se souriant à elle-même. Elle était chaude comme une caille, rondelette et belle, et pas trop grosse parce que c'était ainsi que Bill Hill l'aimait. Elle avait légèrement engraissé, mais il ne s'en était pas aperçu — il semblait trouver plus de plaisir avec elle depuis quelque temps, sans savoir pourquoi. Elle était dans la plénitude de sa beauté, une femme épanouie qui montait l'escalier. Elle avait atteint le premier étage maintenant, et elle regarda derrière elle, satisfaite. Quand Bill Hill serait tombé dans ces escaliers, rien qu'une fois, ils déménageraient sans doute. Mais ils déménageraient bien avant ça ! Madame Zoleeda l'avait deviné. Elle rit tout fort en s'engageant sur le palier. La porte de Mr. Jerger grinça et la fit sursauter. « Bon sang, se dit-elle, *Lui !* » C'était un locataire du premier, un peu bizarre.

— Bonjour ! dit-il en inclinant le buste dans l'entrebâillement de la porte. Bonjour à vous ! Il avait l'air d'une chèvre, avec ses petits yeux qui ressemblaient à des raisins secs et sa petite barbiche ; sa veste était d'un vert presque noir ou d'un noir presque vert.

— Bonjour, dit-elle. Vous allez bien ?

— Fort bien, s'écria-t-il. Fort bien, par une si radieuse journée ! Il avait soixante-dix-huit ans et on eût dit que son visage était piqueté de moisissure. Le matin il lisait des livres, et le soir il faisait les cent pas sur le trottoir, arrêtait les enfants, leur posait des questions. Chaque fois qu'il entendait quelqu'un passer sur le palier, il ouvrait sa porte et jetait un coup d'œil.

— Oui, c'est une belle journée, dit-elle d'une voix nonchalante.

— Savez-vous quel grand anniversaire nous fêtons aujourd'hui ? demanda-t-il.

— Euh non, dit Ruby. Il posait toujours des questions de ce genre. Une question d'histoire, que tout le monde ignorait : il la posait puis faisait tout un discours dessus. Il avait été professeur de lycée.

— Devinez ! insista-t-il.

— Abraham Lincoln, marmonna-t-elle.

— Allons donc ! Vous n'essayez même pas de trouver ! Faites un petit effort !

— George Washington, dit-elle, le pied sur l'escalier.

— Vous devriez avoir honte ! s'écria-t-il. Et votre mari qui en vient. La Floride ! La Floride ! C'est l'anniversaire de la Floride ! Venez voir...

D'un index effilé, il lui fit signe d'approcher et disparut dans son appartement.

Elle redescendit les deux marches et dit : « Faut que je m'en aille » ; elle passa la tête à la porte. La pièce était plutôt un vaste cabinet, et les murs étaient entièrement recouverts de cartes postales représentant les monuments de la région ; ça donnait l'illusion d'une pièce plus vaste. Une seule ampoule pendait au-dessus du petit bureau où Mr. Jerger se tenait maintenant, courbé sur un livre.

— Écoutez bien ceci, lui dit-il. Il lut, suivant du doigt les lignes : « le dimanche de Pâques 3 avril 1516, il arriva à la pointe de ce continent. » Savez-vous quel est cet « IL » ? demanda-t-il.

— Oui, Christophe Colomb, dit Ruby.

— Ponce de Léon ! s'écria-t-il. Ponce de Léon ! Vous devriez être documentée sur la Floride ! Votre mari en vient.

— Il est né à Miami, dit Ruby. Il n'est pas du Tennessee.

— La Floride n'est pas un État qui a des titres de noblesse, dit Mr. Jerger, mais c'est un État important.

— D'accord qu'il est important, dit Ruby.

— Savez-vous qui était Ponce de Léon ?

— Le fondateur de la Floride, dit allégrement Ruby.

— C'était un Espagnol, dit Mr. Jerger. Savez-vous ce qu'il cherchait ?

— La Floride, dit Ruby.

— Ponce de Léon cherchait la fontaine de Jouvence, dit Mr. Jerger, en fermant les yeux.

— Ah ! marmonna Ruby.

— Une certaine source, continua-t-il, dont l'eau donnait une éternelle jeunesse à ceux qui la buvaient. En d'autres termes, il essayait de rester toujours jeune.

— L'a-t-il trouvée ? demanda Ruby.

Mr. Jerger garda le silence, les yeux toujours clos. Puis il dit : « Vous croyez qu'il l'a trouvée ? Vraiment ? Vous pensez qu'il aurait été le seul à y aller s'il l'avait découverte ? Vous croyez qu'il resterait un seul homme au monde qui n'ait point bu l'eau de cette fontaine ?

— Je n'avais pas réfléchi à ça, dit Ruby.

— Personne ne réfléchit plus, se lamenta Mr. Jerger.

— Il faut que je m'en aille...

— Oui, on l'a trouvée, dit Mr. Jerger.

— Où ça ? demanda Ruby.

— Et j'ai bu de son eau.

— Où faudrait-il aller ? » demanda-t-elle. Elle se pencha un peu et reçut son odeur — c'était comme si elle avait mis le nez sous l'aile d'un busard.

— Dans mon cœur, dit-il, la main sur le cœur.

— Ah ! dit Ruby, en battant en retraite. Faut que je parte. Je crois que mon frère est à la maison. Elle recula jusqu'à la porte et sortit sur le palier.

— Demandez à votre mari s'il sait quel est ce grand anniversaire, dit Mr. Jerger, en lui jetant un regard timide.

— Oui, certainement. Elle fit mine de partir, mais attendit que sa porte se fût fermée. Elle se retourna pour voir si elle était bien fermée. Alors, elle aspira un grand coup en levant les yeux sur les falaises qu'il lui fallait escalader encore. « Dieu tout-puissant ! » dit-elle. Plus on s'élevait, plus elles étaient escarpées et noires.

Elle n'avait pas monté cinq marches que déjà elle était à bout de souffle. Elle poursuivit un peu son effort, en haletant, puis s'arrêta. Elle avait une douleur au ventre. Elle l'avait déjà ressentie, quelques jours avant. On aurait dit que quelque chose y exerçait une poussée. C'était cette douleur qui lui faisait le plus peur. Le mot *cancer* lui était venu à l'esprit, mais elle l'avait écarté d'elle immédiatement, parce qu'une chose aussi horrible ne pouvait lui arriver. Le mot surgit en elle en même temps que la douleur, elle le trancha en deux, avec l'aide de Madame Zoleeda. Ça finira par un événement heureux. Elle le dépeça et le redépeça jusqu'à ce qu'il n'en restât plus que des petits tronçons méconnaissables. Elle s'arrêterait à l'étage au-dessus. Mais, grand Dieu y arriverait-elle ? Elle parlerait à Laverne Watts. Laverne Watts était une locataire du second, secrétaire d'un pédicure — une amie intime.

Elle arriva sur le palier en suffoquant, les jambes flageolantes. Elle frappa à la porte de Laverne avec la crosse du pistolet de Hartley-Ma-Chance. Elle s'appuya contre le montant de la porte pour souffler un peu, et soudain, autour d'elle, le plancher s'affaissa. Les murs devinrent tout noirs, elle se sentit aspirée, emportée en l'air par un tourbillon, et terrifiée par la chute imminente. Loin, très loin, elle vit la porte s'ouvrir, et une Laverne lilliputienne dans l'encadrement.

Laverne, une grande fille aux cheveux couleur de paille, éclata d'un rire énorme, et elle se tapait sur les hanches, comme si ses yeux venaient de découvrir le spectacle le plus comique qu'elle eût jamais vu. « Ce pistolet, hoqueta-t-elle. Ce pistolet ! Cette tête ! » Elle recula jusqu'au divan en titubant et s'y effondra, les jambes en l'air. Elles retombèrent de toute leur hauteur avec un choc sourd.

Le plancher remonta à portée du regard de Ruby et ne bougea plus, quoique encore un peu incliné. Le regard braqué sur lui, elle se concentra de toutes ses forces et avança le pied pour descendre dessus. Elle repéra une chaise dans la pièce et se dirigea vers elle en posant prudemment les pieds l'un devant l'autre.

— Tu devrais entrer dans un cirque, dit Laverne Watts. Tu es crevante.

Ruby atteignit la chaise et s'y glissa de biais. « Tais-toi », dit-elle d'une voix rauque.

Laverne s'avança au bord du canapé, l'index pointé vers elle, et retomba à la renverse, terrassée par le fou rire.

— Arrête-toi, hurla Ruby. Arrête. Je suis malade.

Laverne se leva et en trois enjambées fut près d'elle. Elle se pencha sur Ruby et scruta son visage, en fermant un œil, comme si elle regardait par le trou d'une serrure. « Tu es comme qui dirait violette », dit-elle.

— Je suis malade à crever, dit Ruby en la regardant fixement. Laverne l'observa un moment encore, puis se croisa les bras, et fit ressortir son ventre, en se balançant d'avant en arrière. « Pourquoi es-tu venue ici avec ce pistolet ? Où l'as-tu pris ? » demanda-t-elle.

— Je me suis assise dessus, marmonna Ruby.

Laverne se balançait toujours, bombant le ventre, d'un air de plus en plus entendu. Ruby, affalée sur sa chaise, considérait ses pieds. Tout se remettait en place dans la chambre. Elle se leva et jeta un regard furieux à ses chevilles. Elles étaient enflées ! « Je n'irai pas chez le médecin, dit-elle, je n'irai pas voir de médecin. Je n'irai pas. Non, je n'irai pas. Non, je n'irai pas, marmonna-t-elle. Pas chez le docteur, pas chez...

— Combien de temps crois-tu que ça va durer encore ? murmura Laverne, avec un petit rire nerveux.

— Mes chevilles sont-elles enflées ? demanda Ruby.

— Elles sont comme d'habitude, dit Laverne en se laissant choir sur le divan. Un peu fortes. » Elle pivota, posa ses chevilles sur l'oreiller du coin, puis les fit tourner un peu. « Comment trouves-tu mes chaussures ? » demanda-t-elle. Elles étaient vert sauterelle avec des talons aiguille très hauts.

— Je trouve qu'elles sont enflées, dit Ruby. Je me suis sentie affreusement mal en montant ton escalier, je me sentais mal partout comme...

— Tu devrais aller voir le docteur.

— Je n'ai pas besoin de médecin, dit Ruby entre ses dents. Je sais me soigner toute seule, et je m'en suis pas si mal tirée jusque-là.

— Rufus est-il rentré ?

— Je ne sais pas. Je me suis passée de docteur toute ma vie. Je m'en suis... — Pourquoi ?

— Pourquoi quoi ?

— Pourquoi me demandes-tu si Rufus est rentré ?

— Rufus est gentil, dit Laverne. Je voudrais lui demander comment il trouve mes chaussures.

Ruby se redressa, l'air furieux, et elle rosit, puis rougit violemment. « Pourquoi Rufus ? grommela-t-elle. Ce n'est qu'un enfant. » Laverne avait trente ans. « Il se moque pas mal des chaussures de femme. »

Laverne enleva une chaussure et regarda à l'intérieur. « 39 1/2 dit-elle. Je parie qu'il aimerait ce qu'il y a dedans. »

— Rufus n'est qu'un enfant, dit Ruby. Il n'a pas le temps de regarder tes pieds. Il n'a pas de temps à perdre pour *ça*.

— Oh ! il a tout le temps devant lui, dit Laverne.

— Oui, marmonna Ruby. Et elle le revit attendant avant de naître, attendant sans aucune hâte, attendant l'heure de tuer sa mère un peu plus.

— Je crois bien que tes chevilles sont enflées, dit Laverne.

— Oui, dit Ruby, en les faisant tourner. Oui. Elles semblent toutes raides. J'ai eu une impression épouvantable en montant, comme si ma respiration s'arrêtait, comme si j'étais raide de partout — épouvantable !

— Tu devrais voir le docteur.

— Non.

— Tu y es déjà allée ?

— Ils m'y ont traînée une fois, j'avais dix ans, déclara Ruby, mais je me suis sauvée. Ils avaient beau être trois à me tenir, il n'y a rien eu à faire.

— Qu'est-ce que tu avais, cette fois-là ?

— Pourquoi me regardes-tu comme ça ? dit Ruby.

— Comme ça quoi ?

— Comme ça, dit Ruby — en bombant ton ventre.

— Je t'ai simplement demandé ce que tu avais cette fois-là.

— Un furoncle. Une négresse que j'ai vue sur la route m'a dit ce qu'il fallait faire : je l'ai fait et il est parti. » Elle était effondrée sur sa chaise, le regard fixe, comme si elle rêvait aux jours heureux de jadis.

Laverne se lança dans une danse comique à travers la pièce. Elle fit deux ou trois pas lents dans une direction, genoux pliés, puis elle revint au point de départ en se cognant les jambes, l'une contre l'autre, avec une grimace de douleur ; puis elle se mit à chanter d'une voix gutturale en roulant des yeux : « Mettez les lettres derrière ou d'vant, ça fait toujours MAMAN ! MAMAN ! », et elle leva les bras au ciel comme si elle jouait sur une scène.

La bouche de Ruby s'ouvrit sans qu'un mot en sortît et son expression courroucée disparut de son visage. Une demi-seconde elle fut sans réaction ; puis elle bondit de sa chaise. « Pas moi ! cria-t-elle, pas moi ! »

Laverne s'arrêta et se contenta de la regarder du même air entendu.

— Pas moi ! hurla Ruby. Oh non, pas moi ! Bill Hill prend toutes ses précautions. Bill Hill fait attention. Il y a cinq ans que Bill Hill prend ses précautions. C'est pas à moi que ça arrivera !

— Eh bien, ma chère, le vieux Bill Hill a fait une petite erreur il y a quatre ou cinq mois, dit Laverne. Une légère erreur.

— Tu n'y connais rien, tu n'es même pas mariée, tu es encore...

— Je te parie que ça sera pas un, mais deux, dit Laverne. Tu ferais mieux d'aller au docteur pour savoir combien il y en a.

— Ce n'est pas ça ! » jeta Ruby d'une voix perçante. Elle se croyait maligne, celle-là ! Elle ne savait même pas reconnaître quand une femme est malade, tout ce qu'elle savait faire, c'était regarder ses pieds et les montrer à Rufus, les montrer à Rufus, lui n'était qu'un enfant, et elle avait trente-quatre ans. « Rufus est un enfant », gémit-elle.

— Ça fera deux, dit Laverne.

— Arrête de parler ainsi ! cria Ruby. Tais-toi immédiatement. Je ne vais pas avoir d'enfant !

— Ah-ah ! dit Laverne.

— Je me demande pourquoi tu crois savoir tant de choses, dit Ruby, toi qui es célibataire. Si j'étais aussi célibataire que toi, j'irais pas me mêler de dire aux gens mariés ce qu'ils ont à faire.

— Il n'y a pas que tes chevilles, dit Laverne, tu es gonflée de partout.

— Je ne vais pas rester ici à me faire insulter, dit Ruby, et elle se dirigea vers la porte en se tenant bien droite, sans baisser les yeux vers son ventre, comme elle brûlait de le faire.

— Eh bien, j'espère que, *l'un dans l'autre,* ça ira beaucoup mieux demain, dit Laverne.

— Je crois que mon cœur ira mieux demain, dit Ruby. Mais j'espère que nous déménagerons bientôt. Je ne peux plus monter ces marches avec cette maladie de cœur, et, ajouta-t-elle très digne, Rufus se moque éperdument de tes grands pieds.

— Tu ferais mieux de planquer ce pistolet avant de tuer quelqu'un, dit Laverne.

Ruby claqua la porte et se regarda aussitôt. Elle était grosse à cet endroit-là, mais elle avait toujours eu un petit ventre rondelet. Elle n'était pas plus gonflée là qu'ailleurs. C'était normal, lorsqu'on prend un peu de graisse, qu'elle se place là, au beau milieu, et Bill Hill ne lui en voulait pas d'être dodue, il y trouvait simplement plus de plaisir, sans savoir pourquoi. Elle vit le long visage heureux de Bill Hill ; il la regardait avec un sourire depuis les yeux jusqu'en bas, et plus il descendait, plus il avait l'air heureux.

Il ne pouvait commettre d'erreur. Sa main fit le tour de sa jupe : nul doute, elle la serrait, mais elle l'avait déjà constaté. Bien sûr, c'était la jupe — c'était celle qui lui était trop juste et qu'elle ne portait pas souvent ! Mais non, c'était l'autre, celle qui était un peu lâche. De toutes manières elle ne lui glissait pas tellement de la taille ! Elle avait dû engraisser, un point c'est tout.

Elle mit les doigts sur son ventre, les poussa plus bas, et les retira brusquement. Elle se dirigea vers l'escalier, lentement, comme si le plancher allait bouger sous ses pas. Elle monta une marche et la douleur revint instantanément. A la première marche. « Non, gémit-elle, non ! » Ce n'était qu'une impression, une impression légère, comme si une partie d'elle-même se retournait là-dedans, et que sa respiration s'arrêtait. « Une marche, murmura-t-elle, une seule marche et ça y est. » Ça ne pouvait pas être un cancer. Madame Zoleeda avait dit que ça finirait par un heureux événement. Elle se mit à pleurer et dit : « Une marche et ça y est », et elle monta comme un automate, sans avoir conscience de se mouvoir. A la sixième marche, elle s'assit et laissa glisser sa main tout au long du barreau. « Non », gémit-elle, et elle pencha son visage rond et rouge entre les plus proches barreaux. Son regard plongea dans la cage de l'escalier, et elle poussa une longue plainte sourde qui s'amplifia et se répercuta en descendant. Le gouffre de l'escalier était d'un vert sombre, avec des reflets gris taupe et, en touchant le fond, le gémissement sembla se muer en une voix qui lui répondait. Le souffle lui manqua et elle ferma les yeux. Non. Non. Ça ne pouvait être un enfant. Non, elle n'allait pas avoir en elle une chose qui attendrait pour la tuer un peu plus. Non. Bill Hill n'avait pas pu faire d'erreur. Il disait que, comme ça, il n'y avait rien à craindre, et ça avait toujours marché, et puis, ça ne pouvait être ça, impossible. Elle frissonna et colla soudain sa main à la bouche. Elle sentit son visage se tirer, se friper, deux mort-nés, un autre qui meurt au bout d'un an, un qui est écrasé comme une pomme jaune desséchée, non elle n'avait que trente-quatre ans, elle était vieille. Madame Zoleeda avait dit Oh, que ça finirait par un heureux événement. Elle avait dit que ça finirait par un heureux déménagement.

Elle sentait qu'elle se calmait. Elle était maintenant presque paisible, et elle se dit qu'elle se laissait trop facilement retourner. Des balivernes tout ça. Madame Zoleeda ne s'était encore jamais trompée, elle en savait plus que...

Elle sursauta : il y eut un boum au fond de la cage, une galopade dans l'escalier qui le fit trembler jusqu'à la marche où elle était assise. Elle regarda entre les barreaux et vit Hartley-Ma-Chance qui brandissait deux pistolets et montait au triple galop, puis elle entendit une voix stridente à l'étage au-dessus d'elle : « Hartley, arrête ce boucan ! tu fais trembler toute la maison ! » Mais il ne ralentit pas, prit avec un bruit de tonnerre le tournant du premier, et arriva comme l'éclair sur le palier. La porte de Mr. Jerger s'ouvrit à toute volée et des doigts crochus saisirent au vol un pan de chemise, qui tourbillonna et repartit en trombe, alors qu'une voix aiguë criait : « Lâche-moi, vieux bouc de prof ! » Le grondement s'approcha, les escaliers se mirent à trembler juste sous elle et une tête d'écureuil lui fonça dessus, lui traversa le crâne comme un projectile, et se perdit dans un tourbillon de nuit.

Elle resta sur la marche, agrippée au barreau de la rampe, tandis que d'infimes souffles la pénétraient lentement, et que les escaliers cessaient leur jeu de bascule. Elle ouvrit les yeux et regarda jusqu'au fond du trou noir, jusqu'au lieu d'où elle était partie, il y avait des siècles. « Ma-Chance », dit-elle d'une voix creuse qui retentit à tous les niveaux du gouffre, « un bébé ».

« Ma-Chance un bébé », répétèrent les échos cruels.

Puis la sensation revint, très nette ; quelque chose se retournait doucement, non plus dans son ventre, lui sembla-t-il, mais dans le néant, nulle part ; quelque chose qui attendait tranquillement, patiemment, avec tout le temps devant soi.

Les temples du Saint-Esprit.

Pendant tout le week-end, les deux jeunes filles s'appelèrent entre elles Temple I et Temple II, et elles riaient comme des folles, et devenaient si rouges qu'elles en étaient affreuses, Joanne surtout qui, même en temps normal, avait des taches sur la figure. Elles portaient en arrivant l'uniforme marron du Mont-Sainte-Scholastique mais, leurs valises à peine ouvertes, elles le troquèrent contre une jupe rouge et une blouse criarde. Elles se mirent du rouge à lèvres, prirent leurs chaussures du dimanche, et firent le tour de la maison en talons hauts, ralentissant chaque fois qu'elle passaient devant le long miroir du vestibule pour jeter un coup d'œil à leurs jambes. Rien n'échappait à la petite. Si une seule était venue, elle aurait sans doute pu jouer avec : comme elles étaient deux grandes ensemble, on la tenait à l'écart, et elle les observait avec méfiance.

Elles avaient quatorze ans — deux ans de plus qu'elle — mais ni l'une ni l'autre n'était une lumière et c'est pourquoi on les avait mises au couvent. Dans une école ordinaire, elles n'auraient rien fait que de penser aux garçons ; au couvent, disait sa mère, les sœurs leur serreraient la vis. Après les avoir observées quelques heures, la petite conclut qu'elles étaient pratiquement idiotes.

Elle se réjouissait à la pensée qu'elles n'étaient même pas des cousines germaines et qu'elle échappait à leur stupidité héréditaire. Suzanne voulait qu'on l'appelât Suzie. Elle était maigre, mais avait un joli petit minois et des cheveux roux. Ceux de Joanne étaient blonds et frisaient naturellement, mais elle parlait du nez et quand elle riait de grosses taches violacées paraissaient sur ses joues. Elles ne disaient jamais rien d'intelligent, et toutes leurs phrases commençaient ainsi : « Tu sais, ce garçon que je connais bien... »

Elles devaient rester tout le week-end, et la mère de la petite avoua, au cours du repas, qu'elle ne savait trop comment les distraire, car elle ne connaissait aucun garçon de leur âge. Sur quoi la petite eut une idée de génie et s'écria : « Mais il y a Cheat ! qu'on fasse venir Cheat ! Dites à Miss Kirby de faire venir Cheat pour qu'il les sorte ! » et elle faillit s'étrangler en avalant de travers. Elle se tordait de rire en regardant les deux filles éberluées, frappait la table du poing, et les larmes roulaient sur ses joues rebondies, et les crochets de son appareil dentaire lançaient des éclairs métalliques. C'était bien la première fois qu'elle pensait à quelque chose d'aussi drôle.

Sa mère eut un rire circonspect, Miss Kirby rougit et, d'une fourchette délicate, porta à sa bouche un petit pois solitaire. Miss Kirby était une institutrice qui prenait pension chez eux. Elle était blonde, avait un visage allongé, et Mr. Cheatman pour chevalier servant ; tous les samedis après-midi, ce riche fermier d'un certain âge arrivait dans une petite Pontiac bleu layette qu'il avait depuis quinze ans ; si la carrosserie était couverte de poussière rouge, l'intérieur, chaque samedi, devenait noir comme ciel d'orage quand s'y entassaient les nègres qu'il amenait en ville, à raison de dix *cents* par tête. Délesté de son chargement, il venait voir Miss Kirby, toujours avec un petit cadeau — un sac de cacahuètes bouillies, une pastèque, une tige de canne à sucre, et même, un jour, une grosse boîte de bâtons de sucre d'orge. Sans sa petite frange de cheveux couleur rouille, il eût été complètement chauve, et son visage avait la teinte des chemins de campagne sillonnés de rigoles et d'ornières. Il avait une chemise vert pâle à fines rayures noires, des bretelles bleues, et son pantalon sciait un ventre protubérant qu'il caressait tendrement d'un large pouce plat. Toutes ses dents portaient couronne d'or et il roulait des yeux coquins vers Miss Kirby, disait : « Hé, hé ! » en s'asseyant dans la véranda où il balançait ses jambes largement écartées, les bottes restant fixes au sol et orientées en sens contraire. « Je ne crois pas que Cheat vienne en ville ce week-end », dit Miss Kirby sans flairer un instant la plaisanterie ; la petite eut une nouvelle crise de rire, se renversa en arrière, tomba de sa chaise et roula sur le parquet, pantelante. Sa mère lui dit que si elle ne mettait pas fin à cette démonstration stupide, elle serait expulsée de table.

La veille, sa mère avait convenu avec Alonzo Myers qu'il les emmènerait à Mayville, à quelque quarante-cinq milles, afin d'y prendre les jeunes filles pour le week-end ; elle l'avait aussi retenu pour le dimanche après-midi, pour les reconduire au couvent. C'était un garçon de dix-huit ans et de soixante-quinze kilos qui travaillait à la compagnie des taxis — le seul moyen de transport dont elle disposât. Il fumait, ou plutôt chiquait, une espèce de cigare court et noir, et il avait une poitrine ronde et suante, visible par transparence sous sa chemise de nylon jaune. Il ne conduisait que toutes glaces baissées.

— Eh bien, et Alonzo ? hurla la petite toujours par terre, prenez Alonzo pour les sortir ! Allez le chercher !

Les deux jeunes filles, qui avaient vu Alonzo, poussèrent des cris indignés.

La mère trouva cela assez drôle, mais dit à la petite : « Ça suffit comme ça », et changea de sujet. Elle leur demanda pourquoi elles s'appelaient Temple I et Temple II, et ceci eut le don de déchaîner leurs rires. Elles parvinrent enfin à s'expliquer : Sœur Perpétue, la supérieure des Sœurs de Saint-Vincent-de-Paul au couvent de Mayville, leur avait fait un cours sur la conduite à tenir au cas où un jeune homme — là elles rirent si fort qu'elles durent tout reprendre au commencement — ce qu'il fallait faire si un jeune homme — elles se tenaient les côtes — ce qu'il fallait faire si — et elles se lancèrent à bride abattue : « Si jamais il se comportait avec elles d'une façon indécente sur la banquette arrière d'une automobile. » Sœur Perpétue leur avait enjoint de dire : « Arrêtez, monsieur ! Je suis un temple du Saint-Esprit ! » et ça devait l'arrêter net. La petite se leva, l'air étonné. Elle ne voyait rien de drôle dans cette histoire. Ce qui l'était beaucoup plus, c'était d'imaginer Mr. Cheatman ou Alonzo dans leur rôle de galant. Ça, c'était à mourir de rire.

Sa mère n'avait pas ri non plus. « Je crois bien que vous êtes un peu sottes, dit-elle. Après tout c'est ce que vous êtes, des temples du Saint-Esprit. »

Les deux filles la regardèrent en s'efforçant par politesse de ne pas lui rire au nez, mais elles ne se sentaient pas à l'aise, comme si elles découvraient qu'elle appartenait à la même race que Sœur Perpétue. Miss Kirby gardait un visage rigide, et la petite pensa : « De toute manière, elle n'y pige rien. » Je suis un temple du Saint-Esprit, se dit-elle, et la formule lui plut assez. Elle avait l'impression d'avoir reçu quelque cadeau.

Après le dîner, sa mère s'effondra sur le lit et dit : « Ces filles me rendront folle si je ne trouve rien pour les distraire. Elles sont épouvantables. »

— Je crois que j'ai trouvé ce qu'il te faut, commença la petite.

— Écoute-moi bien! Je ne veux plus entendre parler de Mr. Cheatman, dit la mère. Tu gênes terriblement Miss Kirby. C'est son seul ami. Oh, mon Dieu! et elle se mit sur son séant en regardant par la fenêtre d'un air lugubre, cette pauvre fille est si seule qu'elle va jusqu'à monter dans cette voiture qui pue comme le fond de l'enfer. »

Elle aussi est un temple du Saint-Esprit, songea la petite. « C'est pas à lui que je pensais, dit-elle. Je pensais aux deux Wilkins, Wendell et Cory, qui vont voir Mrs. Buchell dans sa ferme. Ce sont ses petits-fils. Ils vont l'aider.

— C'est une idée », murmura la mère d'un air approbateur. Mais elle s'effondra de nouveau. « Ce ne sont que des petits paysans, et les deux filles leur tourneraient le dos. »

— Voire! dit la petite. Ils portent des pantalons longs; ils ont seize ans et une voiture. On dit qu'ils veulent être prédicateurs de « l'Église de Dieu », parce qu'il y a rien besoin de savoir.

— Elles seraient bien tranquilles avec ces garçons », dit la mère; et aussitôt, elle fut debout et appela leur grand-mère au téléphone; après une demi-heure de conversation avec la vieille dame, il fut convenu que Cory et Wendell viendraient dîner et qu'ensuite ils emmèneraient les jeunes filles à la fête foraine.

Suzanne et Joanne étaient tellement heureuses qu'elles se lavèrent les cheveux et se firent une mise en plis avec des bigoudis en aluminium. Ah ! pensa la petite, assise jambes croisées sur le lit tandis qu'elles enlevaient leurs bigoudis, attendez, vous en aurez vite par-dessus la tête, de Wendell et Cory ! « Ces garçons vous plairont, dit-elle. Wendell a un mètre quatre-vingts et des cheveux roux. Quant à Cory, il a un mètre quatre-vingt-quinze, des cheveux noirs et une veste de sport ; et ils ont une voiture avec une queue d'écureuil sur le capot.

— Comment se fait-il qu'une gamine comme toi en sache si long sur ces hommes ? demanda Suzanne en approchant son visage du miroir pour observer la dilatation de ses pupilles.

La petite s'étendit sur le lit et se mit à compter les lattes du plafond jusqu'au moment où elle s'embrouilla. « Je les connais bien, dit-elle en songe. Nous avons fait la guerre ensemble. Ils étaient sous mes ordres et je les ai sauvés cinq fois des avions-suicide japonais, et Wendell a dit : « Je vais épouser cette petite », et l'autre a répondu : « Non, pas toi, moi », et j'ai dit : « Ni l'un ni l'autre, parce que je vais vous faire passer en cour martiale tous les deux avant que vous ayez le temps de dire ouf. » « Je les ai vus de temps en temps, c'est tout », dit-elle.

Quand ils arrivèrent, les deux jeunes filles les examinèrent un moment puis se mirent à ricaner et à parler entre elles du couvent. Elles s'assirent sur les fauteuils à bascule et les garçons sur la rampe.

Wendell et Cory se tenaient à la façon des singes, genoux au niveau des épaules et bras pendants au milieu. C'étaient des garçons petits et frêles, rouges de visage, avec des pommettes hautes et des yeux pâles. Ils avaient apporté une guitare et un harmonica. L'un d'eux commença à jouer doucement de l'harmonica, en observant les jeunes filles par-dessus son instrument ; l'autre effleura les cordes de sa guitare et se mit à chanter sans les regarder, la tête bien droite, comme s'il chantait pour lui seul. Il chantait un chant populaire qui tenait de la romance et de l'hymne religieux.

La petite était grimpée sur un tonneau à demi enfoui dans un buisson à côté de la maison ; son visage arrivait à la hauteur du plancher de la véranda. Le soleil baissait et le ciel virait à un violet mat en harmonie, eût-on dit, avec la douce et mélancolique musique. Un sourire parut sur le visage de Wendell qui chantait, et son regard chercha les jeunes filles. Il regarda Suzanne avec des yeux tendres et soumis, et chanta :

En Jésus j'ai trouvé un ami,
Jésus est tout pour moi,
Il est le lys de la vallée
Et c'est lui qui m'a libéré !

Puis il tourna le même regard vers Joanne et chanta :

Un mur de feu autour de moi
Maintenant, je n'ai rien à craindre
Il est le lys de la vallée
Il sera toujours près de moi.

Les deux filles se regardèrent et se mordirent les lèvres pour ne pas rire, mais Suzanne pouffa malgré elle et se plaqua la main sur la bouche. Le chanteur fronça les sourcils, et pendant quelques instants il se contenta de gratter sa guitare. Puis il entama *La Vieille Croix rugueuse,* et elles écoutèrent poliment ; mais quand il eut fini, elles dirent : « A nous d'en pousser une ! » et avant qu'il ait eu le temps de se lancer dans une troisième chanson, elles entonnèrent d'une voix rompue aux chants liturgiques :

Tantum ergo Sacramentum
Veneremur cernui :
Et antiquum documentum
Novo cedat ritui :

La petite observait les garçons : leur visage était grave, et ils échangeaient des regards réprobateurs et perplexes, comme s'ils se demandaient si l'on se moquait d'eux.

Praestet fides supplementum
Sensuum defectui.
Genitori, Genitoque
Laus et jubilatio

Salus, honor, virtus quoque...

Dans la lumière violâtre, le visage des garçons était cramoisi. Ils avaient un air méchant et un peu effrayé.

Sit et benedictio ;
Procedenti ab utroque

Compar sit laudatio.
Amen.

Les filles tirèrent l'*Amen* en longueur, puis il y eut un silence.

— C'est sûrement une espèce de chant juif, dit Wendell en accordant sa guitare.

Les filles ricanèrent bêtement, mais la petite frappait du pied sur le tonneau. « Espèce de gros imbécile, cria-t-elle ; gros veau de « l'Église de Dieu » ! » hurla-t-elle, et elle dégringola de son tonneau, détala et disparut derrière la maison, tandis qu'ils sautaient de la rampe pour voir qui poussait des cris pareils.

Sa mère avait eu l'idée de les faire dîner dans l'arrière-cour, et la table y avait été préparée sous quelques lampions qu'elle utilisait pour les garden-parties. « Je n' mange pas avec eux », déclara la petite : elle fit disparaître son assiette et l'emporta dans la cuisine où elle prit son repas avec la cuisinière, une femme frêle aux gencives bleutées.

— Pourquoi que t'es aussi vilaine par moments ? demanda la cuisinière.

— Les ânes bâtés ! dit la petite.

Les lampions teintaient d'orange les plus proches feuillages et formaient au-dessus une voûte vert foncé ; au-dessous diverses nuances moins éclatantes faisaient paraître les jeunes filles plus jolies qu'elles ne l'étaient en réalité. De temps en temps, la petite tournait la tête vers la fenêtre de la cuisine et jetait sur la scène de longs regards furieux.

— Dieu pourrait te rendre aveugle, sourde, et muette, dit la cuisinière ; alors tu serais pas si maligne que t'es !

— Je le serais toujours plus que certaines gens que je connais, dit la petite.

Après le dîner, ils partirent pour la fête foraine. La petite voulait y aller mais pas avec eux : même s'ils l'avaient invitée, elle serait restée à la maison. Elle monta au premier et arpenta la grande chambre, les mains crispées derrière le dos, la tête en avant, l'air courroucé et rêveur à la fois. Elle n'alluma pas mais laissa l'obscurité envahir la pièce, et la rendre plus petite et plus intime. A intervalles réguliers, une lumière entrait par la fenêtre ouverte et jetait des ombres sur le mur. Elle s'arrêta et son regard erra sur les pentes enténébrées, puis sur la mare aux reflets d'argent, puis sur le mur noir des bois ; il s'éleva vers le ciel moutonné, où un long doigt de lumière montait en décrivant un vaste cercle, disparaissait, fouillant l'espace comme pour y chercher le soleil disparu. C'était le phare de la fête foraine.

Elle entendit l'orgue de Barbarie lointain et vit en imagination toutes les tentes dressées dans une blonde poussière lumineuse, et l'anneau de la grande roue qui portait jusqu'au ciel ses diamants étincelants, et le manège qui grince au ras du sol. La fête durait cinq ou six jours ; un après-midi était réservé aux enfants des écoles, aux nègres une soirée. L'année précédente, elle y était allée avec les enfants des écoles, et elle avait vu les singes, l'hercule, et avait fait un tour de grande roue. Un certain nombre de tentes étaient restées fermées parce qu'elles contenaient des choses pour adultes seulement, mais elle avait regardé les pancartes avec quelque intérêt, des photos jaunies de personnes en collants, dont le visage tendu et serein évoquait celui des martyrs lorsqu'ils attendaient qu'un soldat romain vînt leur couper la langue. Elle avait pensé que ce qui était interdit touchait à la médecine et elle avait alors décidé de devenir médecin plus tard. Depuis, elle avait changé d'avis et projeté d'être ingénieur, mais en regardant de sa fenêtre le pinceau lumineux qui s'allongeait en s'amenuisant, et qui tournait sans cesse, elle eut le sentiment qu'être médecin ou simple ingénieur ne pouvait plus suffire. Elle serait une sainte, parce que c'était la seule occupation qui embrassât tout ce qu'on peut savoir ; et pourtant elle était sûre de n'y jamais parvenir : certes, elle n'était ni une voleuse ni une criminelle, mais elle était menteuse-née et paresseuse, elle agaçait sa mère et faisait exprès d'être désagréable avec presque tout le monde. Le péché d'orgueil, le pire de tous, la rongeait. Elle se moquait du prédicateur baptiste qui venait officier aux cérémonies de l'école. Elle ouvrait une bouche béante, se tenait le front comme si elle eût été au fond du désespoir et geignait : « Père, nous Te remerchions » — exactement comme lui : maintes fois, on lui avait interdit de le faire. Jamais elle n'arriverait à être une sainte, mais elle se dit que si on la tuait assez vite, elle pourrait être martyre.

Elle voulait être fusillée, mais pas brûlée dans l'huile bouillante. Elle n'était pas sûre de supporter d'être déchiquetée par des lions. Elle s'entraîna au martyre, se vit dans une vaste arène éclairée par les cages de feu des premiers chrétiens, d'où émanait une lumière dorée qui retombait comme une poussière sur les lions et sur elle. Le premier lion lui fonçait dessus et tombait à ses pieds, converti. Toute une série de lions en faisait autant. Les lions l'aimaient tellement qu'elle dormait avec eux ; finalement, les Romains devaient la brûler, mais, à leur stupéfaction, elle n'arrivait pas à brûler et, la trouvant si rebelle à la mort, ils se résignaient à lui trancher la tête d'un coup d'épée, et elle montait droit au Ciel. Plusieurs fois, elle se répéta la scène : arrivée aux portes du Paradis, elle redescendait à ses lions et tout recommençait.

Elle s'éloigna enfin de la fenêtre et se mit au lit sans dire ses prières. Il y avait deux grands lits dans sa chambre, le sien et celui des filles ; elle réfléchit longuement pour découvrir quelque chose de froid et de visqueux à cacher dans leurs draps, mais en vain. Elle n'avait pas sous la main ce que lui proposait son esprit, une carcasse de poulet, un morceau de foie de bœuf, par exemple. La musique du manège, qui entrait par la fenêtre, l'empêchait de dormir ; elle se souvint qu'elle n'avait pas fait sa prière : elle s'agenouilla au pied du lit, démarra en trombe, arriva au bout du Je crois en Dieu, et resta en panne, la tête vide, le menton appuyé sur le flanc du lit. Ses prières, lorsqu'elle n'oubliait pas de les dire, étaient le plus souvent un rite mécanique, mais parfois, lorsqu'elle avait commis quelque mauvaise action, écouté de la musique ou perdu quelque chose, ou même sans raison aucune, elle était envahie par la ferveur, et pensait à Jésus montant au Calvaire, par trois fois écrasé sous la pesante croix. Un moment, son esprit s'attardait à cette image, puis se vidait, et si quelque chose la tirait de sa torpeur, elle s'apercevait qu'elle pensait à un tout autre objet, à un chien, une camarade, ou à ce qu'elle avait projeté de faire. Ce soir, comme l'image de Wendell et de Cory lui revenait à la mémoire, son cœur s'emplit de reconnaissance et, en versant presque des larmes de joie, elle dit : « Seigneur Jésus, je Vous rends grâce de m'avoir épargné leur « Église de Dieu ». Merci, mon Dieu, merci ! » Elle se recoucha et glissa au sommeil.

Les jeunes filles rentrèrent à minuit moins le quart, et elle fut réveillée par leurs rires. Elles allumèrent la lampe à abat-jour bleu pour se déshabiller, et leurs ombres minces s'élancèrent à l'assaut du mur, furent cassées en deux, et continuèrent de remuer doucement sur le plafond. La petite s'assit sur son lit pour écouter ce qu'elles disaient de la fête. Suzanne avait un pistolet en plastique plein de friandises bon marché, et Joanne un chat en carton moucheté de points rouges.

— Avez-vous vu danser les singes ? demanda la petite. Avez-vous vu le colosse et les nains ?

— Toutes sortes de monstres, répondit Joanne. Puis, tournée vers Suzanne : « J'ai tout aimé, sauf le... tu sais ce que je veux dire », et son visage prit une drôle d'expression, comme si elle mordait dans quelque chose qu'elle ne fût pas sûre d'aimer.

Suzanne restait immobile ; elle hocha la tête et fit signe à l'autre que la petite écoutait. « Motus », dit-elle à voix basse ; mais la petite entendit et son cœur se mit à battre très vite.

Elle descendit de son lit et grimpa sur le cadre du leur. Elles éteignirent la lumière et se glissèrent dans les draps, mais la petite ne bougea pas. Elle s'était assise et fixait les deux visages jusqu'à ce qu'elle pût les distinguer nettement dans l'obscurité. « Je suis plus jeune que vous, dit-elle, mais je suis cent fois plus dégourdie. »

— Il y a des choses, dit Suzanne, qu'une enfant de ton âge ne sait pas, et elles se remirent à ricaner.

— Retourne dans ton lit, dit Joanne.

Elle ne bougea pas. « Un jour, dit-elle d'une voix sourde, j'ai vu une lapine faire ses petits. »

Il y eut un silence. Puis Suzanne dit : « Comment ? » d'un ton détaché, et la petite sut qu'elle les tenait. Elle répondit qu'elle ne leur dirait que lorsqu'elles lui auraient dit ce qu'elles lui cachaient. En fait, elle n'avait jamais vu naître de petits lapins, mais l'oublia quand les autres se mirent à raconter ce qu'elles avaient vu sous la tente.

C'était un monstre avec un nom spécial, mais elles n'arrivaient pas à s'en souvenir. Un rideau noir séparait la tente en deux — un côté pour les hommes, l'autre pour les femmes. Le monstre allait de l'un à l'autre; il parlait d'abord aux hommes, puis aux femmes, mais tout le monde entendait. Elles avaient entendu le monstre dire aux hommes : « Je vais vous montrer, mais si vous riez, prenez garde que Dieu ne vous en fasse autant. » Il avait une voix de paysan, lente et nasillarde, ni haute ni basse, neutre en vérité. « Dieu m'a créé comme ça, et si vous riez, IL pourrait vous en faire autant. C'est ainsi qu'IL a voulu que je sois, et je discute pas la volonté de Dieu. Si je vous montre ce que Dieu m'a fait, c'est parce qu'il faut que j'en tire un petit bénéfice. J'espère, messieurs, que vous allez vous tenir comme des gens bien élevés. J'ai rien fait pour être comme ça, j'en tire seulement le meilleur parti. Je discute même pas... » Puis il y eut un long silence de l'autre côté de la tente. Enfin le monstre parut sur l'estrade, et tint aux femmes le même discours.

La petite sentait tous ses muscles se tendre, comme si on lui donnait la réponse à une devinette, plus déconcertante que la devinette elle-même. « Vous voulez dire qu'il avait deux têtes? » demanda-t-elle.

— Non, dit Suzanne, c'était à la fois un homme et une femme. Il a relevé sa robe et nous a montré. Il portait une robe bleue.

La petite eut envie de demander comment il pouvait être homme et femme sans avoir deux têtes, mais elle s'abstint. Il lui tardait de regagner son lit pour réfléchir ; elle descendit du lit des filles.

— Et ta lapine ? demanda Joanne.

La petite s'arrêta ; elle semblait absorbée dans ses pensées : « Elle les a crachés par la bouche, dit-elle. Il y en avait six. »

Elle courut se recoucher et essaya de se représenter le monstre, mais elle avait trop sommeil pour y parvenir. Elle imagina plus aisément les visages des paysans qui regardaient, avec plus de gravité qu'à l'église, et les femmes, d'une élégance austère, avec des yeux qu'on eût dits dessinés par un peintre — elles semblaient attendre la première note du piano pour entonner l'hymne. Elle entendit le monstre déclarer : « Dieu m'a fait comme ça, et je ne discute pas », et l'assistance répondait : « Ainsi soit-il. »

« Dieu m'a fait comme ça et je Le loue. »

« Ainsi soit-il. »

« Dieu aurait pu vous en faire autant. »

« Ainsi soit-il. »

« Mais IL ne l'a pas fait. »

« Ainsi soit-il. »

« Levez-vous, Temple du Saint-Esprit. Vous !... Vous êtes le Temple de Dieu, l'ignorez-vous ? L'Esprit divin habite en vous, et vous ne le savez-vous pas ? »

« Ainsi soit-il. »

« Si quelqu'un profane le Temple de Dieu, Dieu l'anéantira, et si vous riez, il pourrait vous frapper comme moi. Sacré est le Temple de Dieu. Ainsi soit-il. »

« Je suis un temple du Saint-Esprit. »

« Ainsi soit-il. »

Les gens se mirent à battre des mains en cadence, mais presque sans bruit, de plus en plus doucement, comme s'ils savaient qu'il y avait tout près d'eux une fillette qui s'endormait.

Le lendemain, après le déjeuner, les jeunes filles reprirent leur uniforme marron et la petite les accompagna avec sa mère au Mont-Sainte-Scholastique. « Jésus-Marie-Joseph, dirent-elles, retournons aux mines de sel ! » Alonzo Myers les y conduisit ; la petite était devant avec lui et sa mère à l'arrière au milieu des deux filles. Elle leur dit comme elle avait été heureuse de les recevoir, qu'il fallait qu'elles reviennent et elle évoqua le bon temps que, jeune fille, elle avait passé au couvent avec leurs mères. La petite n'écoutait rien de ce caquetage ; collée contre la portière, elle penchait la tête au-dehors : les filles avaient pensé qu'Alonzo sentirait peut-être meilleur le dimanche, mais il n'en était rien. Avec ses cheveux que l'air lui rabattait sur le visage, la petite pouvait regarder de face le disque blanc du soleil enchâssé dans l'azur ; mais lorsqu'elle les repoussait, ses yeux se mettaient à papilloter. Le couvent était une maison de brique rouge au fond d'un jardin, au cœur même de la ville. Il y avait un poste à essence d'un côté et de l'autre une caserne de pompiers. Une haute grille noire l'entourait et de petites allées pavées se glissaient entre des vieux arbres et des touffes de cognassier du Japon.

Une grosse religieuse au visage rond comme une lune se précipita pour leur ouvrir, embrassa la mère de la petite, qui aurait subi le même sort si elle n'avait tendu la main d'un air glacial, l'œil fixé sur le lambris derrière les chaussures de la bonne sœur. Les religieuses aimaient embrasser les enfants, même de condition modeste ; la sœur lui serra vigoureusement la main et lui fit même craquer un peu les articulations, puis elle invita tout le monde à se rendre à la chapelle, où la bénédiction ne faisait que commencer. « Vous glissez un doigt dans la porte et elles vous coincent pour la prière », se disait la petite en trottant le long des couloirs cirés. « On dirait qu'elle a un train à prendre », songeait-elle en pénétrant dans la chapelle où les sœurs étaient agenouillées d'un côté, et les élèves de l'autre, en uniforme marron. La chapelle était pleine du parfum de l'encens. Elle était vert pâle et or ; une série d'arcs prenaient leur essor, l'un après l'autre, et enfin celui de l'autel, où le prêtre était à genoux devant un ostensoir, courbé jusqu'à terre. Un enfant de chœur en surplis se tenait derrière lui et agitait l'encensoir. La petite s'agenouilla entre sa mère et la religieuse, et l'on était fort avant dans le *Tantum Ergo* lorsque ses vilaines pensées l'abandonnèrent, et qu'elle se rendit compte qu'elle était en présence de Dieu. « Aidez-moi à ne pas être aussi méchante, commença-t-elle mécaniquement, aidez-moi à ne pas empoisonner maman. Aidez-moi à ne pas parler comme je le fais. » Son esprit s'apaisait peu à peu, se vidait, et quand le prêtre leva l'ostensoir avec l'hostie immaculée en son centre, elle pensait à la tente de la fête et au monstre. Il disait : « Je ne discute pas. C'est ainsi qu'IL voulait que je sois. »

Alors qu'elles repartaient du couvent, la grosse religieuse, sur le pas de la porte, fondit sur elle et, espiègle, l'étouffa presque dans les plis de sa robe noire, en lui écrasant la joue sur le crucifix passé dans sa ceinture — puis elle la libéra et fixa sur elle ses petits yeux bleu pervenche.

Pour le retour, elle se mit avec sa mère sur la banquette arrière, laissant Alonzo tout seul devant. Elle remarqua trois bourrelets de graisse au cou du garçon, et que ses oreilles étaient presque aussi pointues que celles d'un jeune porc. Sa mère, pour dire quelque chose, lui demanda s'il était allé à la fête.

— Oui, dit-il et j'ai rien manqué : j'ai rudement bien fait d'y aller, parce que la semaine prochaine ça sera pas comme ils avaient dit que ça serait.

— Pourquoi donc ? demanda la mère.

— Ils vont tout arrêter, dit-il. Y a des prédicateurs de la ville qu'ont été y fourrer leur nez, et ils vont faire boucler les baraques par la police.

La mère laissa tomber la conversation, et la petite se réfugia dans ses pensées. Elle tourna son visage poupin vers la vitre, et suivit des yeux la molle ascension d'une verte prairie, qui, plus loin, s'inclinait jusqu'à la lisière obscure d'un bois. L'énorme disque du soleil ressemblait à une hostie ensanglantée, et, quand il disparut, il laissa dans le ciel une longue traînée, telle une route d'argile écarlate qui se fût déroulée au-dessus des arbres.

Le nègre factice.

Mr. Head s'éveilla : le clair de lune envahissait la pièce. Il se dressa sur son séant. Son regard se posa sur les lames argentées du parquet, puis sur l'enveloppe de son oreiller — on eût dit du brocart. Une seconde après, il vit une moitié de lune dans son miroir, à cinq pieds de lui. Elle était immobile, et semblait attendre la permission d'entrer. Elle approcha, et sa clarté revêtit toutes choses d'une dignité nouvelle : la chaise haute contre le mur se raidit en une sorte de garde-à-vous, attendant un ordre, semblait-il; le pantalon de Mr. Head, accroché au dossier, avait presque grande allure : n'était-ce pas un vêtement jeté à son valet par quelque grand personnage? Mais le visage qui se dessinait sur la lune était grave. Son regard parcourut la chambre, franchit la fenêtre, alla errer au-dessus de l'écurie. On eût dit qu'il se contemplait : un jeune homme qui voit se dresser sa vieillesse devant lui a ce même regard.

Mr. Head aurait pu lui dire que l'âge est un merveilleux don du ciel, que c'est seulement avec les années qu'un homme acquiert une compréhension sereine de la vie, devient ainsi le guide qu'il faut aux jeunes. Telle était, du moins, la leçon qu'il avait tirée de sa propre expérience.

Il s'assit, saisit les pieds de son lit métallique et se souleva jusqu'à ce qu'il pût voir le cadran du réveil posé sur un seau retourné près de la chaise. Il était deux heures du matin. La sonnerie du réveil ne fonctionnait pas, mais il n'avait pas besoin de mécaniques pour se réveiller. Soixante années n'avaient pas émoussé ses réflexes ; sa volonté, sa force de caractère lui dictaient ses réactions, tant morales que physiques, et cela se lisait nettement sur ses traits. Il avait un visage allongé, presque tubulaire, une mâchoire proéminente et ronde, un nez long et écrasé. Ses yeux étaient vifs mais doux ; ce miraculeux clair de lune les emplissait de sérénité, d'antique sagesse : tels avaient dû être ceux des grands guides de l'humanité. Il aurait pu être Virgile invité à rencontrer Dante au milieu de la nuit ou, mieux encore, Raphaël éveillé par un éclair divin pour voler aux côtés de Tobie. Il n'y avait qu'une tache sombre dans la pièce : la paillasse de Nelson, dans l'ombre de la fenêtre.

Nelson était couché sur le côté, roulé en boule, genoux au menton, et talons sous les fesses. Son costume et son chapeau neufs n'avaient point été extraits des cartons du livreur ; ceux-ci étaient sur le parquet, au pied de la paillasse, pour qu'il les saisît plus vite à son réveil. Le seau de toilette sortait de l'ombre et le clair de lune le revêtait d'une blancheur de neige ; il semblait veiller sur Nelson comme un ange gardien miniature. Mr. Head s'allongea, persuadé qu'il mènerait à bien la mission morale de cette journée. Il voulait être debout avant Nelson, préparer le petit déjeuner avant que l'enfant s'éveillât. Nelson se vexait toujours quand Mr. Head était levé avant lui. Il leur faudrait quitter la maison à quatre heures pour arriver à la gare à cinq heures trente. Le train s'arrêterait pour les prendre à cinq heures quarante-cinq, et il importait d'être exact, car ce train s'arrêtait uniquement à leur intention.

C'était la première fois que le garçonnet allait à la ville : lui affirmait que c'était la seconde, puisqu'il y était né. Mr. Head avait tenté de lui faire comprendre qu'à sa naissance il était incapable de dire où il se trouvait, mais ça n'avait pas eu le moindre effet sur l'enfant : il continuait de soutenir que ce serait son second voyage. Ce serait le troisième de Mr. Head. Nelson avait dit : « Moi j'y aurai été deux fois, et j'ai que dix ans. » Mr. Head l'avait contredit. Nelson avait demandé : « Si tu n'y as pas été depuis quinze ans, comment crois-tu que tu t'y reconnaîtras ? Comment est-ce que tu sais si ça n'a pas changé ?

— M'as-tu déjà vu perdu ? » avait demandé Mr. Head. Jamais bien sûr, mais Nelson n'était heureux que lorsqu'il avait répondu avec insolence, et il répliqua : « Ici, y'a pas moyen de s' perdre nulle part !

— Un jour viendra, avait prédit Mr. Head, où tu te rendras compte que tu n'es pas aussi malin que tu le crois. »

Il pensait à ce voyage depuis plusieurs mois, et il l'envisageait essentiellement sous un angle moral. Ce serait une leçon que l'enfant n'oublierait jamais ; il découvrirait qu'il n'avait aucune raison d'être fier parce qu'il était né en ville ; il allait voir que la ville n'est pas un endroit formidable. Mr. Head avait l'intention de lui montrer tout ce qu'il y a à voir dans une ville : alors il serait bien heureux de rester à la maison jusqu'à la fin de ses jours. Il s'endormit en songeant qu'enfin l'enfant s'apercevrait qu'il n'était pas aussi malin qu'il se croyait.

A trois heures et demie, Mr. Head fut réveillé par une odeur de lard frit ; il bondit de son lit. Personne sur la paillasse ; les cartons avaient été ouverts à la diable. Il enfila son pantalon et se précipita dans l'autre pièce. L'enfant faisait cuire une galette de maïs et la viande était déjà frite. Il était à table dans la pénombre et buvait du café froid dans une boîte de conserve. Il avait mis son costume neuf ; son nouveau chapeau gris était enfoncé jusqu'aux yeux, il était trop grand pour lui, mais on avait pris la taille au-dessus en pensant que sa tête grossirait. Il ne disait rien, mais toute son attitude exprimait sa satisfaction d'être debout avant Mr. Head.

Mr. Head alla au réchaud, prit la poêle et la porta sur la table. « Pas la peine de se presser, dit-il, tu y seras toujours assez tôt et du reste c'est pas dit que tu l'aimeras quand tu y seras. » Il s'assit en face du garçon dont le chapeau basculait lentement en arrière, découvrant un visage farouchement inexpressif ; cependant, il avait presque la même forme que celui du vieil homme. Grand-père et petit-fils, ils se ressemblaient assez pour être frères, et même frères d'âge assez voisin : à la lumière du jour, Mr. Head avait un air de jeunesse, tandis que le visage de l'enfant semblait vieux, comme s'il eût déjà tout appris et ne fût pas fâché de tout oublier.

Jadis Mr. Head avait eu une femme et une fille ; à la mort de sa femme, la fille était partie, et était revenue quelque temps après avec Nelson en plus. Un beau matin, elle était morte dans son lit, laissant Mr. Head tout seul avec un enfant d'un an. Il avait commis l'erreur de dire à Nelson qu'il était né à Atlanta. S'il s'était abstenu de le lui dire, Nelson n'aurait peut-être pas répété avec tant d'insistance que ça allait être son deuxième voyage.

— Possible que tu ne l'aimes pas du tout, continua Mr. Head. Ça va être plein de nègres.

Le visage de l'enfant suggéra qu'un nègre ne lui faisait pas peur.

— Bien ! dit Mr. Head, mais tu n'as jamais vu de nègres.

— Tu ne t'es pas levé de bonne heure, dit Nelson.

— Tu n'as jamais vu de nègres, répéta Mr. Head. Il n'y a pas de nègres dans la région depuis qu'on en a chassé le seul qu'y avait — ça fait douze ans de ça, et c'était avant que tu sois né. Il regardait l'enfant comme s'il le défiait de dire qu'il avait vu un nègre.

— Comment sais-tu que j'ai jamais vu de nègres quand j'habitais là-bas ? demanda Nelson. J'en ai sûrement vu des tas.

— Même si tu en as vu, tu n' savais pas ce que c'était, dit Mr. Head au comble de l'exaspération. Un bébé de six mois ne distingue pas un nègre des autres gens.

— J' suis sûr que je reconnaîtrais un nègre si j'en vois, dit l'enfant. Il se leva, rajusta son chapeau gris sillonné de plis, et sortit pour aller aux toilettes.

Ils arrivèrent à la gare un peu avant l'heure et se tinrent à un mètre de la première voie. Mr. Head avait à la main un sac en papier avec des biscuits et une boîte de sardines pour leur déjeuner. Un soleil sans beauté, teinté d'orange, s'élevait de derrière la chaîne de montagnes. Il colorait le ciel à l'orient d'un rouge mat, mais devant eux le ciel était demeuré gris, et une lune transparente et grisâtre leur faisait face, plate et totalement éteinte. Seuls une boîte d'aiguillage métallique et un réservoir de mazout indiquaient que ce fût là un embranchement. La voie était double et ne redevenait unique qu'après la courbe, à chaque extrémité de la clairière. Les trains qui passaient semblaient surgir d'un tunnel d'arbres ; frappés un instant par le ciel glacé, ils s'enfonçaient à nouveau dans les bois, terrifiés. Mr. Head avait dû s'entendre personnellement avec l'employé du guichet pour que le train s'arrête ; au fond de lui-même il craignait qu'il ne poursuive sa course, auquel cas il était sûr que Nelson dirait : « J' savais bien que ce train n'allait pas s'arrêter pour toi. » Éclairés par une lune maintenant inutile, les rails semblaient fragiles et blêmes. L'homme et l'enfant regardaient fixement devant eux, comme s'ils guettaient tous les deux quelque apparition.

Brusquement, avant que Mr. Head ait pu prendre la décision de rebrousser chemin, il y eut un long bêlement et le train parut dans un lent glissement presque silencieux au long de la courbe, à deux cents mètres de là ; seul son fanal jaune brillait. Mr. Head n'était pas encore très sûr qu'il s'arrêterait, et il avait le sentiment qu'il aurait l'air encore plus stupide si ce train passait lentement devant eux. Mais Nelson et lui étaient décidés à lui tourner le dos avec dédain, s'il leur filait sous le nez.

La locomotive, en les frôlant, leur emplit les narines d'une odeur de métal surchauffé ; puis le deuxième wagon s'arrêta exactement où ils se trouvaient. Un contrôleur avec une tête de vieux bouledogue boursouflé se tenait sur le marche-pied ; il devait les attendre, bien qu'il semblât se moquer éperdument qu'ils montent ou non. « A droite », jeta-t-il.

Il ne leur fallut qu'une fraction de seconde pour grimper les marches, et le train reprenait déjà de la vitesse lorsqu'ils pénétrèrent dans le wagon silencieux. La plupart des voyageurs dormaient encore ; des têtes dodelinantes pendaient au long des accoudoirs ; certains avaient posé les jambes sur le fauteuil d'en face, d'autres étaient vautrés, les pieds en travers du couloir. Mr. Head vit deux places inoccupées et y poussa Nelson. « Mets-toi là près de la vitre, dit-il de sa voix habituelle, qui, à cette heure matinale, devenait tonitruante. Ça ne gênera personne si tu t' mets là, puisqu'il y a personne qu'occupe la place. Assieds-toi là !

— J' suis pas sourd, marmonna l'enfant. C'est pas la peine de crier comme ça. » Il s'assit, et tourna la tête vers la vitre. Il y aperçut, sous le rebord d'un chapeau fantomatique un visage d'une pâleur irréelle qui le regardait d'un air revêche. Son grand-père, en jetant lui aussi un coup d'œil sur la vitre, vit apparaître un autre fantôme aussi pâle, mais son visage, sous le chapeau noir, arborait un large sourire.

Mr. Head s'assit et s'installa confortablement ; il sortit son billet et entreprit de lire à voix haute tout ce qui y était écrit. Des voyageurs se mirent à s'agiter, plusieurs s'éveillèrent et le regardèrent d'un air ahuri. « Enlève ton chapeau », dit-il à Nelson. Lui-même retira le sien et le posa sur son genou. Il avait de maigres cheveux gris sur le derrière de la tête, qui, avec les années, avaient pris une couleur tabac. Le devant était chauve, et la peau toute plissée. Nelson enleva son chapeau, le posa sur ses genoux, et ils attendirent que le contrôleur vînt demander leur billet.

De l'autre côté du couloir central, un homme était étalé sur deux places, les pieds contre la vitre, la tête débordant dans le couloir. Il avait un complet bleu clair et une chemise jaune dont le col était déboutonné. Il venait d'ouvrir les yeux et Mr. Head allait se présenter à lui quand le contrôleur surgit par-derrière et grommela : « Vos billets ! » Lorsqu'il fut parti, Mr. Head donna à Nelson son retour en lui disant : « Mets ça dans ta poche et ne l' perds pas, sans quoi t'auras plus qu'à rester à la ville.

— C'est peut-être bien ce que j' ferai », dit Nelson, comme si c'était là une sage proposition.

Mr. Head ne daigna pas répondre. « C'est la première fois que le gosse prend le train », expliqua-t-il à leur voisin de couloir, qui était maintenant assis, pieds au sol.

Nelson remit brusquement son chapeau et, vexé, colla son visage à la vitre. « Il a encore rien vu, continua Mr. Head ; il est ignorant comme un bébé qui vient de naître, mais j' veux lui en donner pour son argent, une fois pour toutes. » L'enfant se pencha devant son grand-père et s'adressa à l'étranger. « J' suis né en ville. C'est mon deuxième voyage », déclara-t-il d'une voix forte et assurée, mais l'homme n'eut pas l'air de comprendre. Il avait de grands cernes violets sous les yeux.

Mr. Head se pencha vers le couloir et tapa sur le bras du voyageur. « Ce qu'il faut faire avec un garçon, dit-il gravement, c'est lui montrer tout ce qu'il a à voir, ne rien laisser de côté. — Ouais », dit l'homme. Il regarda longuement ses pieds enflés, souleva le gauche à vingt-cinq centimètres du plancher, l'y reposa au bout d'une minute. Puis souleva l'autre. Partout dans le wagon on se levait, on s'agitait, on bâillait, on s'étirait. Çà et là, on distinguait nettement quelques voix, vite noyées dans un bourdonnement général. Tout à coup le visage de Mr. Head s'altéra. Sa sérénité disparut. Sa bouche se ferma et une lueur à la fois ardente et prudente parut dans ses yeux qui parcouraient le wagon dans toute sa longueur. Sans se retourner, il attrapa Nelson par le bras et le tira vers lui. « Regarde », dit-il. Un homme énorme, couleur chocolat, s'avançait lentement. Il avait un costume clair et une cravate de satin jaune avec un rubis. Une main était posée sur son ventre qui oscillait, non sans majesté, sous la veste bien fermée; l'autre main tenait par le pommeau une canne noire qu'il levait et baissait, et qui, à chaque pas, décrivait un lent quart de cercle vers l'extérieur. Il avançait sans hâte, et le regard de ses grands yeux sombres passait au-dessus des têtes. Il avait une petite moustache blanche et des cheveux blancs ondulés. Derrière lui venaient deux jeunes femmes avec la même couleur de peau que la sienne; l'une portait une robe jaune, l'autre une robe verte. Elles réglaient leur marche sur la sienne et bavardaient d'une voix basse et gutturale.

L'étreinte de Mr. Head se resserra sur le bras de Nelson. Quand le groupe passa devant eux, un éclair jaillit de la main qui levait la canne et vint se refléter dans les yeux de Mr. Head; il aperçut le saphir mais ne leva pas les yeux, et le redoutable personnage poursuivit sa route sans faire attention à lui. Ils arrivèrent au bout du couloir et sortirent du wagon. L'étreinte de Mr. Head se relâcha : « Qu'est-ce que c'était? demanda-t-il à l'enfant.

— Un homme, répondit-il en lui lançant le regard indigné de qui en a assez d'être pris pour un imbécile.

— Quelle espèce d'homme? continua Mr. Head d'une voix neutre.

— Un gros homme, dit Nelson, qui commençait à comprendre qu'il avait intérêt à se tenir sur ses gardes.

— Tu ne sais pas de quelle espèce? dit Mr. Head impitoyable.

— Un vieil homme, dit l'enfant, avec l'impression soudaine que tout ne serait pas rose aujourd'hui.

— C'était un nègre », dit Mr. Head, en se calant dans son fauteuil.

Nelson grimpa sur le sien, se tourna, regarda jusqu'au bout du wagon, mais le nègre avait disparu.

— J'aurais cru que tu reconnaîtrais un nègre, puisque t'en as tant vu la première fois que t'étais en ville, poursuivit Mr. Head. « C'est son premier nègre », dit-il à son voisin de couloir.

L'enfant se rassit. « Tu m'as dit qu'ils étaient noirs, répliqua-t-il, furieux. T'as jamais dit qu'ils étaient marron. Comment veux-tu que je sache, si tu m' dis pas comme c'est. »

— T'es qu'un ignorant, voilà tout, dit Mr. Head qui se leva, traversa le couloir, et alla s'installer à une place libre près de l'étranger. Nelson se retourna encore pour voir si le nègre revenait. Il soupçonnait que le nègre avait fait exprès de traverser le wagon afin de le ridiculiser, et il le haïssait avec une haine toute neuve; il comprenait maintenant pourquoi son grand-père ne les aimait pas. Il se tourna vers la vitre et le visage qui lui faisait face semblait insinuer qu'il ne serait peut-être pas à la hauteur des circonstances : reconnaîtrait-il seulement la ville en y arrivant?

Après lui avoir raconté plusieurs histoires, Mr. Head se rendit compte que l'homme à qui il s'adressait s'était endormi. Il se leva et proposa à

Nelson de parcourir le train en regardant les différents wagons. Il tenait surtout à ce que Nelson vît les toilettes, et ils allèrent en premier lieu dans les toilettes-hommes, dont ils examinèrent soigneusement l'installation sanitaire. Mr. Head expliqua, comme s'il en était l'inventeur, le fonctionnement du distributeur d'eau glacée ; il montra à Nelson la cuvette avec son jet où les voyageurs se lavaient les dents. Ils parcoururent plusieurs voitures et arrivèrent au wagon-restaurant, le plus fastueux du train. La peinture en était jaune vif ; une moquette lie-de-vin couvrait le sol. Les tables étaient alignées contre de larges vitres ; de grands lambeaux mouvants de paysage apparaissaient en miniature sur le flanc des cafetières et dans les verres. Trois nègres à la peau d'ébène, en veste ou tablier blancs, circulaient prestement dans le couloir central avec des plateaux qu'ils balançaient à bout de bras, se courbaient devant les voyageurs qui prenaient leur petit déjeuner. L'un d'eux se précipita vers Nelson et Mr. Head et dit en levant deux doigts : « Une table pour deux ! » mais Mr. Head, de sa voix sonore, répondit : « On a mangé avant de partir. »

Le serveur portait de grosses lunettes teintées qui lui grandissaient le blanc des yeux. « Alors, reculez, s'il vous plaît », dit-il, et il fit un grand geste du bras, comme s'il chassait des mouches.

Nelson et Mr. Head ne bougèrent pas d'un pouce. « Regarde » ! dit Mr. Head. Dans un coin du wagon-restaurant, tout près d'eux, se trouvaient deux tables séparées des autres par un rideau safran. La première était dressée mais inoccupée ; à l'autre, leur faisant face, le dos contre la tenture, trônait le redoutable nègre. Il parlait aux deux jeunes femmes à voix basse, en beurrant une petite galette. Il avait un visage triste aux traits lourds et son cou débordait de son col blanc. « Ils les mettent à l'écart », expliqua Mr. Head. Puis il dit : « Allons voir la cuisine. » Ils traversèrent le wagon-restaurant et le serveur noir arriva derrière eux à toute allure. « Les voyageurs ne sont pas admis à la cuisine », dit-il d'une voix arrogante. « Les voyageurs NE SONT PAS admis à la cuisine. » Mr. Head s'arrêta net et pivota vers lui. « Et pour cause, cria-t-il dans le gilet du nègre, les cafards les feraient fuir. »

Tous les voyageurs s'esclaffèrent, et Mr. Head et Nelson sortirent en riant de bon cœur. Au pays, Mr. Head était réputé pour la vivacité de ses réparties et soudain Nelson fut très fier de lui. Il comprit que dans ce lieu étrange où ils allaient bientôt arriver, le vieil homme serait son unique soutien. Si jamais il perdait son grand-père, il resterait tout seul au monde. Il en fut bouleversé : il eut envie de saisir le pan de la veste de Mr. Head, et de marcher auprès de lui, comme un tout jeune enfant.

En regagnant leur place, ils s'aperçurent que des petites maisons et des masures paraissaient çà et là dans la campagne. Parallèle à la voie ferrée, ils virent une grande route où les voitures, qui semblaient toutes petites, filaient comme des flèches. Nelson eut l'impression de respirer moins facilement. Le voisin de couloir de Mr. Head était parti, et Mr. Head n'avait plus personne avec qui lier conversation, c'est pourquoi il regarda par la vitre, et, à travers sa propre image, lut à haute voix les noms des bâtiments qui défilaient devant lui. « The Dixie Chemical Corp »! annonça-t-il, « Southern Maid Flour »! « Southern Belle Cotton Products »! « Southern Mammy Cane Syrup »!

— Moins fort, dit Nelson, offusqué.

Partout dans le wagon, les gens se levaient, prenaient leurs bagages dans les filets. Les femmes mettaient leur manteau, leur chapeau. Le contrôleur passa la tête dans le wagon et jappa : « Prrremierrarrêt ! » Nelson fut debout en un clin d'œil, et il tremblait. Mr. Head, d'une tape sur l'épaule, le fit rasseoir. « Reste à ta place, dit-il d'une voix solennelle. Le premier arrêt est à l'entrée de la ville. Le deuxième est à la gare principale. » Il l'avait appris lors de son premier voyage ; il était descendu au premier arrêt et avait dû donner quinze cents pour se faire conduire jusqu'au centre de la ville. Nelson se rassit, très pâle. Pour la première fois de sa vie, il comprenait qu'il ne pouvait pas se passer de son grand-père.

Le train s'arrêta, quelques voyageurs descendirent, puis il repartit en souplesse, comme si son mouvement ne s'était jamais interrompu. Maintenant, derrière de petites maisons noires délabrées, s'alignaient des buildings bleus. Ils se détachaient sur un ciel d'un gris rose évanescent. La gare était toute proche. Nelson vit une multitude de rails qui se multipliaient et s'entrecroisaient. Il se pencha pour les compter, mais le visage sur la vitre vint à sa rencontre, gris et net cette fois ; il regarda de l'autre côté. Le train avait stoppé. Nelson et Mr. Head se dressèrent et se précipitèrent vers la porte. Personne ne remarqua qu'ils avaient laissé le sac en papier avec leur déjeuner intact.

Comme des automates, ils traversèrent la gare, franchirent une lourde grille et se trouvèrent dans le vacarme de la circulation. Des foules grouillantes se hâtaient vers leur travail. Nelson ne savait plus où regarder. Mr. Head s'adossa au mur, les yeux fixés droit devant lui. Nelson lui dit enfin : « Alors, où c'est que tu vois tout ce qu'il y a à voir ? »

Mr. Head ne répondit pas. Puis, comme si l'inspiration lui était brusquement venue à la vue de cette foule, il dit : « On marche », et il s'engagea dans la rue. Nelson le suivit en rétablissant le précaire équilibre de son chapeau. Tant d'images et de bruits déferlaient sur lui que, jusqu'au carrefour suivant, il sut à peine ce qu'il voyait. Lorsqu'ils y parvinrent, Mr. Head se retourna pour regarder la gare qu'ils venaient de quitter ; elle était d'un jaune mastic avec un dôme en béton, et il se dit que, s'il arrivait à ne jamais perdre de vue ce dôme, il n'aurait pas de difficulté à revenir dans la soirée prendre son train.

Chemin faisant, Nelson commençait à distinguer les détails, à remarquer les vitrines des magasins encombrés de marchandises de toutes sortes : quincaillerie, fruits et légumes séchés, nourriture pour volailles, liqueurs. Mr. Head attira particulièrement son attention sur l'un de ces magasins : on entrait, on s'asseyait sur une chaise, on posait les pieds sur des appuis, et un nègre venait vous cirer vos chaussures. Ils marchaient lentement, s'arrêtant à la porte des magasins : Nelson pouvait regarder à l'intérieur, mais ils ne pénétrèrent dans aucun. Mr. Head était résolu à ne pas franchir la porte de ces boutiques de la ville, car, lors de son premier voyage, il s'était égaré dans l'un de ces immenses magasins, et n'avait retrouvé la sortie qu'après avoir reçu maintes insultes.

A mi-distance entre deux carrefours, ils s'arrêtèrent devant un bazar avec une balance automatique sur le trottoir. Ils y montèrent l'un après l'autre, glissèrent une pièce de monnaie et reçurent un ticket. Le ticket de Mr. Head disait : « Vous pesez 120 livres, vous êtes loyal, courageux et tous vos amis vous admirent. » Il mit le ticket dans sa poche, étonné que la machine eût si exactement deviné son caractère et se fût trompée sur son poids. Il n'y avait pas longtemps, il s'était pesé sur une bascule à grains, qui avait indiqué 110 livres. Le ticket de Nelson disait : « Vous pesez 98 livres. Un grand avenir vous attend, mais méfiez-vous des femmes au teint basané. » Nelson ne connaissait pas de femmes et ne pesait que 68 livres. Mais Mr. Head remarqua que la machine avait sans doute imprimé le chiffre à l'envers et fait un 9 au lieu d'un 6.

Ils continuèrent à marcher, traversèrent cinq carrefours, mais soudain le dôme de la gare disparut. Mr. Head tourna à gauche. Nelson serait resté planté une heure devant chaque vitrine, si la suivante n'avait été encore plus passionnante. Tout à coup, il s'écria : « Je suis né ici ! » Mr. Head se retourna et le regarda, horrifié. Le visage de l'enfant, quoique couvert de sueur, resplendissait : « C'est de là que je viens », dit-il.

Mr. Head était épouvanté. Il vit que le moment était venu de passer énergiquement à l'action. « Il faut que j' te montre quelque chose que t'as pas encore vu », dit-il, et il le guida vers le coin du trottoir où se trouvait une bouche d'égout. « Accroupis-toi, dit-il, et colle ta tête là-dedans », et il retint le garçon par sa veste, tandis qu'il se baissait et passait la tête dans la bouche d'égout. Il l'en sortit bien vite en entendant un gargouillement dans les profondeurs, sous le trottoir. Alors Mr. Head lui expliqua ce qu'était un réseau d'égouts : ils sillonnaient tout le sous-sol de la ville, ils étaient pleins de détritus, de rats ; si un homme y glissait, il était entraîné dans un dédale de tunnels noirs comme de la poix. A tout instant, n'importe quel habitant de la ville pouvait être aspiré par l'égout et disparaître à tout jamais.

La description était si frappante que Nelson en fut bouleversé : à ses yeux les bouches d'égout ressemblaient aux portes des enfers, et il comprit pour la première fois comment le monde avait été agencé dans ses parties inférieures. Il s'éloigna du bord du trottoir. Puis il dit : « Oui, mais on n'est pas forcé de s'approcher des trous », et son visage prit l'air têtu qui exaspérait tant son grand-père. « C'est d'ici que je viens ! » répéta-t-il.

Mr. Head était consterné mais il se contenta de marmonner : « T'en auras pour ton argent, n'aie pas peur ! » et ils se remirent en marche. Après deux nouveaux carrefours, Mr. Head prit une rue sur sa gauche avec le sentiment qu'il contournait le dôme : il ne se trompait pas, car une demi-heure après, ils repassaient devant la gare. Tout d'abord Nelson ne s'aperçut pas qu'il revoyait les mêmes magasins, mais lorsqu'ils passèrent devant celui où le nègre cirait les chaussures, il se rendit compte qu'ils tournaient en rond.

— On a déjà passé là, cria-t-il, j' crois bien que tu sais pas où qu' t'es !

— J'ai perdu la direction un instant, dit Mr. Head, et ils s'engagèrent dans une autre rue. Il avait toujours l'intention de ne pas trop s'éloigner du dôme : deux rues plus loin, il tourna à gauche. Les maisons de cette nouvelle rue étaient en bois et avaient deux ou trois étages. Du trottoir, on pouvait voir à l'intérieur, et Mr. Head, en jetant un coup d'œil par une fenêtre, aperçut une femme étendue sur un lit de fer, qui regardait dehors, un drap sur elle. Elle avait un air rusé et hardi qui le surprit vivement. Un garçon arriva en trombe sur sa bicyclette, et il dut faire un bond de côté pour ne pas être renversé. « Ça leur est égal de vous flanquer par terre, dit-il ; tu ferais bien de rester plus près de moi. »

Ils marchèrent encore un certain temps dans des rues semblables, avant que Mr. Head songeât à tourner de nouveau sur sa gauche. Les maisons devant lesquelles ils passaient maintenant n'avaient plus de peinture et le bois en paraissait pourri ; la rue devenait plus étroite. Nelson vit une négresse, puis une autre, puis une troisième. « C'est des nègres qui vivent dans ces maisons », remarqua-t-il.

— Suis-moi ! on va aller ailleurs, dit Mr. Head. On n'est pas venu ici pour regarder des nègres. » Ils bifurquèrent dans une autre rue, mais il y avait des nègres partout. La peau de Nelson se mit à le gratter, et ils accélérèrent le pas pour quitter ce coin au plus vite. Sur le pas des portes, ils voyaient des noirs en maillot de corps, et des négresses se balançaient dans des fauteuils à bascule. Des petits noirs jouaient dans les ruisseaux et s'arrêtaient sur leur passage. Bientôt ils longèrent des rangées de magasins pleins de clients noirs, mais ils ne s'arrêtèrent pas à l'entrée pour regarder. De tous côtés, des yeux noirs dans des visages noirs se fixaient sur eux. « Oui, dit Mr. Head, c'est là que tu es né, ici même, avec tous ces nègres. » Nelson prit son air méchant. « J' crois que tu t'es fichu dedans », dit-il. Mr. Head se retourna brusquement et chercha le dôme. On ne le voyait nulle part. « On est pas perdus, dit-il, c'est que t'es fatigué de marcher. »

— J' suis pas fatigué, j'ai faim, dit Nelson. Donne-moi un biscuit. »

Ils s'aperçurent qu'ils n'avaient plus le sac.

— C'est toi qui l'avais, dit Nelson. J'aurais bien dû le prendre.

— Si c'est toi qui veux commander, je m'en vais

continuer tout seul, et te laisser ici, dit Mr. Head, heureux de voir pâlir le garçon. Cependant, il se rendait compte qu'ils étaient bel et bien perdus et qu'ils ne cessaient de s'éloigner de la gare. Il avait faim et soif aussi : depuis qu'ils étaient dans le quartier nègre, ils s'étaient mis à transpirer tous les deux. Nelson portait des chaussures et il n'y était pas habitué. Les trottoirs en ciment étaient très durs. Ils auraient voulu trouver un endroit où s'asseoir, mais c'était impossible, et ils continuèrent leur route, et le garçon disait parfois entre ses dents : « D'abord tu perds le sac, et puis tu perds le chemin. » Et Mr. Head grognait de temps en temps : « J' voudrais bien être à cent lieues de ce trou à nègres. »

Maintenant le soleil était haut. Des senteurs de cuisine arrivaient à leurs narines. Tous les nègres étaient à leur porte pour les voir passer. « Pourquoi que tu d'mandes pas l' chemin à un de ces nègres ? dit Nelson, maintenant que tu nous as perdus. »

— C'est ici que t'es né, dit Mr. Head. T'as qu'à le demander toi-même, si tu y tiens.

Nelson avait peur des nègres et n'avait pas envie que les enfants noirs se moquent de lui. Un peu plus loin, il vit une grosse négresse appuyée à une porte qui donnait sur le trottoir. Tout autour de la tête, des cheveux courts et raides se dressaient, et ses pieds nus étaient d'un brun clair, roses sur les côtés. Elle portait une robe rose qui moulait ses formes. Quand ils arrivèrent à sa hauteur, elle leva nonchalamment un bras, porta la main à sa tête et ses doigts s'enfoncèrent au milieu de ses cheveux.

Nelson s'arrêta. Les yeux sombres de cette femme lui coupaient le souffle. « Comment qu'on peut retourner en ville ? » dit-il d'une voix qu'il ne reconnut pas.

Elle répondit après un silence : « Mais vous y êtes, maintenant ! » d'une voix grave et moelleuse qui donna à Nelson l'impression de recevoir un jet d'eau froide.

— Comment qu'on peut reprendre le train ? balbutia-t-il.

— Vous avez qu'à monter dans une voiture, dit-elle.

Il se rendait compte qu'elle se payait sa tête, mais il était comme paralysé et en oubliait de prendre sa mine renfrognée. Il se tenait devant elle, comme fasciné. Son regard monta en ligne droite de ses amples genoux à son front, puis dessina un triangle à partir du cou où luisait la sueur jusqu'au sein énorme, pour remonter au long du bras nu jusqu'aux doigts toujours enfouis dans les cheveux. Soudain il souhaita qu'elle se baisse, le prenne contre elle, et le serre ; il eut envie de sentir son souffle sur son visage et de plonger son regard jusqu'au fond de ses yeux. Jamais il n'avait éprouvé pareille sensation. Il lui semblait qu'il était aspiré dans un tunnel plus noir que la poix.

— T'as qu'à aller jusqu'à l'aut' rue là-bas, et prendre une voiture qui t'emmènera à la gare, mon p'tit lapin, dit-elle.

Nelson se serait écroulé à ses pieds si Mr. Head ne l'avait entraîné sans douceur. « Ma parole, t'es devenu fou », grogna le vieillard. Ils repartirent à bonne allure et Nelson ne se retourna pas pour voir la femme. Il enfonça son chapeau sur son front tout empourpré de honte. Le fantôme grimaçant qu'il avait vu dans la vitre du wagon et tous les pressentiments qu'il avait eus pendant le voyage lui revinrent à l'esprit ; et il se souvint que le ticket de la balance l'invitait à se méfier des femmes « au teint basané », tandis que celui de son grand-père disait qu'il était franc et courageux. Il prit la main du vieillard, signe d'une confiance docile qui était rare chez lui.

Ils se dirigèrent vers la rue où un long trolley jaune arrivait en bringuebalant. Mr. Head n'était encore jamais monté dans une voiture publique, et il le laissa passer. Nelson restait silencieux. De temps en temps sa bouche avait un petit tremblement, mais son grand-père, qui roulait dans sa tête maint problème, ne le remarqua pas. Ils étaient au coin de la rue, et ni l'un ni l'autre ne regardait les nègres qui passaient et qui allaient à leurs affaires, tout comme des blancs ; la plupart, pourtant, s'arrêtaient et regardaient curieusement Mr. Head et Nelson. Mr. Head songea soudain que puisque les trolleys marchaient sur des rails il suffisait de suivre ces rails. Il donna un coup de coude à Nelson et lui expliqua qu'ils arriveraient à la gare par ce moyen. Ils se remirent en route.

Bientôt, à leur grand soulagement, ils commencèrent à rencontrer des blancs et Nelson s'assit sur le trottoir contre le mur d'un immeuble. « Faut que j' me repose un peu, dit-il. T'as perdu le sac et la route. Tu peux bien attendre que j' me repose. »

— Les rails sont devant nous, dit Mr. Head. Y'a qu'à pas les perdre de vue ; et t'aurais pu penser au sac aussi bien que moi. C'est ici que t'es né. C'est ta bonne vieille ville natale. C'est ton deuxième voyage. Tu devrais te reconnaître. »

Il s'accroupit et continua sur ce ton, mais le garçon qui libérait ses pieds en feu de ses chaussures, ne répondit pas.

— Et puis, rester là, bouche ouverte comme un chimpanzé, devant une négresse qui t' renseigne... Grand Dieu ! dit Mr. Head.

— J'ai seulement dit que j'étais né dans c'te ville, dit le garçon d'une voix qui chevrotait. J'ai pas dit que j' l'aimerais ou pas. J'ai jamais dit que j' voulais venir. J'ai seulement dit que j'y étais né, et ça j'y suis pour rien. J' veux rentrer à la maison. Puis d'abord, j'ai jamais voulu v'nir ici. C'est encore une idée à toi. Es-tu bien sûr qu' tu suis les rails dans la bonne direction ?

Mr. Head s'était aussi posé la question. « Tous ces gens sont blancs »,dit-il.

— Nous avons jamais passé par là, dit Nelson. C'était un quartier de maisons en brique qui pouvaient être habitées ou non. Quelques voitures vides stationnaient au long du trottoir et il n'y avait que de rares passants. Nelson sentait la chaleur qui montait du trottoir traverser son costume léger. Ses paupières se fermèrent peu à peu, sa tête s'affaissa en avant, deux ou trois fois ses épaules se soulevèrent spasmodiquement, puis il tomba sur le flanc, et resta à terre, écrasé par le sommeil et la fatigue.

Mr. Head le regarda en silence. Lui aussi était très fatigué mais ils ne pouvaient pas dormir tous les deux ensemble, et puis, de toute façon, lui n'aurait pu dormir, car il ne savait pas où il était. Dans quelques minutes Nelson allait se réveiller et, ragaillardi par son sommeil, le petit effronté se remettrait à lui reprocher d'avoir perdu le sac et le chemin. « Tu serais bien embêté si j'étais pas là », se dit Mr. Head. Alors une autre idée lui vint à l'esprit. Il regarda quelques instants la petite forme étendue sur le trottoir, puis se leva. Il se justifiait la décision qu'il venait de prendre en considérant qu'il est parfois nécessaire de donner à un enfant une leçon qu'il n'oubliera pas de sitôt, surtout lorsque cet enfant a la tête dure et trouve toujours quelque insolence nouvelle à vous jeter à la figure. Il alla sans bruit jusqu'au coin de la rue, à sept ou huit mètres de là, et s'assit sur le couvercle d'une poubelle à l'entrée d'une ruelle, d'où il pourrait voir Nelson se réveiller tout seul. Le garçon somnolait : de vagues bruits lui parvenaient et des formes noires, surgies de quelque repaire obscur en lui, regagnaient la lumière. Son visage était parcouru de mouvements nerveux et il avait ramené ses genoux sous son menton. Le soleil déversait une lumière nette et dure sur la rue étroite, qui mettait en relief les choses dans leur exacte vérité. Au bout d'un moment Mr. Head, tassé comme un vieux singe sur le couvercle de la poubelle, décida que si Nelson tardait à se réveiller, il ferait un grand bruit en donnant un bon coup de pied dans la poubelle. Il regarda sa montre et vit qu'il était deux heures. Leur train partait à six heures et il fut si terrifié à l'idée qu'ils pouvaient le manquer qu'il rejeta cette pensée de son esprit. Il envoya un coup de talon dans la poubelle, et il y eut une explosion sourde qui se répercuta dans la ruelle.

Nelson bondit en poussant un cri. Il regarda autour de lui, stupéfait de ne pas voir son grand-père. Il tourna plusieurs fois sur lui-même, puis détala dans la rue, la tête rejetée en arrière, tel un poney affolé. Mr. Head sauta de sa poubelle et courut après l'enfant, mais l'enfant était presque hors de vue. Il vit un éclair gris traverser en diagonale le carrefour suivant. Mr. Head courait de toutes ses forces ; aux croisements il regardait dans chaque direction, mais il avait bel et bien disparu. Comme il franchissait le troisième carrefour, à bout de souffle, un spectacle s'offrit à lui qui le cloua sur place. Il se tapit derrière une boîte à ordures pour reprendre ses esprits et regarda. A quelque distance de là, Nelson était assis, jambes écartées, et à son côté une vieille femme était étalée par terre, et poussait des cris perçants. Des produits alimentaires variés jonchaient le trottoir. Il y avait déjà un attroupement de femmes impatientes d'assister au châtiment du coupable et Mr. Head entendit distinctement la vieille qui criait : « Tu m'as cassé la cheville ! Ton père trinquera, et jusqu'au bout ! Appelez la police ! » Plusieurs femmes essayaient d'attraper Nelson par l'épaule, mais le garçon était comme une loque, incapable de se mettre debout.

Quelque chose contraignit Mr. Head à sortir de sa cachette et à avancer, mais avec une lenteur extrême. Jamais il n'avait été interpellé par un agent. Les femmes tournaient en rond autour de Nelson, comme si elles s'apprêtaient à fondre sur lui en bloc et à le tailler en pièces, et la vieille femme continuait de crier que sa cheville était cassée, et d'appeler un agent. Mr. Head avançait si lentement qu'on aurait pu croire qu'il faisait un pas en arrière à chaque pas en avant, mais alors qu'il n'était plus qu'à quelques mètres, Nelson le vit et bondit. L'enfant jeta ses bras autour de lui et, tout pantelant, s'accrocha à ses jambes. Toutes les femmes se rabattirent sur Mr. Head. Celle qui gisait à terre se dressa sur son séant et hurla : « Ah, c'est vous ! c'est vous qui paierez la note du docteur, et elle sera salée ! C'est vous qu'êtes responsable de vot' garçon. C'est un délinquant juvénile ! Où y a-t-il un agent ? Prenez le nom et l'adresse de cet homme ! »

Mr. Head essayait de détacher de sa jambe les doigts qui lui meurtrissaient la chair. Telle celle de la tortue, la tête du vieil homme était rentrée dans son col, et ses yeux étaient devenus vitreux, sous l'effet de la peur et de l'inquiétude. « Vot' gosse m'a cassé la cheville ! criait la vieille femme. Au secours ! »

Mr. Head flaira le policier qui arrivait par-derrière. Il regarda bien en face les femmes déchaînées qui s'étaient agglutinées et formaient un mur sans faille pour l'empêcher de fuir. « C'est pas mon fils, dit-il. J' l'ai jamais vu. »

Il sentit les doigts de Nelson se détacher de sa jambe. Les femmes horrifiées reculèrent, et elles dévisageaient avec dégoût cet homme qui reniait sa propre image, son portrait même — si répugnant qu'elles n'osaient lever la main sur lui. Mr. Head avança et elles s'écartèrent sur son passage, et il abandonna Nelson. Devant lui, il ne voyait qu'un tunnel noir qui avait été une rue.

L'enfant resta sur place, cou tendu et mains pendantes. Son chapeau était si enfoncé sur sa tête qu'il ne faisait plus aucun pli. Sa victime se remit sur pied, le menaça du poing, et les autres femmes le regardèrent d'un air attendri, mais lui ne voyait personne. Aucun agent ne paraissait.

Bientôt, il se mit à marcher comme un automate. Il n'essayait pas de rattraper son grand-père mais se contentait de le suivre à vingt pas. Ils marchèrent longtemps ainsi. Les épaules de Mr. Head s'étaient affaissées et son cou se tendait en avant sous un angle tel qu'on ne le voyait pas de derrière. Il avait peur de tourner la tête. Enfin, il lança un regard plein d'espoir par-dessus son épaule. A vingt pas derrière lui, il vit deux petits yeux qui lui percèrent le dos comme des dents de fourche.

L'enfant n'était pas indulgent de nature, mais c'était bien la première fois qu'il eût quelque chose à pardonner : jamais Mr. Head n'avait démérité ainsi. Ils franchirent encore deux rues, puis Mr. Head se retourna et dit d'une voix qui essayait désespérément d'être gaie : « Allons prendre un coca-cola quelque part ! »

Avec une dignité dont il n'avait encore jamais fait preuve, Nelson s'arrêta et tourna le dos à son grand-père.

Mr. Head commença de mesurer l'énormité de son reniement. Tandis qu'il marchait, son visage se couvrait de sillons et de creux. Il avançait sans rien voir, mais il s'aperçut pourtant qu'il avait perdu les rails. Le dôme de la gare ne se découvrait nulle part et l'après-midi s'avançait. Il savait que s'ils se laissaient surprendre par la nuit dans cette ville, ils seraient attaqués et volés. Le prompt châtiment de Dieu, voilà tout ce qu'il attendait pour lui-même, mais il ne pouvait supporter la pensée que Nelson dût être puni à cause de ses péchés, et qu'en cet instant il conduisait peut-être l'enfant à son destin.

Ils continuèrent de marcher, un carrefour suivant l'autre, à travers un quartier interminable de petites maisons de brique, jusqu'au moment où Mr. Head se prit les pieds dans un jet d'eau qui saillait à quelque quinze centimètres du sol au bord d'une pelouse. Il n'avait rien bu depuis le matin, mais il avait le sentiment qu'il ne méritait pas cette eau, maintenant. Puis il pensa que Nelson devait avoir soif, qu'ils boiraient ensemble et seraient ainsi réunis. Il s'accroupit, ouvrit la bouche au-dessus du jet et l'eau fraîche jaillit jusqu'au fond de sa gorge. Puis il lui lança, de la même voix vibrante : « Viens ici boire un peu d'eau ! »

Cette fois, le regard de l'enfant le pénétra pendant près d'une minute. Alors, Mr. Head se leva et repartit comme s'il eût avalé du poison. Nelson qui n'avait rien bu depuis le départ, sauf un petit verre d'eau dans le train, passa devant le jet et ne daigna pas boire où son grand-père avait bu. Quand Mr. Head s'en aperçut, toute espérance l'abandonna. Dans la lumière déclinante, son visage semblait ravagé par le désespoir. Il sentait la haine tenace de l'enfant qui le suivait d'un pas égal, et il savait (si par miracle ils n'étaient pas assassinés dans la ville) qu'elle persisterait jusqu'à la fin de ses jours. Il savait que désormais il pénétrait dans une région étrange et ténébreuse où rien ne conservait son visage antérieur — une longue vieillesse que nul ne respecterait, et une fin qui serait bienvenue parce qu'elle serait vraiment la fin.

Quant à Nelson, son esprit avait serré dans un étau de glace la trahison de son grand-père, comme s'il tentait de la garder intacte pour la dévoiler au jugement dernier. Il marchait en regardant droit devant lui, mais souvent sa bouche se crispait, et cela se produisait lorsqu'il sentait une forme noire et mystérieuse surgir des profondeurs de son être, comme si elle eût tenté de faire fondre ce souvenir glacé par une brûlante étreinte.

Le soleil descendait derrière une rangée de maisons, et, sans le remarquer presque, ils pénétrèrent dans un faubourg élégant où de belles maisons particulières étaient séparées de la rue par des pelouses avec de petits bassins pour les oiseaux. Ici tout était désert. Ils ne rencontraient même pas de chiens. De loin, les grandes maisons blanches ressemblaient à des icebergs. Il n'y avait plus de trottoirs, rien que des allées carrossables qui serpentaient ridiculement en une multitude de méandres. Nelson n'essayait pas de se rapprocher de Mr. Head et le vieillard se dit que si par hasard il voyait une bouche d'égout il tomberait dedans et se laisserait engloutir ; et il imagina le garçon immobile près de l'égout et observant la scène avec un intérêt relatif, tandis que lui disparaissait.

Un violent aboiement l'arracha à ses pensées ; il leva les yeux et vit un gros homme qui approchait avec deux bouledogues. Il agita les bras comme un naufragé sur une île déserte. « J' suis perdu, cria-t-il, j' suis perdu et j' peux pas retrouver mon chemin, et avec cet enfant j' dois prendre un train et j'arrive pas à r'trouver la gare. Mon Dieu, j' suis perdu ! Dieu tout-puissant, aidez-moi, j' suis perdu ! »

L'homme, qui était chauve et portait un pantalon de golf, lui demanda quel train il devait prendre et Mr. Head sortit ses billets, et il tremblait si fort qu'il avait peine à les tenir. Nelson était arrêté à quinze pas et regardait.

— Eh bien, dit le gros homme en lui rendant les billets, vous n'aurez pas le temps de retourner en ville pour prendre ce train, mais vous pouvez l'attraper à la gare de banlieue. C'est à trois rues d'ici. Et il entreprit de lui expliquer le chemin.

Mr Head le regardait comme un ressuscité qui revient peu à peu à la vie, et lorsque l'homme en eut terminé et qu'il se fut éloigné avec les deux chiens qui bondissaient sur ses talons, il se retourna vers Nelson et dit d'une voix brisée par l'émotion : « On va r'tourner à la maison ! »

L'enfant était à dix pas, blême sous son chapeau gris. Son regard était glacé mais triomphant. Il n'y avait aucune lumière dans ses yeux, aucun sentiment, mais seulement de l'indifférence. Nelson n'était qu'une frêle silhouette immobile qui attendait. Et sa maison n'était plus rien pour lui.

Mr. Head se retourna lentement. Maintenant il avait l'impression de savoir ce que serait le temps sans les saisons, la chaleur sans la lumière, l'homme sans rédemption. Peu lui importait de manquer son train et, sans ce qui soudain attira son attention comme un cri jailli des ténèbres, il eût oublié l'existence même de cette gare toute proche.

Il n'avait pas fait cinq cents mètres lorsqu'il vit près de lui un nègre en plâtre penché au-dessus d'une clôture basse, en briques jaunes, qui encerclait une vaste pelouse. Le nègre était à peu près de la taille de Nelson et il penchait vers la rue en un équilibre incertain, parce que le mastic qui le fixait au mur s'était fendu. Il avait un œil entièrement blanc et tenait un morceau de pastèque. Mr. Head s'arrêta et le regarda en silence. Nelson s'arrêta non loin de là. Alors Mr. Head s'exclama : « Un nègre factice ! »

Il était impossible de discerner l'âge qu'on avait voulu attribuer au nègre factice : il avait l'air trop chagrin pour être jeune ou vieux. On avait dû souhaiter que son visage exprimât la joie, car ses lèvres étaient relevées comme pour un rire, mais la forme de l'œil et l'inclinaison qu'il avait prise suggérait bien plutôt qu'il était affreusement malheureux. « Un nègre factice ! » répéta Nelson comme un écho. Ils demeuraient tous les deux immobiles, le cou pareillement tendu, les épaules identiquement courbées et les mains agitées par le même tremblement. Mr. Head avait l'air d'un très vieil enfant et Nelson d'un vieillard miniature. Ils regardaient le nègre factice comme s'ils étaient en présence de quelque grand mystère, d'un monument qui commémorait quelque victoire et qui les rassemblait dans leur commune défaite. Tous les deux sentaient se dissoudre leur désaccord comme sous l'effet d'une action miséricordieuse. Mr. Head ignorait encore l'effet produit par la miséricorde car il avait toujours été trop bon pour en être l'objet, mais maintenant il croyait savoir. Il regarda Nelson et sentit qu'il lui fallait dire quelque chose à l'enfant pour lui prouver que toute sagesse ne l'avait point déserté, et, dans le regard que l'enfant lui adressa en retour, il vit en effet qu'il désirait ardemment cette preuve. Ce regard suppliant semblait lui demander une explication définitive du mystère de l'existence. Mr. Head ouvrit la bouche pour prononcer quelques nobles paroles, et il s'entendit dire : « Ils n'en ont pas assez de vrais ici. Il leur en faut un factice. »

L'enfant aussitôt acquiesça, et sa bouche eut un frémissement étrange ; puis il dit : « Rentrons chez nous avant qu'on s' perde encore ! »

Leur train arriva dans la gare de banlieue au moment où ils y pénétraient et ils s'y installèrent ensemble ; dix minutes avant l'heure prévue pour le terme de leur voyage, ils s'approchèrent de la portière, prêts à sauter si le train ne s'arrêtait pas. Mais il s'arrêta : à cet instant la lune, recouvrant la plénitude de sa splendeur, sortit d'un nuage et inonda la clairière de sa lumière. Lorsqu'ils descendirent du train, l'armoise des champs avait des frissons d'argent et sous leurs pieds le mâchefer s'éclaira de lumière noire. Les cimes des arbres qui entouraient la station comme l'enclos d'un jardin étaient plus sombres que le ciel tendu de gigantesques nuages blancs illuminés.

Mr. Head s'arrêta, garda le silence et sentit à nouveau l'effet de la miséricorde, mais il comprit cette fois qu'aucun mot au monde n'était capable de le traduire. Il comprit qu'elle surgissait de l'angoisse qui n'est refusée à aucun homme et qui est donnée, sous d'étranges formes, aux enfants. Il comprit que c'était tout ce qu'un homme peut emporter dans la mort pour en faire don à son Créateur et il s'empourpra de honte à la pensée qu'il en avait si peu à Lui offrir. Et il en était effrayé, et il jugea sa vie avec l'absolue perfection du jugement divin, tandis que la Miséricorde couvrait son orgueil comme d'une flamme et le consumait.

Jamais il ne s'était considéré comme un grand pécheur, mais il voyait maintenant que sa vraie souillure lui avait été cachée de crainte qu'il ne s'abandonne au désespoir. Il comprit que ses péchés lui avaient été pardonnés depuis le commencement des temps, lorsqu'il avait conçu dans son propre cœur le péché d'Adam, jusqu'à cette journée où il avait renié le pauvre Nelson. Il vit qu'aucun péché n'était trop monstrueux qu'il ne s'en puisse accuser et, puisque Dieu aimait dans la mesure où Il pardonnait, il se sentit, à cet instant, prêt à entrer au Paradis.

Nelson qui essayait de se composer un visage dans l'ombre de son chapeau l'observait avec un mélange de méfiance et de lassitude, mais, alors que le train s'éloignait et disparaissait dans les bois comme un serpent effrayé, son visage s'illumina et il dit entre ses dents : « J' suis content d'y être allé une fois, mais j'y retournerai jamais ! »

Un cercle dans le feu.

Parfois le premier rang des arbres ressemblait à un rempart compact, d'un bleu-gris à peine plus foncé que le ciel, mais cet après-midi il était presque noir, et, au-delà, le ciel était d'un blanc livide qui aveuglait. « Connaissez-vous cette femme qu'a eu son bébé dans un poumon d'acier ? » dit Mrs. Pritchard. Elle se tenait, avec la mère de la fillette, sous la fenêtre d'où l'enfant regardait. Mrs. Pritchard était adossée au conduit de la cheminée, les bras appuyés sur le bourrelet de son ventre, les pieds croisés, et la pointe de l'un semblait fichée en terre. C'était une forte femme avec une figure mince et des yeux fureteurs. Mrs. Cope était au contraire très petite et pimpante, avec un visage rond et des yeux noirs qui semblaient grandir derrière ses lunettes, comme si elle eût été perpétuellement étonnée. Elle était accroupie et arrachait les mauvaises herbes dans les parterres autour de la maison. Les deux femmes portaient des chapeaux de soleil qui jadis s'étaient ressemblés comme des frères, mais maintenant celui de Mrs. Pritchard était passé et sans forme, tandis que celui de Mrs. Cope n'avait pas bougé et avait conservé son éclat vert originel.

— J'ai lu ça quelque part, dit-elle.

— C'était une Pritchard qu'a épousée un Brookins, si bien que c'est une parente, une cousine par alliance au septième ou huitième degré.

— Tiens, tiens ! marmonna Mrs. Cope, en lançant derrière elle une grosse touffe de chiendent. Elle l'extirpait comme un fléau envoyé par Satan pour détruire sa propriété.

— Du fait que c'était une parente, nous sommes allés voir le corps, dit Mrs. Pritchard. On a vu le bébé par la même occasion.

Mrs. Cope n'ajouta mot. Elle avait trop l'habitude de ces histoires à catastrophes ; elle disait que ça la mettait sens dessus dessous. Mrs. Pritchard, elle, faisait allégrement des kilomètres pour aller voir un mort. Mrs. Cope changeait toujours de sujet et parlait de choses gaies, mais cela provoquait la mauvaise humeur de Mrs. Pritchard, et la fillette s'en était aperçue.

De la fenêtre du premier, elle imaginait que le ciel livide tentait d'enfoncer le mur de la forteresse pour y faire irruption. De l'autre côté du champ, les arbres aux feuilles desséchées faisaient un entrelacs jaune et gris. Sa mère avait toujours peur que le feu ne prenne dans ses bois. Lorsqu'il faisait beaucoup de vent la nuit, elle disait à la fillette : « Mon Dieu, prie pour qu'il n'y ait pas le feu, il fait un tel vent ! » L'enfant qui lisait marmonnait quelque chose, ou ne répondait pas — c'était devenu une vraie manie chez sa mère. Les soirs d'été, lorsqu'elles s'asseyaient dans la véranda, Mrs. Cope disait à l'enfant qui se dépêchait de lire parce que le jour baissait : « Lève-toi et regarde le coucher de soleil, c'est magnifique. Tu devrais regarder ça ! », et la petite fronçait les sourcils sans répondre, ou jetait un coup d'œil par-delà la pelouse et les deux pâturages, sur la ligne grise des arbres dressés comme des sentinelles ; puis elle se replongeait dans sa lecture, impassible, ou bien, par pure méchanceté, elle marmonnait : « On dirait un incendie. Tu ferais bien d'aller faire un tour et sentir un peu. Il y a peut-être le feu dans tes bois. »

— Dans le cercueil, elle le tenait dans ses bras, continua Mrs. Pritchard, mais sa voix fut couverte par le bruit du tracteur que le nègre Culver sortait de la grange. La remorque y était accrochée, un autre nègre était assis à l'arrière, et ses pieds, à chaque chaos, se balançaient presque au ras de terre. Le tracteur passa devant le portail qui donnait sur le champ de gauche.

Mrs. Cope tourna la tête et vit qu'il n'était pas passé par le portail : Culver était trop paresseux pour descendre l'ouvrir. Il faisait un grand détour, aux frais de la patronne. « Dis-lui de s'arrêter et de venir ici », cria-t-elle. Mrs. Pritchard décolla son dos de la cheminée et fit de grands gestes, mais il feignit de ne pas entendre. Elle alla, en courant presque, jusqu'à la pelouse et cria : « Descends, j' te dis ! Elle veut te parler ! »

Il obéit et se dirigea vers la cheminée, avec, à chaque pas, un ample mouvement de la tête et des épaules, pour donner l'impression qu'il se hâtait. Un chapeau de toile blanche, où la sueur faisait des cernes multicolores, était enfoncé jusqu'au front, et sous le bord rabattu on distinguait à peine ses yeux rouges.

Mrs. Cope était à genoux et enfonçait son déplantoir dans la bordure. « Pourquoi ne passes-tu pas par le portail ? » demanda-t-elle, et elle attendit, les yeux fermés et les lèvres pincées, résignée, semblait-il, à entendre quelque insanité.

— Faudrait soulever la scie de la faucheuse », dit-il en évitant de la regarder en face.

Ses nègres démolissaient tout, et n'avaient pas plus de personnalité que le chiendent. A mesure que ses yeux s'ouvraient, on eût dit qu'ils allaient grandir jusqu'à chavirer. « Soulevez-la », dit-elle, en pointant son déplantoir vers le tracteur. Il s'éloigna. « Ils s'en fichent, dit-elle, ils n'ont aucun sens de leurs responsabilités. Je remercie le Seigneur que tout n'arrive pas d'un seul coup. Ça me tuerait. »

— Pour sûr », cria Mrs. Pritchard, en luttant contre le bruit du tracteur.

Le nègre ouvrit la porte, souleva la scie et le tracteur traversa le champ. Le bruit décroissait. « J'arrive pas à comprendre comment qu'elle l'a eu là-dedans », poursuivit Mrs. Pritchard, de sa voix accoutumée.

Mrs. Cope était pliée en deux et s'attaquait au chiendent avec une énergie farouche. « Nous pouvons remercier Dieu de toutes les grâces qu'il nous accorde, dit-elle. Vous devriez faire un acte de grâce chaque jour. Est-ce que vous le faites ? »

— Oui, madame, dit Mrs. Pritchard. Elle y était depuis quatre mois avant qu'elle se trouve dans son état. Si j'étais dans un de ces trucs-là, j' crois bien que j'y moisirais pas longtemps... mais comment croyez-vous qu'ils...

— Chaque jour, je remercie Dieu des grâces qu'il m'a faites, dit Mrs. Cope. Quand je pense à tout ce que nous avons ! Seigneur, dit-elle en soupirant, nous avons tout ! » et elle regarda ses riches pâturages, ses collines couvertes de bon bois, et secoua la tête comme pour faire tomber de ses épaules un trop pesant fardeau.

Mrs. Pritchard dit, en embrassant les bois du

regard : « Tout ce que j'ai, c'est quatre dents avec des abcès. »

— Eh bien, soyez reconnaissante à Dieu de ne pas en avoir cinq, rétorqua Mrs. Cope, en balançant derrière elle une touffe d'herbe. On pourrait être tous détruits par un ouragan. Ce n'est pas les occasions qui manquent de rendre grâce au Seigneur.

Mrs. Pritchard prit une binette appuyée au mur de la maison et fit sauter une herbe qui avait poussé entre deux briques de la cheminée.

— J' pense bien qu'elles *vous* manquent pas, dit-elle, d'une voix que le dédain rendait un peu plus nasillarde que d'ordinaire.

— Il suffit de penser à tous ces pauvres Européens, continua Mrs. Cope, que l'on a entassés comme des bestiaux dans des wagons de marchandises pour les emmener en Sibérie. Mon Dieu, dit-elle, nous devrions passer à genoux la moitié de nos journées.

— J' sais bien que si j'étais dans un poumon d'acier, il y a certaines choses que j' ferais pas, dit Mrs. Pritchard, en se grattant la peau de la cheville du bout de la binette.

— Même cette pauvre femme ne manquait pas de raisons de rendre grâce au Seigneur.

— Elle pouvait le remercier de ne pas être morte.

— Bien sûr, dit Mrs. Cope, puis, pointant son déplantoir vers elle, elle déclara : « J'ai la maison la mieux entretenue de toute la région. Savez-vous pourquoi ? Parce que je travaille. Il a fallu que je travaille pour la préserver et pour la conserver. » Elle martelait chaque mot avec son déplantoir. « Je ne me laisse pas dépasser par les événements et je ne cherche pas à m'attirer d'ennuis. Je les prends comme ils viennent.

— Parfois ils arrivent tous ensemble..., commença Mrs. Pritchard.

— Jamais tous à la fois, trancha Mrs. Cope.

De sa fenêtre, la fillette parvenait à distinguer l'endroit où le chemin de terre rejoignait la grand-route. Elle vit un camion s'y arrêter et trois enfants en descendre, puis s'engager dans le chemin. Ils marchaient en file indienne, celui du milieu penché sur le côté sous le poids d'une valise noire qui avait vaguement la forme d'un porc.

— Si jamais ça arrivait, dit Mrs. Pritchard, tout ce que vous pourriez faire, ça serait de lever les bras au ciel.

Mrs. Cope ne daigna pas répondre. Mrs. Pritchard se croisa les bras, et son regard suivit la route, comme si elle imaginait toutes ces collines rasées d'un coup, et réduites à néant. Elle vit les trois garçons qui arrivaient maintenant à l'allée de la maison. « Regardez, dit-elle. Qu'est-ce que c'est que ces gaillards-là, à votre avis ? »

Mrs. Cope se redressa, une main derrière le dos, pour préserver son équilibre ; elle vit les trois garçons s'avancer vers elles, mais ils avaient l'air de vouloir continuer la route, pour prendre l'entrée latérale. Celui qui portait la valise était passé en tête. Lorsqu'il fut à un mètre d'elle, il s'arrêta et posa sa valise. Les trois garçons avaient à peu près la même allure, sauf le porteur de la valise qui était de taille moyenne et avait des lunettes à monture d'argent. Il louchait légèrement d'un œil et son regard semblait venir de deux directions à la fois. Il avait un chandail fané avec un destroyer imprimé sur le devant, mais sa poitrine était si creuse que le destroyer était cassé en son milieu et semblait au bord du naufrage. La sueur lui collait les cheveux au front. On lui eût donné dans les treize ans. Tous les trois avaient le regard perçant. « J' pense pas que vous vous souvenez de moi, Mrs. Cope », dit-il.

— Votre visage ne m'est certainement pas inconnu, risqua-t-elle en le scrutant des yeux. Voyons...

— Mon papa a travaillé ici, suggéra-t-il.

— Boyd ? dit-elle. Votre père était Mr. Boyd, et vous êtes J. C. ?

— Non, madame, j' m'appelle Powell — Powell fils — mais j'ai poussé un peu depuis le temps ; mon papa est mort maintenant. Mort et enterré.

— Mort ! pas possible ! dit Mrs. Cope, comme si la mort était chose exceptionnelle. Et de quoi est-il mort ?

L'un des yeux de Powell sembla faire le tour des lieux, en marquant un temps d'arrêt sur la maison, le château d'eau blanc derrière, les poulaillers, les prés de chaque côté, jusqu'à la lisière des bois. L'autre œil la regardait. « Mort en Floride », dit-il, en tapant du pied dans la valise.

— Eh bien..., murmura-t-elle. Et comment va votre mère ? ajouta-t-elle presque aussitôt.

— Remariée », dit-il, en regardant son pied qui cognait toujours dans la valise. Les deux autres garçons fixaient Mrs. Cope avec impatience.

— Et où habitez-vous maintenant ? demanda-t-elle.

— A Atlanta, dit-il. Vous savez, dans une de ces cités nouvelles.

— Je vois, dit-elle, je vois. Elle répéta : « Je vois », puis, sourire aux lèvres, elle demanda : « Et qui sont ces garçons ? »

— Lui, c'est Garfield Smith, et lui W. T. Harper, dit-il en désignant de la tête d'abord le gros, puis le petit.

— Enchantée, dit Mrs. Cope. Voici Mrs. Pritchard. Mr. et Mrs. Pritchard travaillent ici maintenant. »

Ils ne tournèrent même pas les yeux vers Mrs. Pritchard qui les dévisageait de ses petits yeux ronds. Les trois garçons restaient sur place, sans quitter des yeux Mrs. Cope, comme s'ils eussent attendu quelque chose.

— Bien bien bien, dit-elle en regardant la valise. C'est gentil de vous être arrêtés pour me dire bonjour. Oui, ça a été très gentil.

Il lui semblait que le regard de Powell la serrait comme des pinces. « J' suis revenu pour voir comment vous allez », dit-il d'une voix sourde.

— Écoutez un peu, dit le petit : depuis qu'on le connaît, il nous parle de cet endroit. Il dit que c'est formidable. Il dit qu'ici y' a des chevaux. Il dit qu'il y a passé les meilleurs moments de sa vie. Il en cause tout le temps.

— C'est vrai, il la ferme jamais, grogna le gros en se mettant les bras devant son nez, comme pour amortir ses paroles.

— Il parle tout le temps des chevaux qu'il a monté dessus, continua le petit, et il dit qu'il nous ferait monter dessus aussi. Il dit qu'y en a un qui s'appelle Gene. »

Mrs. Cope craignait toujours les accidents dans sa propriété, les poursuites judiciaires, et la ruine au bout du compte. « Ils ne sont pas ferrés, dit-elle vivement. Il y en avait bien un qui s'appelait Gene, mais il est mort, et je dois vous dire que vous ne pourrez pas monter les chevaux parce que vous pourriez attraper du mal. Ils sont dangereux. »

Le gros s'assit par terre avec une moue de dégoût et se mit à extraire des graviers de ses sandales de tennis.

Le petit regardait de tous côtés et Powell la fixait sans rien dire.

Au bout d'un moment, le petit prit la parole. « Vous savez, madame, ce qu'il a dit un jour ? Il a dit que c'est ici qu'il voulait venir quand il mourrait. »

Mrs. Cope parut déconcertée ; puis elle rougit ; une curieuse expression de souffrance se peignit sur son visage, comme si elle comprenait soudain que ces enfants avaient faim. Ils la regardaient ainsi parce qu'ils avaient faim ! Elle poussa un long soupir et leur demanda précipitamment s'ils voulaient manger quelque chose. Ils dirent que oui, mais sans enthousiasme, l'air insatisfait toujours, et leur visage ne s'éclaira pas. Ils semblaient être accoutumés à ne pas manger à leur faim, et penser que cela ne la regardait pas.

La petite fille était toute rouge d'émotion. Elle s'était mise à genoux au bord de la fenêtre, et seuls ses yeux et son front dépassaient. Mrs. Cope invita les garçons à faire le tour de la maison. Il y avait, de l'autre côté, des fauteuils de jardin. Elle ouvrit la marche et Mrs. Pritchard lui emboîta le pas. La fillette passa de la chambre à coucher de droite à celle de gauche, et son regard plongea sur la pelouse où se trouvaient les trois fauteuils blancs et un hamac rouge, tendu entre deux noisetiers. C'était une fille de douze ans, un peu forte, avec un teint pâle, des yeux plissés, et une grande bouche aux dents soutenues par un arc d'argent. Elle se mit à genoux devant la fenêtre.

Les trois garçons parurent à l'angle de la maison ; le gros se jeta dans le hamac et alluma un mégot de cigarette. Le petit se laissa choir dans l'herbe, à côté de la valise noire et y appuya la tête. Powell s'assit sur le bord d'un fauteuil et il semblait vouloir, d'un regard, embrasser tous les lieux. La petite fille entendit sa mère et Mrs. Pritchard discuter à voix basse dans la cuisine.

Elle se leva, alla dans le couloir, et se pencha sur la rampe de l'escalier. Mrs. Cope et Mrs. Pritchard étaient maintenant au fond du vestibule. « Ces pauvres enfants ont faim », dit Mrs. Cope d'une voix blanche.

— Vous avez vu la valise? demanda Mrs. Pritchard. Et s'ils avaient l'intention de passer la nuit ici ? »

Mrs. Cope poussa un petit cri aigu. « Je ne veux pas garder trois garçons ici, je suis toute seule avec Sally Virginia, dit-elle. Je suis certaine qu'ils partiront quand je leur aurai donné à manger. »

— Tout ce que j' sais, c'est qu'ils ont une valise, dit Mrs. Pritchard.

La fillette regagna la fenêtre en courant. Le gros était étendu dans le hamac, les mains croisées sous la tête et le mégot aux lèvres. Il le cracha d'un coup de langue, juste au moment où Mrs. Cope paraissait au coin de la maison, une assiette de biscuits à la main. Elle s'arrêta net, comme si on avait lancé un serpent sur son chemin. « Ashfied, dit-elle, ramasse-moi ça, s'il te plaît ! J'ai peur du feu. »

— C'est Garfield qu'il s'appelle, cria le petit, indigné. Garfield ! »

Le gros se leva sans un mot et, nonchalamment, se mit à la recherche du mégot. Il le ramassa, l'enfouit dans sa poche et, tournant le dos à Mrs. Cope, il examina longuement un cœur tatoué sur son avant-bras. Mrs. Pritchard arriva avec trois bouteilles de coca-cola qu'elle tenait par le col et les leur distribua.

— Je me souviens de tout ce qu'il y a ici, dit Powell en regardant par le goulot de sa bouteille.

— Où êtes-vous allés, lorsque vous êtes partis d'ici ? demanda Mrs. Cope ; et elle posa l'assiette de biscuits sur le bras du fauteuil où il était assis.

Il regarda les biscuits mais n'en prit pas. Il dit : « Je me souviens qu'il y en avait un qui s'appelait Gene et un autre George. On est allé en Floride et mon père est mort, et puis on est allé chez ma sœur, et puis vous savez, ma mère s'est r'mariée, et on y est toujours restés. »

— Voilà des biscuits, dit Mrs. Cope, en s'asseyant sur le fauteuil en face du garçon.

— Il n'aime pas Atlanta, dit le petit, en se dressant sur son siège pour prendre un biscuit, l'air indifférent. Il s'est jamais plu nulle part, sauf ici. J' vais vous dire ce qu'il fait, madame : on joue au ballon dans c'te cité, sur le terrain où qu'on doit jouer au ballon ; et puis il s'arrête de jouer et dit : « Ah, là, là ! y' avait un cheval qui s'appelait Gene et si je l'avais ici, je ferais péter ce ciment en galopant dessus ! »

— Je suis certaine que Powell ne dit pas de gros mots comme cela, n'est-ce pas Powell ?

— Non, madame, dit Powell. Il inclinait la tête obliquement, comme s'il écoutait les chevaux dans le champ.

— J'aime pas ces biscuits-là, dit le petit, en remettant le sien dans l'assiette ; et il se leva.

Mrs. Cope s'agita dans son fauteuil. « Alors, vous habitez dans une de ces jolies maisons neuves ? » dit-elle.

— C'est à l'odeur qu'on repère la sienne, déclara spontanément le petit. Y a quat' étages et dix maisons toutes pareilles, les unes derrière les autres... Allons jeter un coup d'œil à ces chevaux ! »

La pince du regard de Powell se referma sur

Mrs. Cope. « On se demandait si on pourrait pas passer la nuit dans vot' grange, dit-il. Mon oncle nous a amenés jusqu'ici dans son camion, et il reviendra nous prendre demain matin. »

Toute une minute elle resta muette, et la fillette se dit : « Elle va s'envoler de son fauteuil et se cogner dans l'arbre. »

— Je regrette beaucoup, dit-elle en se levant brusquement. La grange est pleine de foin et j'ai peur que vous y mettiez le feu avec vos cigarettes.

— On fumera pas, dit-il.

— Ça n'y change rien. Je ne peux pas vous laisser passer la nuit dans la grange, dit-elle, comme si elle s'adressait, poliment, à un gangster.

— Alors on ira camper dans les bois, dit le petit. D' toute manière on a apporté nos couvertures. C'est ça qu'est dans la valise. Vous v'nez, les gars ?

— Dans les bois ! fit-elle. Ah non ! Il y a une telle sécheresse, je ne veux pas de fumeurs dans mes bois. Vous camperez dans le champ — dans ce champ-ci, près de la maison, où il n'y a pas d'arbres.

— Et où elle vous aura à l'œil, dit la fillette entre ses dents.

— « Ses bois », marmonna le gros, en descendant du hamac.

— Nous dormirons dans le champ, dit Powell, mais sans avoir l'air de s'adresser à elle en particulier. Cet après-midi, j' leur ferai visiter les lieux.

Les deux autres étaient déjà partis ; il se leva, courut après eux, et les deux femmes restèrent dans leur fauteuil, la valise noire entre elles.

— Pas un petit merci, rien du tout ! souligna Mrs. Pritchard.

— Ils ont à peine touché à ce qu'on leur a offert, dit Mrs. Cope, blessée.

Mrs. Pritchard suggéra qu'ils n'aimaient peut-être pas les boissons *sans* alcool.

— Ils avaient l'air d'avoir faim, indubitablement, dit Mrs. Cope.

Au crépuscule, ils sortirent des bois, suants et sales, et vinrent à la porte de la véranda demander de l'eau. Ils ne parlèrent pas de manger, mais Mrs. Cope crut deviner qu'ils en mouraient d'envie. « Tout ce que j'ai à vous offrir, c'est de la pintade froide, dit-elle. Alors mes enfants, ça vous dirait, un peu de pintade et des sandwichs ? »

— J' mangerais pas quelque chose qu'a la tête chauve comme une pintade, dit le petit. J' mangerais bien du poulet ou de la dinde, mais pas de pintade.

— Un chien n'en voudrait pas », dit le gros. Il avait enlevé sa chemise, et l'avait fourrée dans son pantalon, et elle traînait comme une queue derrière lui. Mrs. Cope détourna de lui son regard. Le petit avait une coupure au bras.

— J'espère que vous n'avez pas monté les chevaux alors que je vous l'ai défendu, dit-elle, l'air soupçonneux. Ils s'écrièrent en chœur : « Non, madame », d'une voix puissante et pleine d'ardeur, ainsi qu'on dit « Amen » dans les églises de campagne.

Elle entra pour faire leurs sandwichs et, de la cuisine, continua la conversation avec eux : elle leur demanda ce que faisaient leurs pères, combien ils avaient de frères, de sœurs, et à quelle école ils allaient. Ils répondaient par de petites phrases crépitantes, en se poussant par l'épaule, et en pouffant, comme si les questions comportaient un sens qu'elle n'eût pas soupçonné.

— Et avez-vous des professeurs hommes ou femmes ? demanda-t-elle.

— Y a un peu des deux, et d'autres où qu'on peut pas bien dire, mugit le gros.

— Et est-ce que ta maman travaille, Powell ? demanda-t-elle précipitamment.

— Elle t'a demandé si ta mère travaille ! hurla le petit. Ces chevaux qu'il a fait que regarder l'ont rendu maboul, dit-il. Sa mère travaille à l'usine, et le laisse à la maison pour s'occuper des autres, mais il s'en occupe guère. J' vais vous dire, madame : une fois, il a enfermé son p'tit frère dans une caisse, et y' a mis le feu.

— Je suis sûre que Powell ne ferait pas cela, dit-elle, en sortant avec l'assiette de sandwichs qu'elle posa sur la marche. L'assiette fut vidée en un tour de main ; elle la reprit et resta immobile, l'assiette à la main, à regarder le soleil qui baissait devant eux, presque au ras de la ligne d'arbres. Il était rebondi et flamboyant, et semblait retenu par un filet de nuages déchiquetés, comme s'il allait, d'une minute à l'autre, les incendier et passer au travers pour choir au milieu des bois. De la fenêtre, la petite fille la vit frissonner et mettre les poings sur les hanches. « Nous devons tant de reconnaissance au bon Dieu, dit-elle soudain d'une voix grave et émerveillée. Mes enfants, est-ce que vous remerciez le bon Dieu tous les soirs de ce qu'Il a fait pour vous ? Le remerciez-vous de toutes les grâces qu'Il vous accorde ? »

Cela jeta un froid. Ils mordirent dans les sandwichs, comme s'ils avaient perdu le sens du goût.

— Est-ce que vous Le remerciez ? insista-t-elle.

Ils étaient muets comme des voleurs qui se cachent. Ils mâchaient en silence.

— Eh bien, moi, je le fais ! dit-elle enfin. Elle pivota et rentra dans la maison, et la fillette vit leurs épaules s'affaisser.

Le gros allongea les jambes comme s'il se libérait d'un piège. Le soleil brûlait si vite qu'on eût pu croire qu'il essayait de tout incendier à la ronde. Le château d'eau blanc rosissait et la pelouse verte prenait une teinte étrange, translucide. Soudain, la petite se pencha à la fenêtre et fit « Pourrrh » de toutes ses forces, en louchant et en tirant violemment la langue, comme si elle allait vomir.

Le gros leva des yeux étonnés vers elle : « Jésus, grogna-t-il, encore une femme ! »

Elle battit en retraite et s'adossa au mur, l'œil mauvais, comme si elle avait reçu une claque, sans savoir qui la lui avait donnée. Dès qu'ils furent partis, elle descendit dans la cuisine, où Mrs. Cope faisait la vaisselle. « Si j' tenais ce gros-là, j' te lui ferais passer l' goût du pain », dit-elle.

— Ne t'approche pas de ces garçons, dit Mrs. Cope, en se retournant brusquement. Quand on est bien élevée, on n'emploie pas un langage pareil. Laisse-les tranquilles. Ils seront partis demain matin. »

Le lendemain matin, ils étaient encore là. Lorsque Mrs. Cope, après son petit déjeuner, passa dans la véranda de derrière, ils se tenaient à la porte, et donnaient des coups de pied nonchalants dans les marches. Ils humaient le bacon du petit déjeuner. « Alors, les garçons, dit-elle, je croyais que votre oncle devait vous prendre. » Ils avaient le même regard affamé qui, la veille, l'avait tant émue, mais qui, aujourd'hui, l'exaspérait un peu.

Le gros lui tourna immédiatement le dos et le petit

s'accroupit et se mit à gratter le sable. « Eh bien, non ! » dit Powell.

Le gros tourna la tête, juste assez pour que Mrs. Cope fût effleurée par son regard, et dit : « On s'occupe pas de vos affaires, nous. »

Il ne put voir le grandissement des yeux de Mrs. Cope, mais fut frappé par son silence. Au bout d'un moment, elle dit d'une voix altérée : « Voudriez-vous prendre quelque chose pour votre petit déjeuner ? »

— On a tout ce qu'il faut pour manger, dit le gros. On n'a pas besoin de c' qu'est à vous. »

Elle ne quittait pas Powell des yeux. Son visage blanc et maigre lui faisait face, mais il semblait ne pas la voir. « Vous savez bien, mes enfants, que je suis contente de vous avoir, dit-elle, mais j'aimerais que vous vous teniez convenablement, et j'espère que vous vous conduirez comme des garçons bien élevés. »

Ils ne bougeaient pas, regardaient chacun dans une direction différente, comme s'ils attendaient impatiemment son départ. « Après tout, dit-elle, haussant soudain la voix, je suis chez moi, ici. »

Le gros fit quelques bruits ambigus, et ils lui tournèrent le dos ; ils se dirigèrent vers la grange, la laissant seule, éberluée, comme si, en pleine nuit, un projecteur se fût soudain braqué sur elle.

Peu après, Mrs. Pritchard arriva et se planta dans l'encadrement de la porte de la cuisine, la joue appuyée au montant. « J' suppose que vous savez qu'ils ont monté les chevaux tout l'après-midi d'hier, dit-elle. Ils ont volé une bride dans la sellerie, et ils ont monté sans selle, parce que Hollis les a vus. Il les a chassés de la grange, à neuf heures hier soir, et de la laiterie, ce matin : ils avaient du lait plein la bouche, comme s'ils avaient bu à même les bidons. »

— Je ne tolérerai pas ça plus longtemps, dit Mrs. Cope, pétrifiée devant son évier, les poings crispés sur les hanches. Je ne tolérerai pas ça, répéta-t-elle, avec l'air farouche qu'elle prenait lorsqu'elle arrachait du chiendent.

— Vous pourrez rien y faire, dit Mrs. Pritchard. Et je suppose que vous les aurez sur le dos une semaine ou deux, jusqu'à la rentrée des classes. Ils se sont mis dans la tête de prendre des vacances à la campagne et vous pouvez rien faire que de vous croiser les bras.

— Je ne me croise pas les bras, dit Mrs. Cope. Allez dire à Mr. Pritchard de rentrer tous les chevaux à l'écurie.

— C'est déjà fait. Un gamin de treize ans a autant de vice dans la peau qu'un homme qu'en a le double. C'est pas la peine d'essayer de deviner ce qu'il mijote : on sait jamais quel mauvais coup il prépare. Ce matin Hollis les a vus derrière l'étable au taureau, et le gros lui a demandé si y avait pas un endroit où qu'ils puissent se laver, et Hollis lui a dit que non, et que vous vouliez pas qu'ils jettent des mégots dans vos bois, et il lui a répondu : « Les bois sont pas à elle » ; et Hollis a dit : « Ah si ! Alors ! » Là-dessus, le petit a dit : « Mon vieux, les bois sont au bon Dieu, et la bonne femme avec », et alors celui qu'a des lunettes a dit : « P'tête bien que le ciel qu'est au-dessus de chez elle est à elle aussi », et le petit a répondu : « Sûr que le ciel est à elle, et y a pas un avion qui passe sans lui demander sa permission » ; et alors le gros a dit : « J'ai jamais vu un endroit avec autant d'emmerdeuses, comment que vous pouvez faire pour rester là ? » ; et

Hollis a dit qu'il en avait assez de leurs balivernes, et leur a tourné le dos, sans leur répondre.

— Je vais leur dire qu'ils peuvent s'en aller par le camion du laitier », déclara Mrs. Cope, et elle sortit par la porte de derrière, laissant Mrs. Pritchard et la fillette dans la cuisine.

— Vous savez, dit la petite, moi j' les aurais possédés, et plus vite que ça !

— Ah ! murmura Mrs. Pritchard, en lui décochant un regard acerbe ; et comment que tu t'y prendrais ?

La petite rapprocha ses mains l'une de l'autre, fit mine de serrer, le visage convulsé par l'effort, comme si elle étranglait quelqu'un.

— C'est toi qui t'serais fait posséder, dit Mrs. Pritchard, avec une certaine satisfaction dans la voix.

La fillette lui abandonna la place et regagna la fenêtre du premier : sa mère venait de quitter les trois garçons ; ils étaient accroupis au pied du château d'eau, et mangeaient le contenu d'une boîte à biscuits. Elle l'entendit entrer dans la cuisine et déclarer : « Ils ont dit qu'ils allaient partir avec le camion du laitier, et c'est pas étonnant qu'ils n'aient pas faim : leur valise est à moitié pleine de provisions.

— Ils ont dû voler tout ça aussi, dit Mrs. Pritchard.

Lorsque le camion du laitier arriva, les garçons étaient introuvables ; mais dès qu'il eut pris la route, les trois visages apparurent dans une ouverture au-dessus de l'étable aux veaux. « Ça, c'est le bouquet ! dit Mrs. Cope, qui, mains sur les hanches, regardait à l'une des fenêtres du premier. Ce n'est pas que j'aimerais pas les avoir, c'est leur attitude...

— T'aimes jamais l'attitude de personne, dit la petite. J' vais aller leur dire qu'ils ont cinq minutes pour décamper de là.

— Je ne veux pas que tu t'approches de ces garçons, tu m'entends ? dit Mrs. Cope.

— Pourquoi ? demanda la fillette.

— J'y vais, et je leur dirai ma façon de penser, dit Mrs. Cope.

La petite reprit sa place à la fenêtre et, quelques instants plus tard, elle vit paraître le chapeau vert qui scintillait au soleil ; sa mère traversa la route et se dirigea vers l'étable. Les trois visages disparurent aussitôt de l'ouverture, et peu après le gros sortit en trombe, suivi bientôt par les deux autres. Mrs. Pritchard rejoignit sa patronne, et les deux femmes mirent le cap sur le petit bois où les garçons s'étaient volatilisés. Bientôt les deux chapeaux de soleil y disparurent aussi ; les garçons en ressortirent par la gauche, traversèrent le champ sans se presser, et gagnèrent le bosquet voisin. Lorsque Mrs. Cope et Mrs. Pritchard arrivèrent à leur tour dans le champ, il était vide, et, de guerre lasse, Mrs. Cope décida de rentrer à la maison.

Quelques instants plus tard, Mrs. Pritchard arriva en courant et en criant : « Ils ont fait sortir le taureau, le taureau est dehors ! »

Une minute après, le taureau noir la suivait, nonchalamment, avec quatre oies qui lui sifflaient aux talons. C'était une bête paisible tant qu'on ne le bousculait pas, et il fallut une demi-heure à Mr. Pritchard et aux deux nègres pour le décider à regagner son étable. Les garçons en profitèrent pour vider l'essence des trois tracteurs et disparaître dans les bois.

Deux veines bleues saillaient aux tempes de Mrs. Cope, qui comblèrent d'aise Mrs. Pritchard.

— Vous voyez bien, dit-elle, y a rien à faire.

Mrs. Cope déjeuna en hâte, sans s'apercevoir qu'elle

avait gardé son chapeau vert. Chaque fois qu'elle entendait un bruit, elle sursautait. Le repas à peine achevé, Mrs. Pritchard parut : « Voulez-vous savoir où qu'ils sont maintenant ? » dit-elle, avec le sourire de quelqu'un qui en sait long.

— Je veux tout savoir, immédiatement! dit Mrs. Cope, presque au garde-à-vous.

— Au bout du chemin, en train de jeter des pierres sur votre boîte aux lettres, dit Mrs. Pritchard, en se calant confortablement contre la porte. Ils l'ont déjà presque descendue de son poteau.

— En voiture ! dit Mrs. Cope.

La petite monta avec elles, et elles arrivèrent vite à la route. Les garçons étaient assis sur le talus, de l'autre côté de la route, et lançaient des pierres sur la boîte aux lettres. Mrs. Cope arrêta la voiture presque à leur hauteur, et se pencha par la vitre. Les trois garçons la regardèrent comme s'ils ne l'avaient jamais vue ; le gros avait l'œil éteint, celui du plus jeune pétillait, mais sans l'ombre d'un sourire, tandis que Powell contemplait vaguement le destroyer désemparé sur sa chemise.

— Powell, dit-elle, je suis certaine que ta mère aurait honte de toi, et elle s'arrêta pour laisser aux paroles le temps de produire leur effet. Il y eut une légère contraction sur son visage, mais il continua, quoique tourné vers elle, à regarder dans le vague.

— J'ai fait tout ce que j'ai pu pour vous supporter, dit-elle. J'ai essayé d'être gentille avec vous. Ce n'est pas vrai ?

On eût dit un trio de statues ; pourtant le gros, en desserrant à peine les dents, marmonna : « On n'est même pas de vot' côté de la route, baronne. »

— Vaudrait mieux taper des coups de bâton dans l'eau, clama Mrs. Pritchard.

La petite était restée dans la voiture sur le siège arrière. Elle avait l'air furieux et vexé, mais elle ne mettait pas le nez à la vitre, pour ne pas être vue.

Mrs. Cope dit lentement, martelant chaque mot : « J'estime que j'ai été très gentille avec vous. Je vous ai donné deux repas. Maintenant, je m'en vais en ville, et si à mon retour vous êtes encore là, je fais venir le shérif. » Sur quoi elle démarra. La petite se retourna vivement, et constata qu'ils n'avaient pas bougé, ni même tourné la tête.

— Vous les avez mis en colère, dit Mrs. Pritchard. Qui sait c' qu'ils vont faire maintenant?

— Ils seront partis lorsque nous reviendrons, dit Mrs. Cope.

Mrs. Pritchard ne pouvait supporter d'être longtemps privée de drame : le goût du sang était nécessaire à son équilibre. « Un jour, déclara-t-elle, j'ai entendu un homme dire qu' sa femme avait été empoisonnée par un enfant qu'elle avait adopté par pure bonté de cœur. »

Quand elles revinrent de la ville, les garçons n'étaient plus sur le talus et Mrs. Pritchard dit : « J'aimerais mieux les voir que de n' pas les voir. Quand on les a sous les yeux, on sait au moins ce qu'ils font. »

— Ridicule, marmonna Mrs. Cope. Je les ai mis en fuite; maintenant qu'ils sont partis, il ne reste plus qu'à les oublier.

— Je ne les oublie pas, dit Mrs. Pritchard. Ça m'étonnerait pas du tout qu'il y ait un pistolet dans leur valise.

Mrs. Cope n'était pas sans tirer quelque orgueil de

la méthode qu'elle employait pour manœuvrer le type d'esprit que possédait Mrs. Pritchard. Lorsque Mrs. Pritchard voyait des signes et des présages, bons ou funestes, elle les démasquait tranquillement et en révélait la vraie nature : de pures inventions de l'imagination ; mais cet après-midi, elle avait les nerfs à vif, et elle déclara : « Ça suffit, maintenant. Les garçons sont partis, un point c'est tout. »

— Ouais, qui vivra verra, dit Mrs. Pritchard.

L'après-midi s'acheva sans encombre, mais, à l'heure du dîner, Mrs. Pritchard vint dire qu'elle avait entendu un rire strident et mauvais dans les buissons près de la porcherie. C'était un rire plein de menace, de méchanceté froide, et elle l'avait entendu de ses propres oreilles, par trois fois, distinctement.

— Je n'ai rien entendu, dit Mrs. Cope.

— Quelque chose me dit qu'ils vont frapper à la tombée de la nuit, déclara Mrs. Pritchard.

Ce soir-là, Mrs. Cope et la petite restèrent assises dans la véranda jusqu'à dix heures, et rien ne se passa. Les seuls bruits venaient des rainettes et d'un engoulevent qui, de son repaire de nuit, lançait des appels de plus en plus rapides. « Ils sont partis, dit Mrs. Cope ; les pauvres enfants ! », et elle entreprit de montrer à la petite toute la reconnaissance qu'elles devaient au Ciel : elles auraient pu être obligées de vivre dans une cité ouvrière ; elles auraient pu être enfermées dans un poumon d'acier, être des négresses, ou des Européens entassés comme des bestiaux dans des wagons de marchandises ; et elle commença, d'une voix contristée, une litanie des bienfaits dont elle était comblée — mais la fillette, qui tendait l'oreille pour percevoir un cri dans les ténèbres, ne l'écoutait pas.

Le lendemain matin, aucun indice de leur présence.

La muraille des arbres était d'un bleu de granit, le vent s'était levé dans la nuit, et le soleil naissant avait une pâleur dorée. La saison changeait. Le moindre changement de temps était prétexte à reconnaissance pour Mrs. Cope, mais lorsque survenait un changement de saison, elle semblait presque effrayée par sa bonne étoile, qui lui permettait d'échapper à tous les périls dont elle était menacée.

Comme elle le faisait parfois lorsqu'une chose finissait et qu'une autre allait commencer, elle se tourna vers sa fille : la petite avait enfilé une salopette par-dessus sa robe et s'était enfoncé jusqu'aux yeux un vieux chapeau d'homme ; maintenant elle glissait deux pistolets dans un étui qu'elle avait accroché à sa ceinture. Le chapeau lui serrait la tête, lui congestionnait le visage : il lui descendait presque au ras des lunettes. Mrs. Cope l'enveloppa d'un regard tragique. « Pourquoi faut-il que tu aies l'air d'une idiote ? demanda-t-elle. Et si nous avions des visites ? Quand donc auras-tu un peu de plomb dans la tête ? Que vas-tu devenir ? Lorsque je te regarde j'ai envie de pleurer ! On dirait par instants que tu es la fille de Mrs. Pritchard ! »

— Laisse-moi tranquille, dit la petite, la voix stridente d'irritation. Laisse-moi tranquille, j' te demande rien. » Et elle prit la direction des bois, comme si elle traquait un ennemi, la tête en avant, les mains crispées sur les pistolets.

Mrs. Pritchard arriva ; elle était d'humeur revêche, car elle n'avait aucune catastrophe à annoncer. « Aujourd'hui, c'est sur moi que le malheur s'abat, dit-elle, se raccrochant au moindre désastre. C'est mes dents. On dirait qu'y a un abcès à chacune. »

La petite fit irruption dans le bois, et, sous ses pas, les feuilles mortes eurent des crissements de mauvais augure. Le soleil était plus haut, mais semblait réduit à un orifice blanc dans un ciel à peine plus sombre, pour que s'y engouffre le vent ; les cimes des arbres se détachaient en noir sur cette menaçante blancheur. « J' vous aurai, dit-elle. J' vous aurai l'un après l'autre, et j' vous battrai jusqu'au sang. Alignez-vous. ALIGNEZ-VOUS ! » Au passage, elle brandit son pistolet vers un groupe de pins aux troncs nus, quatre fois plus hauts qu'elle. Elle avançait, grognant et grommelant toute seule, et cinglant de son pistolet une branche qui lui barrait la route. Par moments elle s'arrêtait pour décrocher une tige épineuse qui se prenait dans sa chemisette. « Laisse-moi tranquille ! » disait-elle, et elle lui assenait un coup violent, puis repartait à grands pas.

Bientôt elle s'assit sur une souche, car elle avait très chaud ; mais elle prit soin de caler ses pieds solidement dans le sol. Plusieurs fois elle les leva, puis les remit en place en raclant furieusement la terre, comme si elle écrasait quelque chose sous ses talons. Soudain, elle entendit un rire.

Elle se dressa, la peau criblée de picotements. Elle l'entendit encore. Puis elle perçut comme un bruit d'eau jaillissante, et elle fut debout, sans trop savoir de quel côté courir. Elle n'était pas très loin de la lisière du bois, donc du pâturage. Elle s'avança dans cette direction, sans faire de bruit, et, comme elle débouchait du bois, elle vit les trois garçons, à moins de vingt pas d'elle, en train de se laver dans l'abreuvoir à bestiaux. Ils avaient fait un tas de leurs vêtements près de la valise noire, à l'abri de l'eau qui débordait du réservoir. Le gros était debout, et le petit essayait de grimper sur ses épaules. Powell était assis, il regardait droit devant lui, et ses verres de lunettes étaient éclaboussés d'eau. Il ne prêtait pas la moindre attention aux deux autres. Par-delà l'écran de ses lunettes embuées, les arbres devaient ressembler à des cascades vertes. La petite était presque entièrement cachée derrière un tronc de pin, la joue pressée contre l'écorce.

— J' voudrais bien habiter ici, s'écria le petit, qui maintenait son équilibre en serrant des genoux la tête du gros.

— Et moi, j' suis sacrément content de crécher ailleurs, dit le gros, essoufflé, car il sautait sur place, pour désarçonner l'autre.

Powell ne bougeait pas, ne semblait pas s'apercevoir de la présence des deux autres ; il regardait droit devant lui, comme un fantôme sorti de son cercueil. « Si cet endroit n'était plus là, dit-il, vous auriez plus besoin d'y penser ».

— Écoute, dit le gros, en s'asseyant tranquillement dans l'eau avec le petit toujours rivé à ses épaules, cet endroit n'appartient à personne.

— Il est à nous, dit le petit.

La fillette, derrière son arbre, ne bougea pas. Powell bondit de la citerne, et se mit à courir. Il fit tout le tour du champ comme s'il était poursuivi, et lorsqu'il repassa devant le réservoir, les deux autres en bondirent et firent la course avec lui. Le soleil enveloppait d'une lueur les longs corps mouillés. Le gros était le plus rapide et distançait les autres. Ils firent deux tours de champ et vinrent s'affaler près de leurs vêtements ; ils s'étendirent, les flancs battants. Un instant après, le gros dit d'une voix rauque : « Vous savez pas ce que j' ferais de cet endroit, si je pouvais ?

— Non, quoi donc ? dit le petit, en se redressant pour mieux l'écouter.

— J'y f'rais construire une espèce de grand parking, marmonna-t-il.

Ils se rhabillèrent. Le soleil faisait deux taches blanches sur les lunettes de Powell, si bien qu'on ne voyait plus ses yeux. « Je sais ce qu'on va faire », dit-il. Il tira un petit objet de sa poche et le leur montra. Ils regardèrent un bon moment ce qu'il tenait à la main. Sans ajouter un mot, Powell ramassa la valise et les autres se levèrent aussi ; ils passèrent ensemble tout près de la fillette, et pénétrèrent dans le bois. Elle s'était légèrement éloignée de l'arbre, et les dessins de l'écorce étaient imprimés en rouge et blanc sur sa joue. Pétrifiée, elle les vit rassembler toutes les allumettes qu'ils possédaient et mettre le feu aux broussailles. Fous de joie, ils poussaient des cris stridents, ululaient, tandis que s'élargissait la mince bande de feu entre elle et eux. Les flammes s'élevaient des broussailles, attaquaient et léchaient les basses ramures des arbres, et le vent envoyait des flammèches vers les hautes branches. Les garçons suivaient en hurlant la marche du feu.

Elle fit demi-tour et essaya de traverser le champ en courant, mais ses jambes étaient trop lourdes et elle s'arrêta, clouée sur place par une angoisse étrange, toute nouvelle pour elle. Enfin, elle parvint à courir.

Mrs. Cope et Mrs. Pritchard étaient dans le champ derrière la grange, lorsque Mrs. Cope vit de la fumée qui s'élevait du bois de l'autre côté du pâturage. Elle poussa un cri déchirant. Mrs. Pritchard montra du doigt la route où paraissait la fillette en titubant, et elle hurlait : « Maman, maman, ils vont construire un parking ! »

Mrs. Cope se mit à appeler les nègres à grands cris, tandis que Mrs. Pritchard, toute ragaillardie, courait sur la route en vociférant.

Pritchard sortit de la grange et les deux nègres s'arrêtèrent de remplir l'épandeur d'engrais, puis se dirigèrent vers Mrs. Cope, leur pelle à la main. « Vite, vite, leur lança-t-elle ; allez jeter de la terre dessus ! » Ils passèrent devant elle sans la regarder et s'engagèrent dans le champ, marchant sans hâte vers la fumée. Elle courut derrière eux : « Allons, dépêchez-vous ! avez-vous les yeux bouchés ? » hurlait-elle.

— Le feu sera là avant nous », dit Culver, et ils continuèrent du même pas tranquille, épaules en avant.

La petite s'arrêta près de sa mère, leva les yeux vers son visage comme si elle le voyait pour la première fois. Il portait la marque de l'angoisse qui venait de lui être révélée, mais, sur ce visage, c'était une angoisse très ancienne qui eût pu appartenir, semblait-il, à tout homme, à un nègre, un Européen, et à Powell lui-même. La petite tourna brusquement la tête, et, par-delà les lentes silhouettes des nègres, elle vit la colonne de fumée s'élever triomphante, derrière l'inutile rempart des arbres. Elle resta immobile et tendue, et perçut quelques cris de joie lointains, comme si les prophètes dansaient au cœur de la fournaise, dans le cercle que l'ange avait tracé pour eux.

Tardive rencontre avec l'ennemi.

Le général Sash avait cent quatre ans. Il vivait avec sa petite-fille, Sally Poker Sash, qui en avait soixante-deux ; tous les soirs, elle s'agenouillait et demandait au Ciel qu'Il prête vie au général jusqu'au jour où elle recevrait son diplôme de fin d'études à l'Université. Le général se moquait du diplôme comme de sa première chemise ; par contre, il était absolument certain de tenir jusqu'à la cérémonie. Au fil des ans, vivre était devenu une telle habitude que tout autre état lui semblait inconcevable. Une remise de diplôme n'offrait rien, à ses yeux, de particulièrement réjouissant, même si, comme le prétendait Sally, on devait l'inviter à prendre place en uniforme sur l'estrade officielle. Il y aurait, disait-elle, un grand défilé de professeurs et d'étudiantes en toge, mais le clou de la cérémonie ce serait LUI, en uniforme de général. Point n'était besoin de le lui dire : il en était suffisamment convaincu ; quant à ce fichu défilé, il pouvait bien descendre aux enfers et en remonter, ça ne lui faisait ni chaud ni froid. Ce qu'il aimait, c'était des cortèges avec des chars remplis de Miss América, de Miss Daytona plage, de reines des produits de coton. Les défilés officiels ne lui disaient rien qui vaille, moins encore un défilé de professeurs, lugubre comme un enterrement. Mais il ne lui déplaisait pas de paraître sur l'estrade en uniforme, exposé à tous les regards.

Sally Poker n'était pas aussi sûre que lui qu'il durerait jusqu'à son diplôme. Certes, depuis cinq ans, il ne s'était produit en lui aucun changement notable, mais une crainte l'agitait vaguement : n'allait-elle point, une fois encore, être frustrée de son triomphe — ça lui était si souvent arrivé déjà ! Il y avait vingt ans qu'elle fréquentait assidûment les cours d'été ; à l'époque où elle avait commencé d'enseigner, il n'était pas le moins du monde question de « diplôme ». En ce temps-là, disait-elle, tout était normal ; mais rien ne l'était plus depuis sa seizième année ; et elle avait dû, vingt ans de suite, en plein été, par une chaleur torride, traîner sa malle jusqu'au collège d'État pour aspirants-professeurs, au lieu de prendre un repos mérité. Elle en revenait à l'automne et si elle persistait à enseigner comme on lui avait appris à ne pas le faire, c'était une piètre revanche qui ne satisfaisait pas son sens de la justice. Elle tenait à ce que le général assistât à cette remise de diplôme, pour montrer qu'elle n'était pas la première venue, et qu'*elle* avait de la branche si *eux* n'en avaient point. « Eux » ne désignait personne en particulier, mais tout simplement ces jeunes générations de malotrus qui avaient mis le monde sens dessus dessous et bouleversé toutes les normes d'une vie décente.

En août, elle paraîtrait sur l'avant-scène, tandis que derrière elle, sur l'estrade, le général serait assis dans son fauteuil roulant ; fièrement, elle redresserait la tête, comme pour jeter à tous ces malappris : « Regardez-le ! c'est mon ancêtre, ce fier et glorieux vieillard qui incarne les antiques traditions, la Dignité, l'Honneur, le Courage ! Regardez-le ! » Une nuit, dans son sommeil, elle avait crié : « Regardez-le ! » Elle avait tourné la tête, et il était là, derrière elle, assis dans son fauteuil roulant, l'air terrible, nu comme un ver, avec, toutefois, son képi de général sur le chef ; elle s'était réveillée et n'avait osé se rendormir de la nuit.

Quant à lui, il n'aurait sans doute pas accepté d'assister à sa remise de diplôme si elle ne lui avait promis de lui procurer une place sur la scène. Il adorait cela, quelle que fût la scène. Il se trouvait encore fort bel homme. Au temps où il pouvait se tenir debout, il redressait son petit mètre soixante comme un vrai coq de combat.

Il avait des cheveux blancs qui lui tombaient sur les épaules, et s'il refusait de porter un dentier, c'est qu'il estimait que son profil était plus saisissant ainsi ; et il savait fort bien qu'en uniforme de général, personne, nulle part, ne lui arrivait à la cheville.

Cet uniforme n'était pas celui qu'il avait porté au cours de la guerre entre les États. A la vérité, il n'avait pas été général dans cette guerre. Simple fantassin, probablement — il ne se rappelait plus au juste ; en réalité, le souvenir de cette guerre était mort en lui, tout comme ses pieds, qui maintenant pendaient ratatinés à l'extrémité de son corps enseveli sous une couverture gris-bleu que Sally Poker avait faite au crochet en sa prime jeunesse. Il avait tout oublié de la guerre hispano-américaine, où il avait perdu un fils ; il ne se rappelait même plus ce fils. L'histoire ne l'intéressait plus, car il ne s'attendait plus à la retrouver sur sa route. Dans son esprit, l'histoire se réduisait à des défilés, et la vie à des parades, et il aimait les parades. Les gens lui demandaient sans cesse s'il se rappelait ceci ou cela — un long cortège noir et morne de questions sur le passé. Pour lui, un seul événement passé gardait un sens, et il l'évoquait volontiers : il y avait douze ans de cela, on lui avait fait présent de son uniforme de général, et on l'avait invité au gala d'Atlanta.

— J'étais à cette première, aimait-il à déclarer aux visiteurs assis sur son perron. Avec plein de jolies filles autour de moi. Ça n'avait rien de régional. Vous me suivez ? C'était un événement nachional et on m'y avait invité. On m'a fait monter sur la scène. Il n'y avait pas de miteux à cette première : ça coûtait dix dollars l'entrée, et le smoking était obligatoire. Moi, je portais cet uniforme. Une jolie fille me l'avait offert l'après-midi dans une chambre d'hôtel.

— Ça se passait dans un des salons de l'hôtel, et j'y étais aussi, papa, rectifiait Sally Poker avec un clin d'œil aux visiteurs. Vous n'étiez pas seul avec une jeune personne dans une chambre d'hôtel.

— En tout cas, j'aurais su qu'en faire, répliquait le vieux général, l'œil allumé, et les visiteurs de s'esclaffer.

— C'était une fille d'Hollywood, Californie, poursuivait-il. Elle était d'Hollywood, Californie, et n'avait pas de rôle dans le film. Là-bas, ils ont tellement de jolies filles dont ils n'ont pas besoin qu'ils les appellent « extras » : ils s'en servent que pour offrir des cadeaux aux gens et pour se faire prendre en photo. Ils m'ont photographié avec elle. Non, y'en avait deux : une de chaque côté et moi au milieu, et je les tenais par la taille. Elles avaient des tailles de guêpe, vous pouvez m' croire sur parole.

Sally Poker l'interrompait encore : « C'est Mr. Govisky qui vous a donné l'uniforme, papa ; et à moi, il m'a offert un ravissant bouquet pour mon corsage.

J'aurais voulu que vous voyiez ça ! Il était fait de pétales de glaïeuls détachés un à un, peints en or, puis rassemblés en forme de rose. Il était ravissant, il était... »

— Gros comme sa tête, grognait le général. J' disais donc : ils me donnent cet uniforme et cette épée, et me disent : « Eh, doucement, général, il ne s'agit pas de partir en guerre contre nous ! Tout ce qu'on vous demande, c'est de grimper sur cette scène où vous serez présenté aux spectateurs, et de répondre à quelques questions. Vous croyez que vous y arriverez ? — Y arriver ? que je leur dis. Écoutez jeunes gens : y a des choses que j' faisais avant que vous soyez nés », et ils ont rugi à tout casser.

— Il a été le clou du gala », disait Sally Poker ; pourtant, elle n'aimait guère évoquer ce souvenir, à cause de ce qui était arrivé à ses pieds. Elle s'était acheté une robe neuve pour la circonstance, une robe du soir en crêpe noir avec une boucle de strass et un boléro, et des escarpins argentés assortis, car elle devait accompagner le général sur la scène de crainte qu'il ne tombe. Tout était préparé à leur intention. A huit heures moins dix une vraie limousine passa les prendre et les amena au théâtre. Elle stoppa sous la marquise exactement à l'heure prévue, après que furent entrés les vedettes du film, le metteur en scène, le scénariste, le gouverneur, le maire et quelques étoiles de moindre grandeur. Les agents faisaient circuler les voitures à grand-peine, et des cordes maintenaient à distance les curieux qui n'avaient pu se payer l'entrée. La foule les regarda descendre de la limousine et pénétrer sous la lumière des projecteurs. Puis ils traversèrent le foyer rouge et or et une placeuse, coiffée d'un képi de Confédéré et très court vêtue les conduisit aux fauteuils qui leur étaient réservés. Les spectateurs étaient déjà là, et un groupe d'anciens de la Confédération se mit à applaudir quand parut le général en grand uniforme; toute la salle les imita. Quelques autres personnalités arrivèrent après eux, puis on ferma les portes et les lumières s'éteignirent.

Un jeune homme aux cheveux blonds ondulés qui, déclara-t-il, représentait l'industrie du cinéma, s'avança sur la scène, et présenta les personnalités, et chacune d'elles montait sur la scène pour dire la joie sincère qu'elle éprouvait à participer à cette grandiose manifestation. Le général (et sa petite-fille) avait le n° 16 sur le programme. Le présentateur l'appela le général Tennessee Flintrock Sash de la Confédération, pourtant Sally Poker avait dit à Mr. Govisky que le nom de son grand-père était George Poker Sash et qu'il n'avait été que commandant. Elle l'aida à se lever de son fauteuil, mais elle était si émue qu'elle craignit de n'y point parvenir. Le vieil homme remonta à pas lents l'allée latérale, sa tête chenue fièrement dressée et le képi pressé contre le cœur. L'orchestre attaqua en sourdine l'hymne des Confédérés, et les anciens se levèrent comme un seul homme et ne se rassirent que lorsque le général arriva sur la scène. Quand il fut en plein milieu, Sally Poker le suivant comme son ombre et le guidant par le coude, l'hymne des Confédérés éclata comme un tonnerre, et le vieillard, avec un réel instinct scénique, fit d'une main tremblante un vigoureux salut militaire, et se tint au garde-à-vous jusqu'à ce que l'accord final se fût éteint. Deux jeunes filles portant jupette et képi de Confédéré tenaient, croisés derrière eux, un drapeau de la Confédération et un drapeau de l'Union. Le général était juste au centre du cercle de lumière qui découpait, dans la silhouette de Sally Poker, une tranche bizarre en forme de lune — le bouquet, la boucle en strass et une main qui étreignait un gant blanc et un mouchoir. Le jeune homme à la blonde chevelure se glissa dans le cercle de lumière et dit qu'il était très très heureux d'avoir près de lui, en cette mémorable soirée, un homme qui avait combattu et versé son sang dans des batailles dont on verrait, dans quelques instants, une audacieuse version cinématographique. Puis : « Dites-moi, mon général, quel âge avez-vous ? »

— Quatre-vingt-douze ans, hurla le général.

L'air que prit le jeune homme suggéra que c'était là sans doute la déclaration la plus impressionnante de toute la soirée. « Mesdames et messieurs, dit-il, applaudissons le général ! » Instantanément les applaudissements crépitèrent, et le jeune homme, d'un signe du pouce, invita Sally Poker à ramener le vieil homme à sa place et à laisser la scène libre pour le suivant ; mais le général n'avait pas terminé. Il demeurait au centre du cercle de lumière, inébranlable, cou tendu, bouche entrouverte, et ses yeux voraces semblaient se griser de lumières et d'ovations. Il repoussa sa petite-fille d'un coup de coude plutôt rude. « Le secret de ma jeunesse, cria-t-il à tue-tête : j'embrasse toutes les jolies filles. » Une houle d'applaudissements déferla sur la salle, et ce fut à ce moment précis que Sally Poker regarda ses pieds et découvrit que, dans sa précipitation et son énervement, elle avait oublié de changer de chaussures : deux gros souliers marron de cheftaine saillaient sous le bas de sa robe. D'un geste brusque elle tira le général et l'entraîna hors de la scène, presque au pas de course. Il était furieux de n'avoir pu dire sa joie d'assister au gala, et, en regagnant sa place, il ne cessait de clamer : « Je suis heureux d'être à cette Première, avec toutes ces jolies filles », mais une autre personnalité remontait l'allée parallèle et personne ne faisait plus attention à lui. Il dormit d'un bout à l'autre du film avec, de temps à autre, de furieux marmonnements.

Depuis ce gala, rien de saillant ne s'était produit dans sa vie. Ses pieds étaient complètement morts maintenant, ses genoux grinçaient comme de vieux gonds, ses reins fonctionnaient quand bon leur semblait, mais son cœur continuait de battre avec une obstination farouche. Passé et avenir se confondaient dans son esprit, le premier tombé dans l'oubli et l'autre hors de portée de sa mémoire ; mourir n'avait guère plus de sens pour lui que pour un quelconque animal. Tous les ans, le jour du Souvenir des Confédérés, on l'empaquetait et on le prêtait au Musée du Capitole ; il y était exposé entre treize et seize heures, dans une salle qui sentait le moisi, pleine de vieilles photographies, de vieux uniformes, de vieux canons et de documents historiques, le tout soigneusement disposé dans des vitrines pour empêcher les enfants d'y toucher. Il portait son uniforme de général, celui du gala, et restait assis, rigide, le sourcil menaçant, sur une petite plate-forme entourée d'une corde. Rien ne suggérait qu'il fût en vie, sauf, de temps à autre, un mouvement de ses yeux laiteux et gris ; une fois pourtant, un gamin avait touché son épée : son bras s'était détendu et, d'une claque, avait repoussé la main de l'audacieux. Au printemps, quand les vieilles demeures ouvraient leurs portes aux visiteurs de ces lieux historiques, on l'invitait à endosser son uniforme et à s'asseoir à certains endroits bien en vue pour ajouter à la couleur locale. Parfois il se contentait de ronchonner devant les touristes, mais il lui arrivait de parler de sa Première et des jolies filles.

S'il l'avait quittée pour l'autre monde avant que lui fût remis son diplôme, Sally Poker ne doutait pas qu'elle l'eût suivi sans tarder. Au début du trimestre d'été, avant même de savoir si elle réussirait, elle avait informé le doyen que son grand-père, le général Tennessee Flintrock Sash de la Confédération assisterait à la cérémonie, qu'il avait cent quatre ans et tous ses esprits. Les visiteurs de marque étaient toujours les bienvenus et pouvaient prendre place sur l'estrade où on les présentait au public. Elle s'arrangea avec son neveu John Wesley Poker Sash, boy-scout, qui viendrait pousser le fauteuil roulant du général. Qu'il serait touchant de voir le vieil homme avec son valeureux uniforme gris, et le garçon en costume kaki impeccable — « le Passé et le Présent », se disait-elle assez justement ! Ils se tiendraient derrière elle sur la scène quand on lui remettrait son diplôme.

Tout se passa à peu près comme prévu. Le général fut confié à d'autres parents, tandis qu'elle allait suivre son dernier cours d'été à l'Université. On l'y amena le jour de la cérémonie. Un journaliste vint à l'hôtel où ils étaient descendus et photographia le général entre Sally Poker et John Wesley. Le général, qui avait été maintes fois photographié en compagnie de jolies filles, était plutôt déçu. Il ne savait plus exactement à quelle manifestation il allait assister, mais il n'avait point oublié qu'il y porterait l'uniforme et l'épée.

Le matin de la remise des diplômes, Sally Poker devait se joindre, pour le défilé des étudiants, au groupe des institutrices, et il ne lui était pas possible de conduire le général sur la scène : John Wesley, un gros blond d'une dizaine d'années, à l'allure décidée, promit de s'occuper de tout. Elle se rendit en toge à l'hôtel et aida le vieillard à revêtir son uniforme de général. Il était fragile comme une araignée desséchée. « Est-ce que ça ne te fait pas quelque chose papa ? demanda-t-elle. Moi, je suis toute retournée ! »

— Mets-moi cette épée sur les genoux, crénom, dit le vieil homme, là où qu'elle brille. »

Elle obéit, puis recula d'un pas : « Tu es magnifique », dit-elle.

— Bon sang de bon sang, dit le vieil homme d'une voix ferme encore, mais avec une lenteur morose, comme si les battements de son cœur rythmaient ses paroles. Bon sang de bon sang de crénom de bon Dieu !

— Allons, allons ! » dit-elle, et elle partit joyeusement se joindre au cortège.

Les étudiantes étaient alignées derrière le bâtiment des sciences et elle trouva sa place juste au moment où le défilé s'ébranlait. Elle n'avait guère dormi la nuit précédente et, pendant son sommeil intermittent, elle avait rêvé à la cérémonie, en murmurant : « Regardez-le, regardez-le ! » A chaque fois, elle s'était réveillée juste avant de tourner la tête pour le découvrir derrière elle. Les étudiantes devaient longer trois corps de bâtiment, en plein soleil, avec leur toge de laine noire, et elle se disait, en avançant à pas pesants, que si ce défilé universitaire ne manquait pas de grandeur, ça serait bien autre chose lorsqu'on verrait ce vieux général revêtu du valeureux uniforme gris, et ce petit boy-scout en train de pousser le fauteuil avec sa jeune vigueur jusqu'au milieu de l'estrade, et le soleil ferait soudain flamboyer l'épée. Elle songeait qu'à cet instant John Wesley avait amené le vieil homme derrière la scène, à pied d'œuvre.

Le cortège sinueux des toges noires longea les deux

corps de bâtiment, puis s'engagea dans l'allée principale qui menait droit à la salle des fêtes. Les visiteurs, debout sur la pelouse, cherchaient des yeux, dans le cortège, des visages familiers. Les hommes rejetaient leur chapeau en arrière pour s'éponger le front et les femmes soulevaient légèrement leur robe aux épaules pour l'empêcher de coller à leur dos. Les candidates, pliant sous le poids de la toge, semblaient condamnées à exsuder les ultimes résidus de l'ignorance. Le soleil flamboyait sur les pare-chocs des voitures, ricochait sur les colonnes des édifices et contraignait les yeux à zigzaguer entre mille taches éblouissantes. C'est ainsi que le regard de Sally Poker fut attiré par le gros distributeur de coca-cola qui rougeoyait au flanc de la salle des fêtes. C'est là qu'elle aperçut le général dans son fauteuil roulant, parqué en plein soleil, sans couvre-chef, l'air courroucé, cependant que John Wesley, un pan de sa chemise à l'air, hanche et joue collés sur le distributeur rouge, dégustait un coca-cola. Elle sortit du cortège, galopa jusqu'à eux, fit disparaître la bouteille de coca en un tour de main, secoua le boy-scout, enfouit sa chemise dans sa culotte, et couvrit du képi la tête du général. « Maintenant, rentre-le à l'intérieur ! » dit-elle en désignant d'un index sévère la porte latérale de l'édifice.

Cependant, le général avait l'impression qu'un petit trou se formait sur le haut de son crâne, et s'élargissait peu à peu. Le garçon lui fit descendre à toute allure une rampe, en remonta une autre, franchit la porte du bâtiment, et le véhicula avec force cahots jusqu'à la scène, où il plaça le fauteuil roulant dans la position prescrite. Le général regardait droit devant lui les têtes qu'un même courant semblait emporter, les yeux qui passaient d'un visage à un autre. Plusieurs silhouettes en toge noire vinrent lui prendre la main et la lui serrer. Une double procession noire remontait de chaque côté de la salle, venait mêler ses flots en un lac qui s'étalait devant lui, aux accents d'une musique solennelle. Il lui semblait que cette musique lui entrait dans la tête par le petit orifice et il imagina, une seconde, que le cortège allait aussi tenter d'y pénétrer.

Quelle était donc cette procession ? il n'en avait pas la moindre idée et, pourtant, elle avait un petit air familier : rien d'étonnant, puisqu'elle était venue à sa rencontre, mais c'était une procession noire, et cela ne lui plaisait guère. Tous les défilés qui venaient vers lui, se disait-il non sans irritation, eussent dû comporter des chars avec de jolies filles dessus, comme les chars d'avant le Gala. Ce défilé-là, comme tous ceux qu'on faisait maintenant, devait avoir quelque rapport avec l'histoire : il n'éprouvait pour eux qu'indifférence absolue. Ce qui s'était passé jadis était sans intérêt pour un vivant d'aujourd'hui, un vivant comme lui.

Quand la double procession eut achevé de se fondre dans le lac noir, une silhouette noire, elle aussi, lui fit face et se mit à le haranguer. La silhouette discourait sur l'histoire, et le général prit le parti de n'écouter point, mais les mots ne cessaient de s'infiltrer dans sa tête par le petit orifice. Il entendit citer son propre nom : son fauteuil roulant fut brutalement avancé et le boy-scout fit un profond salut. On prononça son nom à voix forte, et le moutard dodu salua encore. « Crénom, essaya de dire le vieil homme, enlève-toi de là, je suis capable de m' lever ! » — mais il fut rejeté dans son fauteuil avant d'avoir eu le temps de se dresser et de saluer. Il supposa que la rumeur qui s'élevait lui était destinée. Puisqu'on en avait fini avec lui, il n'en écouterait pas davantage. Sans ce petit trou au sommet de la tête, aucune de toutes ces paroles ne serait arrivée jusqu'à lui. L'idée lui vint de le boucher avec son doigt pour leur barrer la route, mais le trou était un peu trop large et on eût dit qu'il se creusait.

Une autre robe noire avait remplacé la première et prenait la parole ; une fois de plus, il entendit citer son nom ; pourtant ce n'était pas de lui qu'on parlait, mais d'histoire encore. « Si nous oublions notre passé, disait l'orateur, nous ne nous souviendrons pas de notre avenir, et tant mieux sans doute, car nous n'en aurons pas. » Le général perçut quelques-uns de ces mots, par intervalles. Il avait oublié l'histoire et n'avait pas l'intention de s'en ressouvenir. Il avait oublié le nom et le visage de sa femme et ceux de ses enfants ; oublié même qu'il avait eu femme et enfants ; le nom des lieux et les lieux eux-mêmes, et ce qui s'y était passé, tout s'était effacé de sa mémoire. Ce trou dans la tête, si imprévu, l'ennuyait furieusement. Cette musique lente et noire en était la cause et quoiqu'elle eût presque totalement cessé à l'extérieur du trou, il en stagnait encore un peu au-dedans ; elle s'enfonçait lentement, s'insinuait entre ses pensées, entraînant les mots que ses oreilles entendaient jusqu'aux recoins ténébreux de son cerveau. Il entendit les mots Chickamauga, Shiloh, Johnston, Lee, et il savait que c'était sa personne qui en provoquait l'éclosion, bien qu'ils fussent dénués de toute signification pour lui. Il se demanda s'il avait été général à Chickamauga ou à Lee. Puis il essaya de s'imaginer en cavalier, hissé avec son cheval sur un char plein de jolies filles et traversant lentement le centre d'Atlanta. Mais les vieux mots se mirent à s'agiter dans sa tête comme s'ils tentaient de s'en extirper et de prendre vie.

L'orateur en avait fini avec la première guerre ; il

était passé à la suivante et allait en aborder une troisième, et toutes ses paroles, comme la procession noire, lui étaient vaguement familières et l'irritaient. Il y avait dans la tête du général un long doigt de musique ; comme une sonde, il explorait divers points qui étaient des mots, faisait pénétrer sur eux un peu de lumière, les aidait à vivre. Les mots s'ébranlèrent dans sa direction, et il dit : « Crénom ! ça ne va pas se passer comme ça ! » Il recula de biais pour leur laisser la voie libre. Il vit alors la silhouette en robe noire s'asseoir, et il y eut une rumeur, et le lac noir devant lui se mit à gronder, se scinda en deux bras qui convergeaient vers lui, aux accents de la lente musique noire. Il dit : « Arrêtez, bon sang ! je ne peux faire qu'une chose à la fois ! » Il ne pouvait se mettre à l'abri des mots et s'occuper de la procession en même temps, et les mots fonçaient sur lui maintenant. Il eut conscience de battre une retraite précipitée, et les mots arrivaient sur lui comme des balles de fusil, le manquaient, mais de peu, le frôlaient. Il fit volte-face et se mit à courir de toutes ses forces, pour trouver qu'il se ruait vers les mots. Il se heurta à un vrai feu de salve, et, en se cognant aux balles, il leur jetait de brefs jurons. Alors que la musique s'enflait comme une vague menaçante, tout le passé, surgi du néant, se découvrit devant lui, et son corps fut transpercé par cent coups de poignard déchirants, et il s'effondra en lançant un juron pour chaque coup reçu. Le visage étroit de sa femme lui apparut et, à travers ses lunettes cerclées d'or, elle le scrutait d'un air sévère. Il vit l'un de ses fils, qui était chauve et louchait comme les autres, et sa mère accourait vers lui pleine d'angoisse ; puis les lieux, en colonne par un — Chickamauga, Shiloh, Marthasville — se ruèrent vers lui comme si le passé était maintenant son seul avenir et qu'il dût en subir la souffrance. Il s'aperçut soudain que la procession noire arrivait sur lui. Il la reconnut, car elle avait suivi à la trace, sans répit, la fuite de ses jours. Il fit un effort si désespéré pour voir au-delà, pour découvrir ce qui vient après le passé, que sa main étreignit l'épée jusqu'à ce que la lame touchât l'os.

Les étudiantes traversaient l'avant-scène en une longue file pour recevoir leur parchemin et serrer la main du président. Comme arrivait le tour de Sally Poker, qui se trouvait dans les dernières, elle jeta un coup d'œil dans la direction du général ; elle le vit dans son fauteuil, rigide et farouche, yeux grands ouverts. Rassurée, elle regarda droit devant elle, redressa ostensiblement la tête et reçut son diplôme. La cérémonie achevée, elle sortit de la salle des fêtes et alla rejoindre sa famille ; ils attendirent sur un banc, à l'abri du soleil, que John Wesley leur amenât le vieil homme. L'astucieux boy-scout avait pris la sortie de secours à l'arrière de la scène, avait roulé le fauteuil à toute vitesse sur un passage dallé, et il faisait patiemment la queue, avec le cadavre, devant le distributeur de coca-cola.

Braves gens de la campagne.

Outre l'expression neutre qu'elle prenait lorsqu'elle était seule, Mrs. Freeman en possédait deux autres, l'une en marche avant, l'autre en marche arrière, qu'elle employait dans tous ses rapports avec autrui. La première avait la force irrésistible et tranquille d'un camion lourd sur la route. Ses yeux ne s'égaraient ni à droite ni à gauche, mais suivaient tous les détours de l'histoire jusqu'en son centre, sans dévier jamais de la bande jaune qui y conduisait. Elle utilisait rarement la seconde : il était rare qu'elle dût retirer une affirmation, mais, quand elle ne pouvait faire autrement, son visage semblait marquer un temps d'arrêt, ses yeux noirs bougeaient d'une façon presque imperceptible — on aurait dit qu'ils reculaient — et un observateur attentif se fût aperçu que Mrs. Freeman, bien que présente en chair et en os, n'était plus là en pensée. Quant à lui faire entendre la moindre chose dans ces moments-là, Mrs. Hopewell y avait renoncé. Elle avait beau la submerger de paroles, jamais elle ne consentait à reconnaître qu'elle avait tort. Elle restait muette et si jamais on arrivait à tirer quelques mots d'elle, cela donnait : « J'ai jamais dit que c'était ça, et j'ai jamais dit le contraire »; ou bien ses yeux erraient sur l'étagère de la cuisine, où il y avait un assortiment de bouteilles poussiéreuses, et elle déclarait : « J' vois que vous avez guère touché aux figues que vous avez faites l'été dernier ! »

Les affaires les plus importantes se traitaient dans la cuisine au cours du petit déjeuner. Tous les matins, Mrs. Hopewell se levait à sept heures, allumait son réchaud à gaz et celui de Joy. Joy était sa fille, une grosse blonde avec une jambe artificielle. Bien qu'elle eût trente-deux ans et une instruction très poussée, Mrs. Hopewell la considérait toujours comme une enfant. Joy se levait pendant que sa mère mangeait, gagnait à pas lourds la salle de bains, en faisait claquer la porte, et bientôt Mrs. Freeman paraissait à la porte de derrière. Joy entendait sa mère dire : « Entrez donc ! », et elles parlaient un moment à voix basse, et de la salle de bains on ne saisissait plus rien. Quand Joy arrivait dans la cuisine, elles en avaient habituellement fini avec la température et avaient abordé le chapitre des filles de Mrs. Freeman, Glynese et Carramée. Joy les appelait Glycérine et Caramelle. Glynese avait dix-huit ans, des cheveux roux et force soupirants ; Carramée, la blonde, n'avait que quinze ans, mais était déjà mariée et enceinte. Son estomac refusait de rien garder. Tous les matins, Mrs. Freeman faisait connaître à Mrs. Hopewell le nombre exact de ses nausées depuis le dernier compte rendu.

Mrs. Hopewell aimait à dire aux gens que Glynese et Carramée étaient deux des plus gentilles filles qu'elle connût, que Mrs. Freeman était vraiment *distinguée*, qu'elle-même n'avait jamais honte de l'emmener où que ce fût, ni de la présenter à quiconque. Puis elle racontait comment elle avait choisi les Freeman comme locataires — une vraie aubaine pour elle — elle les avait depuis quatre ans. Si elle les avait gardés si longtemps, c'est qu'ils n'étaient pas des gens minables, mais des braves gens de la campagne. Elle avait téléphoné à l'homme dont ils s'étaient recommandés, lequel avait déclaré que Mr. Freeman était un bon fermier, mais que son épouse était la femme la plus bavarde de la création. « Il faut qu'elle fourre son nez partout, avait-il dit, et si elle n'y arrive pas avant que vous ayez le temps de dire Ouf, vous pouvez parier sans crainte qu'elle est décédée. Elle essayera de se mêler de toutes vos affaires. Lui, c'est un brave type, mais ni ma femme ni moi n'aurions pu supporter sa bonne femme une minute de plus chez nous. » Ce qui avait refroidi Mrs. Hopewell pendant quelques jours.

Finalement elle les avait pris, faute d'autres candidats, mais elle avait mis au point, d'avance, la tactique qu'elle utiliserait pour venir à bout de cette femme. Puisqu'elle était du genre fureteur, Mrs. Hopewell avait décidé que non seulement elle la laisserait se mêler de tout, mais qu'elle pousserait à la roue pour qu'elle le fasse : elle lui abandonnerait toutes les responsabilités, lui confierait toutes ses affaires. Mrs. Hopewell n'avait, quant à elle, aucun travers particulier, mais elle savait si efficacement tirer parti de ceux des autres qu'elle ne remarquait pas l'absence des siens. Elle avait donc engagé les Freeman et les avaient gardés quatre ans.

« Il n'y a pas de perfection dans ce monde » était une des sentences favorites de Mrs. Hopewell. « C'est la vie ! » en était une autre, moins importante pourtant que : « La vérité n'appartient à personne. » C'était à table, en général, qu'elle émettait ces maximes, avec une insistance aimable, comme si elles étaient sa propriété personnelle, et la grosse Joy, dont le visage semblait s'être pétrifié à force de les entendre ressasser, la regardait de biais, avec des yeux d'un bleu glacé, comme qui se serait volontairement infligé la cécité et s'obstinerait à rester aveugle, envers et contre tous.

Lorsque Mrs. Hopewell disait à Mrs. Freeman que c'était la vie, Mrs. Freeman répondait : « C'est ce que je me suis toujours dit. » Personne n'obtenait jamais un résultat quelconque sans qu'elle y fût déjà parvenue. Elle avait l'esprit moins lent que Mr. Freeman. Lorsque Mrs. Hopewell, quelque temps après leur arrivée, lui avait dit avec un clin d'œil : « Vous, vous êtes la roue qui fait tourner la machine ! », Mrs. Freeman avait répondu : « Je sais, j'ai vite fait de saisir. Y a des gens qui comprennent plus vite que d'autres. »

— Nous sommes tous différents les uns des autres, disait Mrs. Hopewell.

— Peut-être pas tous, mais la plupart, concédait Mrs. Freeman.

— Il faut de tout pour faire un monde.

— C'est ce que je me suis toujours dit.

Joy était habituée à ce genre de dialogue pendant le petit déjeuner ; il reprenait au déjeuner et parfois elle y avait droit au cours du dîner. Lorsqu'elles n'avaient pas d'invités, la mère et la fille mangeaient dans la cuisine, c'était plus pratique. Mrs. Freeman trouvait toujours le moyen d'arriver pendant le repas et les regardait finir. L'été, elle se tenait dans l'encadrement de la porte, mais l'hiver elle s'accoudait au réfrigérateur ou à côté du radiateur à gaz, en soulevant discrètement sa robe par-derrière. De temps en temps, elle s'appuyait contre le mur, et sa tête s'inclinait d'un côté sur l'autre. Elle n'était jamais pressée de partir. Tout cela importunait Mrs. Hopewell, mais c'était une femme de patience. Elle comprenait qu'il n'y a pas de perfection dans ce monde, que ces Freeman étaient de braves gens de la campagne, et que, par les temps qui courent, il faut mieux garder de braves paysans comme eux quand on a la chance de mettre la main dessus.

Elle savait par expérience ce que c'était que la « racaille ». Avant les Freeman, elle changeait de locataires une fois par an, en moyenne. Les femmes de ces fermiers n'étaient pas de celles qu'on aime avoir longtemps autour de soi. Mrs. Hopewell, qui était divorcée depuis des années, avait besoin d'une compagnie pour se promener dans la campagne ; lorsqu'elle demandait ce service à Joy, les remarques que sa fille faisait alors étaient en général si malsonnantes, et son visage si buté, que Mrs. Hopewell disait : « Si tu ne veux pas venir de bon cœur, j'aime autant me passer de toi » ; à quoi l'autre répondait, rigide, le cou tendu en avant : « Si tu as besoin de moi, il faut me prendre TELLE QUE JE SUIS. »

Mrs. Hopewell lui pardonnait cette attitude, à cause de la jambe (qui avait été arrachée par un coup de fusil dans un accident de chasse quand Joy avait dix ans). C'était pénible pour une mère de songer que sa fille avait trente-deux ans maintenant, et que depuis plus de vingt ans, elle n'avait qu'une jambe. Elle la considérait toujours comme une enfant : sinon, elle eût souffert le martyre à la pensée que cette malheureuse grosse fille de trente ans et quelques, n'avait jamais fait un pas de danse ni eu des distractions NORMALES. Son vrai prénom était Joy, mais, dès qu'elle était devenue majeure et avait quitté la maison, elle l'avait fait changer légalement. Mrs. Hopewell était certaine qu'elle s'était creusé la tête nuit et jour jusqu'à ce qu'elle découvre le nom le plus laid de toutes les langues. Alors elle avait abandonné le joli nom de Joy, sans en prévenir sa mère : son prénom officiel était maintenant Hulga.

Ce nom évoquait dans l'esprit de Mrs. Hopewell quelque hideux cétacé des mers glaciales. Elle se refusait à le prononcer. Elle continuait de l'appeler Joy et l'autre répondait, mais par pur automatisme.

Hulga s'était habituée à supporter Mrs. Freeman, qui lui évitait les promenades avec sa mère. Même Glynese et Carramée n'étaient pas non plus inutiles, puisqu'elles détournaient d'elle l'attention maternelle. Au début, elle avait pensé qu'elle n'arriverait pas à tolérer Mrs. Freeman, car elle avait découvert qu'on ne pouvait pas la traiter avec des manières un peu rudes. Mrs. Freeman était étrangement susceptible, et il lui arrivait de bouder pendant des jours, sans que la cause de sa mauvaise humeur fût jamais clairement discernable ; par contre, une attaque directe, un regard franchement méchant, une rosserie en pleine figure n'avaient aucun effet sur elle. Un jour, sans prévenir, elle se mit à l'appeler Hulga.

Elle ne le faisait jamais en présence de Mrs. Hopewell qui en eût été offusquée ; mais si par hasard elles se rencontraient hors de la maison elle disait quelque chose et ajoutait Hulga au bout : alors la grosse Joy-Hulga prenait un air mauvais, et rougissait comme si on avait violé son intimité. Ce nom ne regardait qu'elle ; elle l'avait adopté d'abord parce qu'il choquait l'oreille ; puis elle avait été frappée par son pouvoir d'évocation. Hulga devenait l'horrible Vulcain suant à sa fournaise, et vers qui, sans doute, la déesse devait accourir au moindre appel. Elle voyait en ce nom l'acte le plus noble et le plus créateur qu'elle eût accompli. L'une de ses plus grandes victoires, c'était que sa mère n'avait pu faire une Joy de sa personne, mais la plus grande, c'était qu'elle-même, délibérément, s'était muée en Hulga. Néanmoins, le plaisir que prenait Mrs. Freeman à employer ce nom l'irritait. C'était comme si les petits yeux acérés de cette femme avaient pénétré assez loin par-delà son visage pour atteindre quelque réalité secrète. Quelque chose en elle semblait fasciner Mrs. Freeman : un beau jour, Hulga découvrit que c'était sa jambe artificielle. Mrs. Freeman était friande de tout ce qui touchait aux maladies secrètes, aux malformations cachées, aux viols d'enfants. Parmi les maladies, les très longues ou les incurables avaient sa préférence. Hulga avait entendu sa mère relater à Mrs. Freeman les circonstances de l'accident de chasse — la jambe avait été littéralement arrachée, mais la petite fille n'avait perdu connaissance à aucun moment. Mrs. Freeman écoutait chaque fois comme si l'accident eût été tout frais.

Le matin, lorsque Hulga entrait dans la cuisine en clopinant (elle aurait pu marcher sans faire ce bruit affreux, mais elle le faisait parce qu'il répugnait à l'oreille, Mrs. Hopewell en était persuadée), elle leur jetait un coup d'œil rapide et ne disait mot. Mrs. Hopewell avait son kimono rouge et les cheveux en bataille. Elle finissait son petit déjeuner tandis que Mrs. Freeman, accoudée au réfrigérateur, laissait errer son regard sur la table. Hulga se préparait ses œufs à la coque et les surveillait, bras croisés, tournée vers le réchaud; Mrs. Hopewell l'observait avec une sorte de regard indirect qui ricochait de Mrs. Freeman à sa fille; elle se disait que si Joy avait consenti à se surveiller un peu plus, elle ne serait pas si mal. Son visage était acceptable, et un sourire aimable eût pu le mettre en valeur. Mrs. Hopewell affirmait que les personnes qui voyaient les choses sous leur beau côté étaient belles elles-mêmes, presque malgré elles.

Chaque fois qu'elle regardait Joy de cette manière, elle ne pouvait s'empêcher de penser qu'il aurait mieux valu qu'elle n'eût jamais passé sa thèse de doctorat. Ça ne lui avait pas procuré une occasion de plus de sortir dans le monde, et maintenant, son diplôme en main, elle n'avait plus aucun prétexte pour quitter la maison. Mrs. Hopewell estimait que les filles avaient raison de faire des études, qu'ainsi elles prenaient du bon temps ; mais pour Joy seul le travail avait compté. De toute manière, sa santé lui aurait interdit de repartir. Les médecins avaient informé Mrs. Hopewell que, même avec les plus grandes précautions, Joy ne pourrait vivre que jusqu'à quarante-cinq ans : elle avait le cœur malade. Joy avait déclaré sans ambages que, sans son état de santé, elle aurait dit adieu pour toujours aux collines rouges et aux braves campagnards. Elle serait dans une université à faire des cours à des gens intelligents. Mrs. Hopewell se la représentait très bien, tel un épouvantail s'adressant à d'autres épouvantails. Ici, elle tournait toute la journée avec une jupe de six ans d'âge et un chandail jaune orné d'un cow-boy à cheval. Elle trouvait cela drôle ; Mrs. Hopewell trouvait ça stupide et y voyait la preuve qu'elle était restée une enfant. Elle avait une intelligence brillante, mais pas une once de bon sens. On eût dit qu'au fil des ans elle ressemblait de moins en moins aux autres et de plus en plus à elle-même — mal embouchée, bouffie de graisse et myope. Et elle disait des choses si étranges ! N'avait-elle pas jeté un jour à sa propre mère, sans que rien le laissât prévoir, sans motif, en se levant brusquement au milieu du repas, le visage écarlate et la bouche à moitié pleine : « Femme ! est-ce que tu regardes parfois en dedans de toi-même ? Y regardes-tu parfois pour voir CE QUE TU N'ES PAS ? » Puis elle s'était écriée, en se laissant choir sur sa chaise et en fixant son assiette : « Mon Dieu ! Malebranche avait raison : nous ne sommes pas notre lumière. Nous ne sommes pas notre lumière ! » Mrs. Hopewell n'avait pas encore trouvé ce qui lui avait valu pareille algarade. Elle s'était contentée de faire remarquer, en espérant que Joy saisirait l'allusion, qu'un sourire n'avait jamais fait de mal à personne.

Sa fille avait son doctorat en philosophie, et Mrs. Hopewell en était toute désemparée. On pouvait dire « ma fille est infirmière » ou « ma fille est institutrice » ; à la rigueur « ma fille est ingénieur-chimiste », mais non point « ma fille est philosophe ». Ça, c'était quelque chose qui avait disparu avec les Grecs et les Romains. Toute la journée, Joy restait vautrée dans un fauteuil, un livre à la main. Parfois, elle sortait se promener, mais elle n'aimait pas les chiens, les chats, les oiseaux, les fleurs, la nature, ni les jeunes gens. Elle regardait les hommes comme si ses narines avaient senti leur bêtise.

Un jour Mrs. Hopewell avait pris un livre que sa fille venait de poser et, en l'ouvrant au hasard, avait lu : « La science, d'autre part, doit à nouveau affirmer le sérieux de sa démarche et proclamer que seul l'Être la concerne. Le Néant, comment serait-ce autre chose pour la science qu'horreur ou phantasme ? Si la science a raison, alors une chose est certaine : elle veut ignorer le Néant. Telle est, après tout, la méthode strictement scientifique pour aborder le Néant. Nous le savons quand nous souhaitons ne rien savoir du Néant. » Ce mystérieux charabia avait été souligné au crayon bleu ; il produisit sur Mrs. Hopewell l'effet d'une incantation malfaisante. Elle ferma le livre brusquement et sortit de la pièce, le dos glacé.

Ce matin-là, lorsque Joy entra, Mrs. Freeman en avait à Carramée : « Elle a rendu quatre fois après le dîner, dit-elle, et dans la nuit elle s'est levée deux fois après trois heures du matin. Hier, elle n'a rien fait d'autre que de fouiller le tiroir de la commode pour chercher ce qu'elle pourrait bien y trouver.

— Il faut qu'elle mange », marmonna Mrs. Hopewell, en buvant son café à petites gorgées, l'œil fixé sur le dos de Joy qui se préparait ses œufs. Elle se demandait ce que sa fille avait bien pu raconter au vendeur de bibles. Elle n'arrivait pas à imaginer quel genre de conversation elle avait pu lui tenir.

C'était un garçon grand et maigre, sans chapeau, qui était venu la veille essayer de leur vendre une bible. Il était apparu à la porte avec une grosse valise noire qui le faisait tellement pencher de côté qu'il avait dû prendre appui contre le montant de la porte. Il semblait sur le point de s'effondrer, mais il avait jeté gaiement :

— Bonjour, Mrs. Cèdres ! en posant sa valise sur le paillasson. Il avait assez bonne allure, malgré un costume bleu vif et des chaussettes jaunes en accordéon. Ses pommettes étaient saillantes et une mèche de cheveux d'aspect poisseux lui barrait le front.

— Je suis Mrs. Hopewell, dit-elle.

— Oh, avait-il dit en feignant l'embarras, mais avec des yeux pétillants, j'ai lu « Les Cèdres » sur la boîte aux lettres, alors j'ai cru que vous vous appeliez Cèdres, et il eut un rire plaisant. Il reprit la valise, et fit une embardée dans le vestibule comme s'il allait la lâcher : la valise avançait la première, et l'entraînait par saccades successives. « Mrs. Hopewell, dit-il en lui saisissant la main, j'espère que vous êtes AU POIL ! » et il éclata d'un rire sonore. Puis son visage devint soudain sérieux ; il la regarda dans les yeux gravement, en silence : « Madame, je suis venu pour vous parler de choses sérieuses.

— Alors, entrez », lui dit-elle, pas très contente parce que son déjeuner allait être prêt. Il entra dans le salon, s'assit sur le bord d'une chaise, posa sa valise entre ses jambes, et jeta un regard circulaire sur la pièce, comme si cet examen lui permettait d'apprécier Mrs. Hopewell elle-même. L'argenterie brillait sur les deux buffets : elle en conclut que jamais il n'avait pénétré dans un salon d'aussi bon goût que celui-ci.

— Mrs. Hopewell, commença-t-il, d'une voix où il mettait comme de l'intimité, je sais que vous croyez à la charité chrétienne.

— Eh bien ! oui, murmura-t-elle.

— Je sais, dit-il — il prit un air profond et s'arrêta — je sais que vous êtes une femme de bien. Des amis me l'ont dit.

Mrs. Hopewell n'aimait pas qu'on se payât sa tête. « Qu'est-ce que vous vendez ? demanda-t-elle.

— Des bibles », dit le jeune homme ; ses yeux firent vivement le tour de la pièce et il ajouta : « Je vois que vous n'avez pas de Bible familiale dans votre salon — c'est la seule chose qui y manque. »

Mrs. Hopewell ne pouvait lui avouer qu'elle avait une fille athée qui ne voulait pas voir la Bible dans le salon. « Ma Bible est à mon chevet », déclara-t-elle un peu sèchement. Ce n'était pas vrai. Elle était quelque part dans le grenier.

— Madame, dit-il, la parole de Dieu devrait être dans le salon.

— C'est affaire de goût, commença-t-elle. A mon avis...

— Madame, dit-il, pour un chrétien, la parole de Dieu devrait être dans chaque pièce de la maison et bien sûr dans son cœur. Je sais que vous êtes chrétienne, je l' vois à chaque trait de votre visage.

Elle se leva : « Jeune homme, je ne veux pas acheter de bible, et je sens mon déjeuner qui brûle. »

Il ne se leva pas. Il se mit à se pétrir les mains et dit doucement, les yeux baissés : « Eh bien, madame, je vais vous avouer la vérité. Y a peu de gens aujourd'hui qui veulent acheter des bibles et en plus de ça je suis pas dégourdi, je sais pas y faire. Je sais pas comment dire les choses, j' suis un paysan. » Il leva les yeux vers son visage fermé. « Des gens comme vous n'aiment pas perdre leur temps avec des campagnards comme moi. »

— Quoi ! s'écria-t-elle, les braves paysans de la campagne sont le sel de la terre ! et puis, chacun a sa façon de faire, et il faut de tout pour faire marcher le monde. C'est la vie !

— Vous êtes bien trop aimable, dit-il.

— C'est que je pense qu'il n'y a pas assez de bons paysans de par le monde, dit-elle, émue. Je crois que c'est pour ça que ça ne va pas. »

Il dit, radieux : « Je m' suis pas présenté. Je suis Manley Pointer, des environs de Willohobie, je peux pas dire mieux, c'est en plein bled.

— Attendez un instant, dit-elle, il faut que j'aille jeter un coup d'œil à mon déjeuner.

Elle se dirigea vers la cuisine et rencontra Joy près de la porte, d'où elle avait tout écouté. « Envoie promener le sel de la terre et mangeons », dit-elle. Mrs. Hopewell lui jeta un regard contristé et baissa le feu sous ses légumes. « MOI, je ne peux pas être grossière avec le monde », lui jeta-t-elle à voix basse et elle retourna dans le salon. Il avait ouvert sa valise et avait une bible sur chaque genou.

— Vous feriez mieux de les rentrer, lui dit-elle, je n'en veux pas.

— J'apprécie votre honnêteté, déclara-t-il. On ne rencontre plus de gens honnêtes qu'au fin fond de la campagne.

— Je sais, dit-elle, chez les vrais paysans. » Par la fente de la porte, elle perçut comme un grognement.

— J' suppose que beaucoup de garçons viennent vous raconter qu'ils sont étudiants, mais moi je vous dirai pas ça. En fait, je n' veux pas aller à l'Université. Je veux consacrer ma vie au service de la Foi. Vous voyez, dit-il en baissant la voix, j'ai le cœur fatigué. Il se peut que je vive pas bien longtemps. Quand on sait qu'on n'est pas solide et qu'on peut mourir jeune, alors, madame... Il s'arrêta la bouche ouverte, et la regarda longuement.

Il avait la même maladie que Joy ! Elle sentit ses yeux s'emplir de larmes mais elle se domina et dit : « Voulez-vous rester déjeuner ? ça nous ferait plaisir », et le regretta aussitôt.

— Oui, madame, balbutia-t-il, l'air stupéfait. Pour sûr que j' veux bien ! »

Joy lui avait jeté un vague coup d'œil lors des présentations, puis l'avait ignoré pendant tout le repas. Il s'était adressé à elle, plusieurs fois, mais elle avait feint de ne pas l'entendre. Mrs. Hopewell ne pouvait comprendre l'impolitesse préméditée, bien qu'elle eût à la subir chaque jour, et elle se sentait toujours obligée d'afficher une hospitalité débordante pour compenser le manque de courtoisie de Joy. Elle le pria de parler de lui, ce qu'il fit. Il dit qu'il était le septième enfant d'une famille de douze. A huit ans, il était devenu orphelin : son père avait été écrasé par un arbre, et d'une façon affreuse, presque coupé en deux, méconnaissable. Sa mère s'était débrouillée de son mieux, avait travaillé dur et toujours veillé à ce que ses enfants aillent à l'école du dimanche, et qu'ils lisent la Bible tous les soirs. Il avait dix-neuf ans maintenant et vendait des bibles depuis quatre mois. Il en avait vendu soixante-dix-sept jusqu'à ce jour et avait la perspective d'en vendre deux autres. Il voulait devenir missionnaire : à son avis, c'était ainsi qu'on pouvait faire le maximum pour les gens. « Celui qui a perdu sa vie la trouvera », dit-il simplement, et il était si sincère, si spontané, si sérieux, que Mrs. Hopewell n'aurait souri pour rien au monde. Il empêchait ses petits pois de rouler sur la table en les arrêtant avec un morceau de pain, dont il se servait ensuite pour nettoyer son assiette. Elle s'aperçut que Joy observait à la dérobée comment il tenait son couteau et sa fourchette ; elle remarqua aussi que le garçon lançait fréquemment à Joy des regards expressifs, comme s'il avait essayé d'attirer son attention.

Après le déjeuner, Joy desservit, puis disparut, et Mrs. Hopewell resta seule avec lui. Il lui reparla de son enfance, de l'accident de son père et de bien d'autres événements. Toutes les cinq minutes, elle étouffait un bâillement. Il resta assis deux heures jusqu'à ce qu'elle finisse par lui dire qu'elle avait un rendez-vous en ville et devait s'en aller. Il emballa ses bibles, la remercia, mais, sur le pas de la porte, il s'arrêta, lui étreignit la main, en déclarant que, dans aucune de ses tournées, il n'avait rencontré de dame aussi gentille qu'elle et il lui demanda s'il pourrait revenir. Elle avait répondu qu'elle serait toujours heureuse de le voir.

Lorsqu'il sortit, Joy était sur le chemin et semblait regarder quelque objet lointain. Il se dirigea vers elle, penchant toujours sous le poids de sa valise. Il s'arrêta et l'aborda. Mrs. Hopewell ne put entendre ce qu'il disait, mais elle frémit en pensant à ce que Joy allait lui répondre. Un instant après, c'était Joy qui parlait ; puis ce fut le tour du jeune homme qui fit un geste vif de la main. Et le dialogue continua. A sa stupéfaction, Mrs. Hopewell les vit s'éloigner ensemble et ils allèrent jusqu'à la grille. Mrs. Hopewell n'arrivait pas à imaginer ce qu'ils avaient pu se dire, et jusqu'à cette heure, elle n'avait osé le demander à Joy.

Mrs. Freeman, depuis un moment, essayait de capter l'attention de Mrs. Hopewell. Elle avait fait mouvement du réfrigérateur jusqu'au radiateur, si bien que Mrs. Hopewell dut se tourner vers elle pour lui donner l'impression qu'elle l'écoutait : « Glynese est encore sortie avec Harvey Hill hier soir, dit-elle ; elle a un orgelet. »

— Hill, dit Mrs. Hopewell distraitement, c'est bien celui qui travaille au garage ?

— Non, c'est celui qu'étudie pour être chiraprocteur, dit Mrs. Freeman. Elle avait cet orgelet, elle était après depuis deux jours. C'est ce qu'elle lui a dit lorsqu'il l'a raccompagnée l'aut' soir et il a dit : « Si tu veux, j'vas t'en débarrasser. — Comment ? qu'elle lui a dit. — T'as qu'à t'allonger sur la banquette de la voiture, qu'il lui a dit, et tu verras bien. » C'est ce qu'elle a fait, et il lui a trituré le cou. Plusieurs fois, et allez donc, jusqu'à ce qu'elle lui dise qu' ça suffisait.

Ce matin, elle n'avait plus d'orgelet. Y a plus trace d'orgelet.

— C'est la première fois que j'entends parler d'une chose pareille, dit Mrs. Hopewell.

— Il lui a demandé de l'épouser à la mairerie, continua Mrs. Freeman, et elle lui a dit qu'elle se marierait pas ailleurs qu'à l'église.

— Glynese est une gentille fille, dit Mrs. Hopewell. Glynese et Carramée sont toutes les deux de gentilles filles.

— Carramée a dit que lorsqu'elle s'est mariée avec Lyman, Lyman avait dit que bien sûr un mariage ça lui semblait sacré. Elle a dit qu'il avait dit qu'il voulait pas dépenser cinq cents dollars pour être marié par un curé.

— Combien voulait-il mettre ? demanda Joy, à côté de son réchaud.

— Il a dit qu'il voulait pas mettre cinq cents dollars, répéta Mrs. Freeman.

— Allons, nous avons toutes notre travail à faire, intervint Mrs. Hopewell.

— Lyman a dit qu'avec le curé ça lui semblait un tantinet plus sacré, dit Mrs. Freeman. Le docteur veut que Carramée mange des pruneaux à la place de médicaments. Il dit qu' ses crampes viennent de la pression. Vous savez pas où que j' crois que c'est placé ?

— Dans quelques semaines elle ira mieux, dit Mrs. Hopewell.

— C'est dans le conduit, dit Mrs. Freeman. Sinon elle vomirait pas comme ça. »

Hulga avait cassé ses deux œufs dans une petite assiette et les apportait sur la table avec une tasse de café qui débordait. Elle s'assit avec précaution, et se mit à manger, avec l'intention de poser des questions à Mrs. Freeman pour la retenir, au cas où elle manifesterait le désir de partir. Elle sentait que sa mère ne la quittait pas des yeux. La première question qu'elle allait jeter dans la conversation porterait sur le vendeur de bibles et elle n'avait pas envie qu'on mît le sujet sur le tapis. « Comment lui a-t-il trituré le cou ? » demanda-t-elle.

Mrs. Freeman décrivit l'opération, puis elle dit qu'il avait une Mercury 55, mais que Glynese avait dit qu'elle aimerait mieux épouser un homme qu'aurait qu'une Plymouth 36, mais qui voudrait se marier à l'église. Joy demanda ce qui se passerait s'il avait une Plymouth 32 et Mrs. Freeman répéta que Glynese avait bien dit que c'était une Plymouth 36.

Mrs. Hopewell affirma que les filles qui avaient le bon sens de Glynese étaient rares. Ce qu'elle admirait chez ces deux filles, c'était leur bon sens. Elle ajouta que cela lui rappelait que la veille elles avaient eu la visite d'un brave garçon qui vendait des bibles. « Grand Dieu ! dit-elle, ce qu'il a pu m'ennuyer, mais il était si sincère et si franc que je ne pouvais pas être malpolie avec lui. C'était un brave campagnard, vous voyez le genre, le sel de la terre.

— J' l'ai vu arriver, dit Mrs. Freeman, et plus tard, j' l'ai vu repartir. » Hulga sentit une légère altération de sa voix, une légère insinuation — il n'était pas reparti seul, n'est-ce pas ? Son visage ne trahit aucune émotion, mais le rouge lui monta le long du cou, et elle le fit redescendre, sembla-t-il, avec la cuillerée d'œuf qu'elle avala sur-le-champ. Mrs. Freeman la regardait comme s'il y avait eu un secret entre elles.

— Bah ! il faut de tout pour faire un monde, dit

Mrs. Hopewell. C'est une bonne chose que nous ne soyons pas tous pareils.

— Y a des gens qui se ressemblent plus que d'autres, dit Mrs. Freeman.

Hulga se leva et sortit en claudiquant et en faisant deux fois plus de bruit que d'habitude. Elle rentra dans sa chambre et s'y enferma à clef. Elle devait retrouver le vendeur de bibles à dix heures, près de la grille.

Elle y avait pensé la moitié de la nuit. D'abord, elle avait pris la chose comme une grosse plaisanterie, puis elle y avait peu à peu décelé des virtualités autrement riches de sens. Allongée dans son lit, elle avait imaginé un dialogue qui, en surface, serait absurde, mais qui atteindrait dans sa vérité à des profondeurs qu'aucun vendeur de bibles n'eût pu soupçonner : telle avait été leur conversation de la veille.

Il s'était arrêté devant elle, et était resté là, sans bouger. Son visage était anguleux, luisant de sueur, avec un petit nez pointu au milieu, et son regard n'était pas le même qu'à table. Il la regardait avec une curiosité non dissimulée, comme fasciné, tel un enfant devant un animal extraordinaire nouvellement débarqué au Zoo, et il respirait comme s'il venait de courir un long moment pour arriver jusqu'à elle. Ce regard ne lui était pas inconnu, sans qu'elle parvînt à se souvenir où et quand on l'avait regardée ainsi. Pendant près d'une minute, il n'avait rien dit. Puis, après une brusque inspiration, il lui demanda à mi-voix : « Avez-vous déjà mangé un poulet de deux jours ? » Elle lui lança un regard glacial. Il aurait pu tout aussi bien soumettre cette question à l'attention d'une association philosophique. « Oui », répondit-elle, comme si elle eût retourné le problème sous toutes ses coutures.

— Il devait être drôlement petit », s'exclama-t-il d'un air triomphant, et il fut secoué de petits rires nerveux, tandis que son visage s'empourprait — mais il n'y resta plus bientôt que la lumière d'un regard empreint d'une admiration sans réserve. Joy demeurait impassible.

— Quel âge avez-vous ? demanda-t-il doucement. Elle attendit un peu avant de répondre puis, d'une voix neutre, elle dit : « J'ai dix-sept ans. »

Les sourires du garçon se succédèrent comme des ondes d'éphémères vaguelettes à la surface d'un petit lac. « Je vois que vous avez une jambe de bois, dit-il. Je trouve que vous avez beaucoup de courage. Je vous trouve très gentille. »

Elle demeura silencieuse, le visage fermé. « Accompagnez-moi jusqu'à la grille, dit-il. Vous êtes gentille et bien courageuse et vous m'avez plu à l'instant que j' vous ai vue passer la porte. »

Elle fit quelques pas avec lui.

— Comment vous appelez-vous ? demanda-t-il en souriant au-dessus de sa tête.

— Hulga, dit-elle.

— Hulga, murmura-t-il. Hulga, Hulga, c'est la première fois que j'entends ce nom-là. Vous êtes timide, n'est-ce pas, Hulga ? demanda-t-il.

Elle lui fit signe que oui, et ses yeux considéraient la grande main rouge sur la poignée de l'énorme valise.

— J'aime les filles qu'ont des lunettes, dit-il. Je réfléchis beaucoup. Je n' suis pas comme certains à qui jamais une pensée sérieuse entre dans la tête. C'est parce que je peux mourir bientôt...

— Moi aussi, dit-elle soudain, en levant les yeux

vers lui. Il avait de petits yeux marron qui brillaient d'un éclat fiévreux.

— Écoutez, dit-il, ne croyez-vous pas que certaines personnes doivent se rencontrer, à cause de tout ce qu'elles ont en commun ? comme par exemple qu'elles ont toutes les deux des pensées sérieuses ?

Il changea sa valise de côté, libérant ainsi la main qui était contre elle. Il lui prit le coude et le secoua un peu. « Je n' travaille pas l' samedi. J'aime marcher dans les bois et dans les collines, voir quels habits a pris mère Nature. J'aime les pique-niques et le reste. Voudriez-vous qu'on aille pique-niquer demain ? Dites oui, Hulga ! », et il lui jeta un regard défaillant, comme s'il sentait que toutes ses entrailles allaient l'abandonner. Il avait même paru osciller, s'incliner lentement de son côté.

Pendant la nuit, elle avait imaginé qu'elle le séduisait : ils traversaient, côte à côte, les deux champs derrière la maison, arrivaient à la grange, et là on atteignait vite le point crucial. Elle n'avait aucun mal à le séduire; après quoi, il fallait s'occuper de son remords. Mais le vrai génie peut faire pénétrer une idée jusque dans un intellect débile. Elle imagina donc qu'elle prenait en charge son remords, le transmuait en une compréhension plus profonde de la vie. Elle assumait toute sa honte et la transformait en quelque chose d'utile.

A dix heures juste, elle se dirigea vers la grille sans attirer l'attention de Mrs. Hopewell. Elle n'emportait rien à manger, oubliant que c'est pourtant là l'objet principal des pique-niques. Elle avait un pantalon et une chemisette blanche assez sale : à la réflexion, elle avait mis un peu de désodorisant sur le col, à défaut de parfum. Lorsqu'elle arriva à la grille, il n'y avait personne.

Elle regarda des deux côtés de la route et eut l'impression irritante qu'on la faisait marcher : il avait tout simplement voulu la faire venir à cette grille, rien de plus. Mais soudain il surgit, immense, de derrière un buisson du talus d'en face. Avec un sourire, il souleva son chapeau, un chapeau neuf, large de bord. Il ne l'avait pas la veille, et elle se demanda s'il ne l'avait pas acheté pour leur rencontre. C'était un chapeau de teinte biscotte, ceint d'un ruban rouge et blanc, et il semblait un peu trop grand pour lui. Il sortit du buisson, la même valise noire à la main. Il avait le même costume et ses chaussettes jaunes vrillaient toujours. Il traversa la route et dit : « Je savais que vous viendriez ! »

Elle se demanda, un peu piquée au vif, comment il pouvait bien le savoir. Elle montra du doigt la valise et dit : « Pourquoi avez-vous apporté vos bibles ? »

Il la prit par le bras, sans cesser de sourire. « On n' sait jamais à quel moment on peut avoir besoin de la parole de Dieu, Hulga », dit-il. Un instant, elle eut l'impression d'être dans un rêve. Ils entreprirent de gravir le talus, descendirent dans le pré, et se dirigèrent vers les bois. Le jeune homme marchait à son côté d'un pas élastique. Aujourd'hui, la valise n'avait pas l'air lourde ; il la balançait même par instants. Ils traversèrent la moitié du pré sans rien se dire, puis, sans plus de façon, il lui mit la main au creux des reins et demanda doucement : « Où c'est que s'attache votre jambe de bois ? »

Elle rougit affreusement et lui lança un regard furieux ; une longue minute, il parut décontenancé. « J' pensais pas à mal, dit-il. J' voulais seulement dire que vous êtes courageuse et tout et tout. J' suis certain que Dieu vous a en sa garde. »

— Non, dit-elle, en accélérant le pas. Je ne crois même pas en Dieu. » Il s'arrêta net et siffla admirativement : « Non ! » s'écria-t-il, comme trop stupéfait pour dire autre chose.

Elle avait poursuivi sa route. Il la rejoignit bientôt et, tout en marchant auprès d'elle, il s'éventait avec son chapeau. « C'est très rare chez une fille », remarqua-t-il, et il la regarda du coin de l'œil. Lorsqu'ils furent à la lisière du bois, il lui remit la main sur les reins, l'attira vers lui sans un mot et l'embrassa fougueusement.

Le baiser, plus remarquable par la force de sa pression que par le sentiment qu'il ne contenait pas, produisit chez Hulga cette montée subite d'adrénaline qui permet à quiconque de sortir une malle pleine d'une maison en feu ; chez elle, cette force libérée se porta immédiatement au cerveau. Avant même qu'il eût desserré son étreinte, son esprit clair, détaché, et en tout cas ironique, avait pris du champ, et considérait le partenaire avec amusement, mais aussi avec pitié. C'était la première fois qu'on l'embrassait, et elle était heureuse de découvrir que c'était une expérience fort ordinaire, tout se réduisant à une affaire de maîtrise intellectuelle. Certaines personnes boiraient avec délice de l'eau d'égout si on leur disait que c'était de la vodka. Lorsque, plein d'espérance et d'hésitation, le jeune homme la repoussa doucement, elle se détourna et reprit sa marche sans rien dire, comme si c'était là chose assez habituelle pour elle.

Il la rattrapa en haletant ; il essayait de l'aider lorsqu'il voyait une racine où elle risquait de trébucher. Il saisissait et écartait devant son passage les longues et souples tiges épineuses.

Elle marchait la première, et il la suivait en soufflant. Ils débouchèrent sur le flanc d'une colline ensoleillée qui s'incurvait vers une autre colline plus petite. Ils apercevaient plus loin le toit rouillé de la vieille grange où l'on emmagasinait le foin en excédent.

La colline était parsemée de petites herbes roses. « Alors vous n'êtes pas sauvée », demanda-t-il à brûle-pourpoint et il s'arrêta.

Hulga sourit. C'était bien la première fois qu'elle lui souriait. « Dans mon système à moi, dit-elle, je suis sauvée et vous êtes damné, mais je vous ai dit que je ne croyais pas en Dieu. »

Le regard du jeune homme semblait toujours aussi plein d'admiration. Il la considérait maintenant comme si l'animal extraordinaire du Zoo avait passé la patte par les barreaux et lui avait fait une caresse. Elle devina qu'il désirait l'embrasser encore, et elle reprit sa marche sans lui laisser le temps d'esquisser un geste.

— N'y a-t-il pas un endroit où on pourrait s'asseoir, murmura-t-il, sa voix devenant plus tendre vers la fin de la phrase.

— Dans la grange, dit-elle.

Ils s'y dirigèrent rapidement, comme si la bâtisse allait se mettre en marche comme un train et disparaître. C'était une vaste grange avec un grenier, pleine d'ombre et de fraîcheur. Le jeune homme montra l'échelle qui permettait d'accéder au grenier, et dit : « C'est dommage qu'on puisse pas monter là-haut. »

— Pourquoi pas ? demanda-t-elle.

— Vot' jambe, dit-il courtoisement.

Elle lui lança un regard assez méprisant, empoigna des deux mains l'échelle et grimpa — lui restait sur place, partagé entre l'effroi et l'admiration. Elle se glissa avec dextérité par la trappe, et d'en haut lui jeta : « Alors, qu'attendez-vous ? » et il se mit à grimper avec sa valise, non sans mal.

— Nous n'aurons pas besoin de la Bible, remarqua-t-elle.

— On n' sait jamais », dit-il, à bout de souffle. Quand il fut arrivé près d'elle, il respira profondément. Elle s'était assise sur une botte de paille. Une large coulée de soleil chargée de poussières arrivait obliquement sur elle. Elle s'étendit sur la botte, les yeux tournés vers l'ouverture de la grange par où on lançait le foin des chariots. Les deux coteaux mouchetés de rose s'appuyaient sur l'ombre d'une crête boisée. Le ciel était d'un bleu froid et limpide. Le jeune homme se laissa tomber près d'elle, passa un bras sous elle et l'autre par-dessus, et se mit à lui couvrir le visage de baisers méthodiques en faisant des petits bruits de poisson. Il n'avait pas quitté son chapeau ; il l'avait seulement rejeté en arrière, pour qu'il ne le gêne pas. Par contre, quand il fut gêné par les lunettes d'Hulga, il les lui retira et les glissa dans sa poche.

Au début elle ne lui rendit aucun de ses baisers, mais bientôt elle s'y hasarda, et après quelques baisers sur la joue, elle chercha ses lèvres, les trouva et ne les lâcha plus, comme si elle eût essayé de le vider de tout son souffle. Il avait l'haleine fraîche et douce comme celle d'un enfant et ses baisers avaient le moelleux des lèvres enfantines. Entre deux baisers il tentait de dire qu'il l'aimait, qu'il l'avait su dès qu'il l'avait vue — mais on eût dit les paroles incohérentes et assoupies d'un enfant que sa mère berce pour l'endormir.

Cependant l'esprit d'Hulga fonctionnait toujours et, pas une seconde, il ne se laissa gagner par son émoi. « Vous m'avez pas dit, chuchota-t-il, que vous m'aimez. » Puis, s'écartant d'elle : « Il faut qu' vous le disiez. »

Elle détacha ses yeux du jeune homme et les laissa errer dans le ciel vide, puis sur la crête noire, puis, plus bas, sur ce qui lui sembla être deux lacs verts aux eaux agitées. Elle ne s'était pas rendu compte qu'il lui avait pris ses lunettes, mais il eût été surprenant que ce paysage lui parût extraordinaire, car elle n'accordait qu'une attention distraite aux lieux qui l'entouraient.

— Il faut qu' vous le disiez, répéta-t-il, il faut qu' vous disiez qu' vous m'aimez.

Elle ne s'engageait jamais qu'avec une prudence extrême. « En un sens, commença-t-elle, si l'on prend ce mot dans son acception la plus large, il ne serait pas inexact. Mais ce n'est pas un mot que j'emploie. Je n'ai pas d'illusions. Je suis de ceux dont le regard perce les apparences et va jusqu'au néant. »

Le jeune homme fronça les sourcils. « Il faut qu' vous le disiez. Moi j' l'ai dit, et il faut que *vous* le disiez aussi », insista-t-il.

Elle le regarda avec une sorte de tendresse. « Pauvre petit, murmura-t-elle, il vaut mieux que vous ne compreniez pas » et, lui emprisonnant le cou, elle l'attira sur elle. « Nous sommes tous damnés, dit-elle, mais quelques-uns d'entre nous ont arraché leurs œillères et voient qu'il n'y a rien à voir. C'est une espèce de salut. »

Les yeux stupéfaits du garçon regardaient sans les voir les mèches de ses cheveux. « O.K., dit-il d'une voix pleurnicharde. Mais est-ce que vous m'aimez, oui ou non ?

— Oui », dit-elle, et elle ajouta : « En un sens. Mais il faut que je vous dise quelque chose. Tout doit être clair entre nous. » Elle lui souleva la tête et le regarda dans les yeux. « J'ai trente ans, dit-elle, et pas mal de titres universitaires. »

Le jeune homme avait l'air irrité, mais tout aussi obstiné. « Ça m'est égal, dit-il, tout c' que vous avez m'est égal. Je veux simplement savoir si oui ou non vous m'aimez », et il l'attira brutalement contre lui et lui laboura le visage de baisers jusqu'à ce qu'elle dise : « Oui. Oui. »

— O.K., dit-il en la libérant. Prouvez-le. »

Elle sourit en regardant rêveusement le paysage illusoire. Elle l'avait séduit sans même s'être résolue à tenter l'expérience. « Comment ? » demanda-t-elle, en sentant qu'il importait de gagner un peu de temps.

Il se pencha sur elle et approcha ses lèvres de son oreille : « Montrez-moi là où que vous attachez votre jambe de bois », chuchota-t-il.

Hulga poussa un petit cri aigu et toute couleur se retira de son visage. L'obscénité de la proposition n'était pas ce qui la choquait. Enfant, elle avait eu des moments de pudeur, mais ses longues études en avaient fait disparaître jusqu'aux ultimes traces, comme un bon chirurgien gratte les ramifications d'un cancer. Ce qu'il lui demandait ne l'eût nullement offusquée. Mais, dès qu'il s'agissait de sa jambe de bois, elle avait la susceptibilité du paon pour sa queue. Personne d'autre qu'elle ne la touchait. Elle en prenait soin comme d'autres de leur âme, en secret, et presque en détournant les yeux. « Non », dit-elle.

— Je l' savais, marmonna-t-il, soudain dressé sur son séant. Vous m' prenez pour un nigaud.

— Oh non, non! s'écria-t-elle, elle s'attache au

genou. Seulement au genou. Pourquoi voulez-vous la voir ?

Le regard du jeune homme la pénétra : « Parce que, dit-il, c'est elle qui vous rend différente. Vous n'êtes pas comme les autres. »

Elle était assise et l'observait, surprise, et rien sur son visage ni dans ses yeux glacés ne trahissait aucune émotion ; pourtant, elle avait l'impression que son cœur s'était arrêté et qu'il abandonnait à son esprit le soin de pomper son sang. Elle se dit que pour la première fois de sa vie elle se trouvait en présence d'une authentique innocence. Ce garçon, avec un instinct plus profond que toute sagesse, avait mis le doigt sur sa vérité à elle. Lorsqu'un instant après elle lui dit d'une voix forte et rauque : « Très bien ! » c'était comme si elle se livrait complètement à lui, comme si elle perdait sa propre vie pour la retrouver en lui, miraculeusement.

Très doucement, il entreprit de retrousser la jambe de son pantalon. Le membre artificiel, couvert d'une chaussette blanche et muni d'une chaussure marron à semelle plate, était entouré d'un tissu épais semblable à de la toile, et se terminait par un crochet affreux qui la maintenait au moignon. Alors qu'il défaisait cette enveloppe, le visage du garçon était empreint d'un profond respect, et il dit gravement : « Maintenant, montrez-moi comment elle s'enlève et comment on la remet. »

Elle l'enleva et la remit ; puis il l'enleva à son tour et la tint aussi tendrement qu'une jambe de chair.

— Regardez, dit-il, avec un visage d'enfant ravi, maintenant, je sais le faire tout seul.

— Remettez-la, dit-elle. Elle venait de penser qu'elle s'enfuirait avec lui, que tous les soirs il retirerait la jambe et la lui remettrait au matin. « Remettez-la », répéta-t-elle.

— Pas encore, murmura-t-il, en la posant toute droite sur le parquet hors de sa portée. Vous pouvez bien vous en passer un moment. C'est moi qui vais la remplacer. »

Elle poussa un petit cri d'effroi, mais il la renversa et se remit à l'embrasser. Sans sa jambe, elle se sentait entièrement à sa merci, et son esprit semblait s'être définitivement arrêté de penser, pour se livrer à quelque autre fonction, où il n'était guère efficace. Sur son visage, des émotions tumultueuses se succédaient à un rythme échevelé. Parfois le garçon dont les yeux étaient acérés comme des flèches d'acier, tournait la tête et regardait la jambe. Enfin elle le repoussa d'elle : « Maintenant, remettez-moi ma jambe », dit-elle.

— Attendez », répondit-il. Il se pencha de l'autre côté, tira la valise à lui, puis l'ouvrit. Elle avait une doublure bleu pâle et mouchetée, et ne contenait que deux bibles. Il en prit une et en ouvrit la couverture. Elle était creuse et contenait une petite bouteille de whisky, un paquet de cartes et une petite boîte avec des mots imprimés sur le couvercle. Il posa les trois objets devant elle, les aligna à intervalles réguliers comme des offrandes devant l'autel d'une déesse. Il lui mit la boîte bleue dans la main. *Produit à n'employer que pour prévenir les maladies,* lut-elle et elle laissa tomber la boîte. Le jeune homme débouchait la bouteille. Il s'arrêta et avec un sourire lui montra le paquet de cartes. Ce n'était pas un jeu ordinaire car au dos de chaque carte il y avait une gravure pornographique. « Une petite gorgée ? » proposa-t-il en lui tendant la bouteille. Il la tenait devant elle, mais, comme hypnotisée, elle ne fit pas le moindre geste.

Alors elle lui parla d'une voix implorante : « N'êtes-vous pas, murmura-t-elle, n'êtes-vous pas tout bonnement un brave paysan ? »

Le garçon redressa la tête. Il avait l'air de soupçonner que c'était une insulte. « Ouais, dit-il les lèvres plissées, mais c'est pas ce qui me donne des complexes. Je vous vaux bien, d'un bout de l'année à l'autre. »

— Rendez-moi ma jambe, dit-elle.

Du pied, il l'éloigna d'Hulga. « Allons-y maintenant, on va s'amuser ferme, dit-il d'une voix câline. On se connaît pas trop bien encore... »

— Donnez-moi ma jambe, cria-t-elle en se penchant brusquement pour la saisir, mais, sans peine, il rejeta Hulga sur la botte de foin.

— Qu'est-ce qui vous prend tout d'un coup ? demanda-t-il d'un air méchant, et il reboucha la bouteille et la remit prestement dans la bible. « Y a un instant, vous disiez que vous croyiez en rien. J' pensais que vous étiez une fille bien ! »

Elle était rouge de colère. « Vous êtes chrétien ! lui jeta-t-elle avec mépris. Un joli chrétien ! vous êtes comme tous les autres. Vous dites une chose et vous en faites une autre. Vous êtes un vrai chrétien, vous... »

La bouche du garçon se crispa : « J'espère bien que vous n' pensez pas, dit-il avec une noble indignation, que j' crois en ces balivernes ! Bien sûr, j' vends des bibles, mais j' sais de quoi il retourne, j' suis pas né d'hier. J' sais très bien où que j' mène ma barque.

— Donnez-moi ma jambe », hurla-t-elle. Il se leva d'un bond, et, en un éclair, ramassa le jeu de cartes, la boîte bleue, les jeta dans la Bible et celle-ci dans la valise. Puis il empoigna la jambe, et elle l'aperçut une seconde qui gisait piteusement en travers de la valise, une bible à chaque extrémité. Il ferma la valise d'un coup sec, la saisit, la jeta par la trappe, puis s'y engouffra. Il s'arrêta de descendre, la tête au ras de la trappe et fixa sur elle un regard qui n'avait plus rien d'admiratif. « Je m' suis procuré comme ça un tas de choses intéressantes, dit-il. Une fois, y a une femme qui m'a laissé son œil de verre. Et c'est pas la peine de croire que vous m' mettrez la main dessus, parce que je m'appelle pas Pointer. Dans toutes les maisons où que j' vais, j' change de nom et j' reste jamais longtemps. J' vais vous dire autre chose, Hulga — il était visible qu'il ne faisait pas grand cas de ce nom — vous n'êtes pas très maligne : moi, c'est depuis que j' suis né que j' crois en rien ! » Le chapeau brun biscotte disparut dans le trou et Hulga demeura seule, assise dans la paille. Lorsqu'elle tourna son visage tourmenté vers l'ouverture de la grange elle aperçut une silhouette bleue qui progressait efficacement à la surface du lac aux vagues vertes.

Mrs. Hopewell et Mrs. Freeman, qui arrachaient des oignons derrière la maison, le virent un peu plus tard sortir du bois et traverser le pré en direction de la grand-route. « On dirait que c'est le garçon si gentil et si ennuyeux qui a essayé de me vendre une bible hier, dit Mrs. Hopewell, en plissant les yeux ; il a dû aller en vendre aux nègres de l'autre ferme. Il était si naïf, dit-elle, mais je crois que le monde ne s'en porterait que mieux si nous étions tous naïfs comme ce jeune homme. »

Le regard de Mrs. Freeman s'orienta dans la

direction de la silhouette et la découvrit juste avant qu'elle disparût au creux de la colline. Puis elle reporta son attention sur l'oignon à l'écœurante senteur qu'elle s'évertuait à arracher de terre. « Y en a qui peuvent pas arriver à être naïf comme ça, dit-elle. Moi, j' sais bien qu' j'ai jamais pu. »

La Personne Déplacée.

Suivie du paon, Mrs. Shortley gagna la colline où elle avait décidé de prendre position. A les voir l'un derrière l'autre sur le chemin, on songeait à quelque procession. Elle gravissait la pente, bras croisés, et on eût dit l'épouse du Paysage, sortie à la menace de quelque danger, pour voir ce qui se passait. Elle se dressait sur deux énormes jambes avec la superbe assurance d'une montagne et, à travers des étranglements de granit, elle s'éleva jusqu'à deux pointes de lumière d'un bleu glacé qui saillaient, et dominaient la campagne alentour. Elle ne prêta aucune attention à l'ardent soleil de l'après-midi qui se faufilait derrière une muraille de nuages démantelée, comme s'il feignait d'y vouloir glisser son regard indiscret. Ses yeux suivaient le chemin d'argile rouge qui bifurquait de la grand-route.

Le paon s'arrêta à un pas derrière elle — sa queue, un scintillement d'ors et de verts et de bleus était levée juste assez pour ne pas toucher terre. Elle se déployait de chaque côté comme une traîne et sa tête, posée sur un long col bleu flexible comme un roseau, était rejetée en arrière, comme s'il concentrait son attention sur quelque objet lointain, indiscernable à d'autres yeux que les siens.

Mrs. Shortley, elle, observait une voiture noire qui venait de quitter la grand-route et franchissait la grille. Plus loin, près du hangar à outils, à quelque quinze pas, les deux nègres, Astor et Sulk, s'étaient arrêtés de travailler pour regarder. Ils étaient cachés par un mûrier, mais Mrs. Shortley savait qu'ils étaient là.

Mrs. Mc Intyre descendit les marches de sa maison pour aller au-devant de la voiture. Elle arborait son sourire des grands jours, mais Mrs. Shortley, même à cette distance, put y déceler une trace de nervosité. Ces gens qui arrivaient n'étaient que des domestiques qui se louaient, comme les Shortley eux-mêmes et comme les nègres. Pourtant, la propriétaire des lieux se dérangeait pour les accueillir. Elle avait même mis sa robe du dimanche et un collier de perles, et elle se précipitait vers eux avec un grand sourire.

La voiture s'arrêta au bout de l'allée comme Mrs. Mc Intyre y arrivait. Le prêtre fut le premier à descendre. C'était un vieil homme aux longues jambes, et qui portait un chapeau blanc et un col mis devant derrière, ainsi que le faisaient les prêtres catholiques — Mrs. Shortley ne l'ignorait pas — lorsqu'ils voulaient qu'on reconnût leur qualité.

C'était par son intermédiaire que ces gens avaient pu venir ici.

Il ouvrit la porte arrière de la voiture et deux enfants en bondirent, un garçon et une fille; puis en sortit lentement une femme en robe marron dont la silhouette évoquait une cacahuète. La porte avant s'ouvrit à son tour, et l'homme, « la Personne Déplacée », descendit. Il était petit, un peu voûté, et portait des lunettes à monture dorée. Le champ de vision de

Mrs. Shortley se rétrécit sur lui, puis s'ouvrit pour que s'y trouvent inclus la femme et les deux enfants, comme pour une photo de famille. La première chose qui lui parut très caractéristique, c'est qu'ils ressemblaient à tout le monde. Chaque fois qu'elle les avait évoqués en esprit, ils lui étaient apparus comme les trois ours marchant en file indienne, avec des sabots de Hollandais, des bérets de marins et des manteaux de couleur vive, constellés de boutons. En fait, la femme avait une robe semblable aux siennes, et les enfants les vêtements de tous les gosses du coin. L'homme portait un pantalon kaki et une chemise bleue. Soudain, alors que Mrs. Mc Intyre lui tendait la main, il plongea et lui fit le baise-main. Mrs. Shortley porta brusquement sa main à sa bouche, puis la laissa tomber et la frotta vigoureusement sur le gras de son dos. Si Mr. Shortley avait essayé de lui baiser la main, Mrs. Mc Intyre l'aurait proprement envoyé baller; de toute façon Mr. Shortley n'aurait jamais tenté l'expérience : il n'avait pas le temps de faire des chichis.

Elle plissa les yeux pour mieux voir : le petit garçon était au centre du groupe et parlait : on devait supposer qu'il savait le plus d'anglais, puisqu'il l'avait appris en Pologne ; il écoutait ce que son père disait en polonais, le répétait en anglais, puis écoutait l'anglais de Mrs. Mc Intyre et le traduisait en polonais. Le prêtre avait informé Mrs. Mc Intyre qu'il s'appelait Rudolph et avait douze ans. La fille, Sledgewig, en avait neuf. Sledgewig sonnait aux oreilles de Mrs. Shortley comme un nom d'insecte, tout comme si on appelait un garçon Charançon. Quant à leur nom de famille, seuls le prêtre et eux-mêmes savaient le prononcer. C'était quelque chose comme Gobblehook. Mrs. Mc Intyre et Mrs. Shortley les avaient appelés

Gobblehook tout au long de cette semaine où elles avaient préparé leur venue. Elles avaient eu beaucoup à faire : ces gens n'avaient rien, pas un meuble, pas un drap, pas une assiette ; il avait fallu tout dénicher dans les choses que Mrs. Mc Intyre avait mises au rebut. Elles avaient rassemblé quelques meubles dépareillés et, avec la toile des sacs de grain pour les poules, elles avaient fait des rideaux à fleurs, deux rouges et un vert, parce qu'il n'y avait pas assez de sacs rouges. Mrs. Mc Intyre avait déclaré qu'elle n'était pas cousue d'or et qu'elle ne pouvait se permettre d'acheter de vrais rideaux. « Ils savent même pas parler, avait dit Mrs. Shortley ; comment voulez-vous qu'ils sachent ce que c'est que des couleurs ? » Mrs. Mc Intyre avait ajouté qu'après tout ce qu'ils avaient enduré ils devaient se contenter de ce qu'on leur donnait et dire merci. « Imaginez comme ils doivent être heureux de s'être échappés de là-bas, et d'arriver dans une maison pareille ! »

Mrs. Shortley se rappela un film d'actualités qu'elle avait vu un jour : une petite pièce où s'entassaient jusqu'au plafond des cadavres nus — bras et jambes entremêlés, une tête enfouie ici, là un pied, un genou, des parties du corps qui auraient dû être voilées et qui dépassaient, une main tendue qui ne saisissait que le vide. Avant qu'on ait eu le temps de se rendre compte que c'était la vérité vraie et de se le faire entrer dans la tête, l'image avait changé et une voix caverneuse disait déjà : « Le temps continue. » C'était le genre de choses qui arrivaient tous les jours en Europe, où les gens n'étaient pas aussi avancés qu'ici. Du haut de son observatoire, Mrs. Shortley eut l'intuition soudaine que les Gobblehook, comme des rats porteurs de puces vous amènent la typhoïde, allaient peut-être apporter ici même les mœurs sanguinaires d'au-delà l'Océan. S'ils venaient de ces pays où on leur faisait subir ce genre de choses, qui pouvait dire qu'ils n'essaieraient pas d'en faire autant aux autres ? Elle fut violemment émue par cette question redoutable ; ses entrailles s'agitèrent comme s'il y avait eu un léger tremblement de terre au cœur de la montagne, et, d'un pas automatique, elle quitta son observatoire et s'avança pour leur être présentée, impatiente de découvrir ce dont ils étaient capables.

Elle approcha, ventre en avant, tête en arrière, bras croisés, ses bottes battant légèrement contre ses grosses jambes. Arrivée à dix pas du groupe gesticulant, elle s'arrêta, et fit sentir sa présence en braquant son regard sur le cou de Mrs. Mc Intyre. Mrs. Mc Intyre était une femme de soixante ans, petite, au visage rond et ridé, avec des franges de cheveux roux qui descendaient presque au niveau des sourcils faits au crayon orange. Elle avait une petite bouche de poupée et des yeux d'un bleu très doux lorsqu'elle les ouvrait tout grands, mais qui prenaient l'éclat de l'acier ou du granit lorsqu'elle les plissait pour inspecter un bidon de lait. Elle avait enterré un mari et divorcé d'avec deux autres et Mrs. Shortley la respectait parce que personne encore ne lui avait fait prendre des vessies pour des lanternes, sauf peut-être, ah ah ! — les Shortley eux-mêmes. Mrs. Mc Intyre tendit le bras dans la direction de Mrs. Shortley et dit à Rudolph : « Et voici Mrs. Shortley. Mrs. Shortley s'occupe de mes vaches. Où est votre mari ? demanda-t-elle à Mrs. Shortley qui approchait lentement, les bras toujours croisés. Je veux lui présenter les Guizac. »

Maintenant elle les appelait Guizac. Elle n'allait pas leur jeter du Gobblehook au nez. « Chancey est dans la grange, dit Mrs. Shortley. Il n'a point le temps de s' reposer dans les buissons comme vos nègres là-bas. »

Son regard effleura la tête des Personnes Déplacées, puis descendit lentement en décrivant des cercles à la façon dont un busard plane et glisse dans l'air avant de se poser sur une carcasse. Elle se tenait à distance suffisante pour que l'homme ne puisse lui baiser la main. Il la fixa de ses petits yeux verts et lui adressa un large sourire qui découvrit une bouche partiellement édentée. Mrs. Shortley, sans répondre à son sourire, se tourna vers la petite fille, qui, près de sa mère, balançait ses épaules en cadence. Ses cheveux étaient tressés en deux nattes terminées par une boucle, et l'on ne pouvait nier qu'elle fût jolie, malgré son nom d'insecte. Elle était plus jolie qu'Annie-Maud ou Sarah-Mae, les filles de Mrs. Shortley qui allaient avoir quinze et dix-sept ans : Annie-Maud avait oublié de grandir et Sarah-Mae louchait d'un œil. Elle compara le petit étranger avec son fils H. C., et H. C. l'emportait nettement. Il avait vingt ans, la charpente de sa mère et des lunettes. Il fréquentait une école évangéliste et, ses études finies, il pourrait ouvrir une église. Il avait une voix chaude et sonore, parfaite pour les hymnes, et était capable de vendre n'importe quoi. Mrs. Shortley regarda le prêtre et cela lui rappela que ces gens avaient une religion arriérée. On ne pouvait dire ce qu'elle était au juste puisqu'il n'y avait pas eu de réforme pour éliminer les balivernes. A nouveau, elle vit la pièce encombrée de cadavres.

Ce prêtre parlait lui-même à la manière d'un étranger ; c'était bien de l'anglais, mais on aurait cru qu'il avait du foin plein la gorge. Il avait un grand nez, un visage rectangulaire et glabre, et pas de trace de cheveux sur la tête. Soudain, sa vaste bouche s'ouvrit toute grande, son regard étonné se porta derrière Mrs. Shortley et, l'index pointé dans la direction du regard, il dit : « Aaaarh ! » Mrs. Shortley se retourna brusquement. Le paon était à deux pas derrière elle, la tête légèrement redressée.

— Quel magnifique oiseau ! murmura le prêtre en détachant chaque syllabe.

— Une bouche de plus à nourrir, dit Mrs. Mc Intyre qui jeta un bref regard au volatile.

— Et quand lève-t-il sa queue si splendide ? demanda le prêtre.

— Seulement quand ça lui chante, dit-elle. Jadis il y en avait vingt ou trente comme celui-là, mais je les ai laissés s'éteindre les uns après les autres. Je n'aime pas les entendre crier au milieu de la nuit.

— Si vraiment magnifique ! dit le prêtre. Une queue semée de soleils ! » et il s'avança sur la pointe des pieds et observa le dos de l'oiseau, là où commençait le resplendissant dessin vert et or. Le paon se tenait immobile comme s'il venait de descendre de quelque hauteur inondée de soleil, pour leur apparaître ainsi qu'une vision radieuse. Le visage sans grâce du prêtre s'inclina au-dessus de l'oiseau et s'empourpra de plaisir.

La bouche de Mrs. Shortley se crispa en une grimace sarcastique. « C'est rien d' plus qu'un jeune paon ! » dit-elle entre ses dents. Mrs. Mc Intyre souleva ses sourcils orange et lui lança un clin d'œil pour lui faire comprendre que le vieillard était retombé en enfance. « Eh bien, nous allons montrer aux Guizac leur nouvelle maison », dit-elle avec quelque impatience, et elle les fit tous remonter dans l'auto. Le paon s'en alla vers le mûrier où les deux nègres se cachaient et le prêtre détourna de lui son regard fasciné, monta dans la voiture, et conduisit les Personnes Déplacées à la masure où elles devaient habiter.

Mrs. Shortley attendit que la voiture fût hors de vue pour se diriger vers le mûrier, en faisant un large détour. Elle s'arrêta à quelque dix pas derrière les deux nègres. L'un était un vieillard qui tenait un seau à moitié plein d'aliments pour les veaux, et l'autre un adolescent café au lait, avec une petite tête de marmotte enfoncée dans un feutre rond. « Alors, dit-elle lentement, ça vous suffit pas maintenant? Qu'est-ce que vous pensez d'eux? »

Le vieux nègre Astor se leva. « On a bien regardé, dit-il, comme si c'était une nouveauté pour elle. Qui c'est donc ça? »

— Ils viennent d'un pays qu'est de l'autre côté de l'Océan, dit Mrs. Shortley, avec un ample geste du bras. C'est ce qu'on appelle des Personnes Déplacées.

— Des Personnes Déplacées, dit-il. Eh bien, ça! Je m' demande ce que ça veut dire.

— Ça veut dire qu'ils ne sont plus là où qu'ils sont nés, et qu'ils ne peuvent aller nulle part, comme si on vous chassait de là et que personne voudrait de vous.

— Il semble qu'ils sont là pourtant, dit le vieil homme avec un air profond. S'ils sont là, ils sont quéque part.

— Pour sûr, aquiesça l'autre, y sont là! »

L'illogisme des raisonnements nègres irritait toujours Mrs. Shortley. « Ils ne sont pas là où qu'ils habitent, dit-elle. Ils y retourneront si tout est calme comme ça l'était avant. Ici, on est plus en avance que là d'où qu'ils viennent. Mais, maintenant, il va falloir vous tenir sur vos gardes. Y en a environ dix millions de billions comme eux, et je sais ce qu'a dit Mrs. Mc Intyre. »

— Elle a dit quoi ? demanda le garçon.

— C'est pas si facile par les temps qui courent de trouver une place, qu'on soit blanc ou noir, mais ce que j' suis sûre, c'est qu' j'ai bien entendu ce qu'elle m'a dit, affirma-t-elle d'une voix chantante.

— Vous, vous pouvez entendre presque n'importe quoi », fit remarquer le vieil homme. Il se pencha en avant comme pour partir, mais resta en suspens.

— Je l'ai entendue dire : « Ça va faire entrer la crainte du Seigneur dans ces bons à rien de nègres », lança Mrs. Shortley d'une voix vigoureuse.

Le vieillard s'en allait : « Elle dit des choses comme ça de temps en temps, dit-il. Ah-ah ! oui, c'est vrai. »

— Tu ferais mieux d'aller aider Mr. Shortley dans la grange, dit-elle au jeune nègre. Elle te paie pour quoi faire, à ton avis ?

— C'est lui qui m'a envoyé dehors, marmonna le nègre. C'est lui qui m'a donné d'aut' choses à faire.

— Eh bien, autant que tu y ailles tout d' suite », répondit-elle, et elle resta sur place jusqu'à ce qu'il fût parti. Elle s'attarda un peu à réfléchir, les yeux fixés, sans la voir, sur la queue du paon devant elle. Il s'était perché dans l'arbre et son immense queue retombait en face d'elle, constellée d'ardentes planètes avec des yeux dont chacun était cerclé de vert et se détachait sur un soleil changeant à chaque éclair de lumière, tantôt doré, tantôt rose saumon. Devant Mrs. Shortley s'étalait une carte de l'univers, mais elle n'y prêta pas plus attention qu'aux taches d'azur qui craquelaient le vert sombre de l'arbre. Elle était toute à sa vision intérieure. Elle voyait dix millions de billions de ces gens qui se frayaient un chemin jusqu'en Amérique, tandis qu'elle, muée en un ange géant avec des ailes vastes comme une maison, disait aux nègres qu'il leur faudrait déménager d'ici. Elle mit le cap sur l'étable, encore pleine de son rêve, majestueuse et satisfaite.

Elle s'approcha de l'étable par un mouvement oblique, ce qui lui permit de jeter un coup d'œil par la porte sans être vue elle-même. Mr. Chancey Shortley ajustait la dernière trayeuse électrique à une grande vache tachée de noir et de blanc ; il était accroupi contre son flanc, près de la porte. Un mégot de cigarette d'un centimètre était collé au milieu de sa lèvre inférieure. Mrs. Shortley l'observa de près pendant une demi-seconde.

— Si elle te voyait fumer, ou si elle apprenait qu' tu fumes dans l'étable, elle ferait un drôle de boucan ! dit-elle.

Mr. Shortley leva un visage sillonné de profondes ornières qui se jetaient dans une dépression au-dessous de chaque joue, et de deux longues crevasses perpendiculaires à ses lèvres boursouflées. « C'est pas toi qui vas lui dire ? » demanda-t-il.

— Elle a des yeux pour voir », dit Mrs. Shortley.

Mr. Shortley, apparemment indifférent à l'exploit, souleva son mégot avec la pointe de la langue, le fit pénétrer dans sa bouche, la ferma, puis, les lèvres étroitement serrées, il se leva, sortit de l'étable, adressa à sa femme, tel un hommage, un regard prolongé, puis cracha dans l'herbe le mégot encore allumé.

— Oh, Chancey, dit-elle, oh ! oh !, et de la pointe du pied elle fit un petit trou, y enfouit le mégot et le recouvrit. Ce numéro de Mr. Shortley était en réalité sa façon de lui témoigner sa flamme. Jadis, il lui avait fait sa cour ni en grattant une guitare, ni en lui offrant quelque aimable souvenir : il s'asseyait sur les marches de sa véranda sans rien dire et imitait un paralysé sur ses béquilles en train de fumer voluptueusement une cigarette. Quand la cigarette atteignait la taille requise, il tournait les yeux vers elle, ouvrait la bouche, y introduisait le bout de cigarette, et il restait assis un bon moment comme s'il l'avait avalé, en adressant à sa bien-aimée le regard le plus passionné qui se puisse imaginer. Elle en était toute palpitante, et aurait voulu chaque fois lui enfoncer le chapeau sur les yeux et l'étreindre jusqu'à l'étouffer.

— Bon, dit-elle en rentrant dans l'étable après lui, les Gobblehook sont arrivés et elle veut t' les présenter ; elle a dit : « Où est Mr. Shortley ? », et moi j'y ai répondu : « Il a pas le temps... »

— Fais le total d' la traite, dit Mr. Shortley, en s'accroupissant à nouveau près de la vache.

— Tu crois qu'il saura conduire un tracteur alors qu'il n' sait pas l'anglais ? demanda-t-elle. J' crois pas qu'ils valent chipette. Le garçon sait parler, mais il a pas l'air solide. Celui qui peut travailler n' sait pas parler et celui qui sait parler n' peut pas travailler. Ça sera pas mieux que si elle avait deux nègres de plus.

— A sa place j'aimerais mieux un nègre, dit Mr. Shortley.

— Elle dit qu'il y en a dix millions comme eux — des Personnes Déplacées ; elle dit que ce prêtre peut lui en avoir autant qu'elle veut.

— Elle f'rait mieux de n' pas s'acoquiner avec ce curé, dit Mr. Shortley.

— Il a pas l'air bien fin, dit Mrs. Shortley, il est un peu gâteux.

— C'est pas le pape de Rome qui va m'apprendre à faire marcher une laiterie, dit Mr. Shortley.

— Ce n' sont pas des Etaliens, c'est des Polonais,

dit-elle. De Pologne, où tous ces corps étaient empilés. Tu t' rappelles tous ces cadavres ?

— J' leur en donne pas pour plus de trois semaines, dit Mr. Shortley.

Trois semaines plus tard, Mrs. Mc Intyre et Mrs. Shortley allèrent en voiture jusqu'au champ de cannes à sucre pour voir Mr. Guizac faire fonctionner la hacheuse-ensileuse, une nouvelle machine que Mrs. Mc Intyre venait d'acheter, parce que, disait-elle, pour la première fois elle avait quelqu'un capable de s'en servir. Mr. Guizac savait conduire un tracteur, utiliser la presse-botteleuse, la moissonneuse-batteuse, et toutes les autres machines de sa ferme. C'était un mécanicien hors pair, un charpentier et un maçon. Il était économe et plein d'énergie. Mrs. Mc Intyre avait calculé qu'il lui faisait faire vingt dollars d'économie par mois rien qu'en réparations. « Guizac, disait-elle, est la meilleure affaire de ma vie. » Il savait se servir des trayeuses et était d'une propreté méticuleuse ; et il ne fumait pas.

Elle rangea sa voiture au bord du champ de cannes, et elles descendirent. Sulk, le jeune nègre, attachait la remorque à l'ensileuse et Mr. Guizac accrochait l'ensileuse au tracteur. Il finit le premier puis repoussa le jeune noir et fit l'opération lui-même en gesticulant, le visage luisant de colère lorsqu'il avait besoin du marteau ou du tournevis. Rien n'allait assez vite à son gré. Les nègres le rendaient nerveux.

La semaine précédente, à l'heure du dîner, il avait surpris Sulk qui se glissait avec un sac dans l'enclos où étaient enfermés les jeunes dindons. Il l'avait vu en choisir un bon à rôtir, le fourrer dans le sac et cacher le sac sous son manteau. Mr. Guizac l'avait suivi derrière la grange, lui avait sauté dessus et l'avait traîné jusqu'à la porte de derrière : sous les yeux de Mrs. Mc Intyre, il avait mimé toute la scène, tandis que le nègre marmonnait, demandait que Dieu le fasse mourir sur place s'il avait volé un dindon, il l'avait seulement pris pour lui mettre du cirage noir sur la tête parce qu'il avait du mal à la tête. Que Dieu le fasse mourir sur place si c'était pas la vérité pure devant Jésus-Christ. Mrs. Mc Intyre dit à Sulk de remettre le dindon dans l'enclos et elle passa un long moment à expliquer au Polonais que tous les nègres avaient l'habitude de voler. Elle dut finalement faire appeler Rudolph, lui répéter l'explication qu'il traduisit en polonais pour son père. Mr. Guizac s'en était allé, étonné et déçu.

Mrs. Shortley se tenait près de sa patronne, espérant qu'il aurait des ennuis avec l'ensileuse ; mais tel ne fut pas le cas. Tous les mouvements de Mr. Guizac étaient rapides et précis. Il bondit sur le tracteur comme un singe et fit pénétrer l'ensileuse dans le champ de cannes à sucre : au bout d'une seconde un jet jaillit du canal d'évacuation et retomba dans la remorque.

Il avançait avec force cahots et il fut bientôt hors de vue, tandis que le bruit s'éteignait peu à peu. Mrs. Mc Intyre eut un soupir de contentement. « Enfin, dit-elle à Mrs. Shortley, voilà quelqu'un sur qui je peux compter. Pendant des années, j'ai perdu mon temps avec des pauvres types, des minables, des bons à rien, blancs ou noirs. Ils m'ont mise à sec. Avant que vous arriviez, j'ai eu les Rinfield, les Collins, les Jarrell, les Perkins, les Pinkins et les Herrin et Dieu sait quoi encore, et aucun d'eux n'est parti d'ici sans emporter quelque chose qui n'était pas à lui. »

Mrs. Shortley était en mesure d'écouter cette diatribe, et d'un esprit serein : si Mrs. Mc Intyre l'avait mise au nombre des « minables », elles n'auraient pas pu en parler ensemble. Au reste, elle les méprisait autant que sa patronne. Mrs. Mc Intyre poursuivit le monologue que Mrs. Shortley avait tant de fois entendu. « Voilà trente ans que je fais marcher cette ferme, dit-elle en parcourant le champ d'un long regard sévère, et j'arrive tout juste à joindre les deux bouts. Les gens croient que vous êtes cousu d'or. J'ai les impôts à payer, les assurances, les notes de réparations et la nourriture pour les bêtes. » Tout affluait à sa mémoire, et elle demeurait sur place, le torse bombé, ses petites mains étreignant ses coudes. « Depuis que le Juge est mort, dit-elle, je suis à peine arrivée à m'en tirer, et ils me volent tous quelque chose en partant. Les nègres, eux, ne s'en vont pas : ils restent et ils volent. Un nègre croit que celui qu'il peut voler est riche, et la racaille blanche croit qu'on est riche quand on se permet d'embaucher des minables comme eux. Et ce qui me reste à moi, c'est de la boue à mes souliers. »

« Tu embauches les gens, mais tu les saques aussi », songea Mrs. Shortley, qui ne disait pas toujours ce qu'elle pensait. Elle attendait d'ordinaire que Mrs. Mc Intyre vidât tout son cœur devant elle; pourtant, cette fois-ci, cela ne finit pas comme d'habitude. « Mais enfin, je suis sauvée! s'exclama-t-elle. Le malheur des uns fait le bonheur des autres. Cet homme là-bas, et du doigt, elle désigna le point lointain où avait disparu la Personne Déplacée, il faut qu'il travaille! Il a besoin de travailler! » Elle tourna vers

Mrs. Shortley son visage ridé et ravi et dit : « Cet homme est mon salut. »

Mrs. Shortley avait les yeux fixés devant elle comme si son regard pénétrait l'écran des cannes à sucre, puis le flanc de la colline, pour ressortir de l'autre côté. « J'ai comme une idée que le salut vient du diable », dit-elle lentement, d'un air détaché.

— Qu'est-ce que vous entendez par là ? » demanda Mrs. Mc Intyre, en lui jetant un coup d'œil perçant.

Mrs. Shortley hocha la tête mais se refusa à rien ajouter. Le fait est qu'elle n'avait rien à ajouter, car cette intuition venait de la visiter à l'instant. Elle n'avait jamais beaucoup réfléchi sur le diable : à son avis, la religion était essentiellement destinée à ceux qui n'étaient pas assez intelligents pour éviter le mal tout seuls. Pour des gens comme elle, des gens doués de sens pratique, la religion était une occasion de se réunir et de chanter en chœur; mais, si elle y avait réfléchi plus sérieusement, elle eût estimé que le diable en était le chef, et Dieu un accessoire. L'arrivée de ces Personnes Déplacées l'obligeait à reconsidérer maint problème.

— Je sais ce que Sledgewig a dit à Annie-Maud, commença-t-elle, et quand Mrs. Mc Intyre, évitant soigneusement de lui demander quoi, alla casser une brindille de sassafras pour la mâcher, elle poursuivit sur un ton qui suggérait qu'elle en savait encore plus long : « ... qu'ils pourraient pas vivre longtemps à quatre, avec soixante-dix dollars par mois. »

— Ils méritent une augmentation, dit Mrs. Mc Intyre. Avec lui, je fais des économies.

Cela revenait à dire qu'elle n'en faisait pas avec Chancey. Chancey se levait à quatre heures du matin pour traire les vaches, par la bise d'hiver et la chaleur d'été, et cela depuis deux ans. De tous les employés de la ferme, c'était eux qui étaient restés le plus longtemps. Et pour vous remercier, on vous envoyait cette accusation par en dessous.

— Est-ce que Mr. Shortley se sent mieux aujourd'hui ? s'enquit Mrs. Mc Intyre.

Mrs. Shortley se dit qu'elle y avait mis le temps à demander de ses nouvelles. Mr. Shortley gardait le lit depuis deux jours « à cause d'une attaque ». Mr. Guizac l'avait remplacé à la laiterie, en plus de son propre travail. « Non, pas du tout, dit-elle. Le docteur a dit qu'il souffrait d'un excès d'épuisement. »

— Si Mr. Shortley est si épuisé, dit Mrs. Mc Intyre, c'est qu'il doit avoir un travail à côté », et elle regarda Mrs. Shortley en plissant les yeux, comme si elle examinait le fond d'un bidon de lait.

Mrs. Shortley resta muette, mais ses sombres pressentiments grandirent comme nuée d'orage. En vérité, Mr. Shortley avait bel et bien un deuxième métier : mais, dans un pays libre, ça ne regardait pas Mrs. Mc Intyre. Mr. Shortley fabriquait du whisky. Il avait un petit alambic dans un recoin de la ferme, sur la propriété de Mrs. Mc Intyre, certes, mais c'était un lopin qu'elle ne cultivait pas, de la terre en friche qui ne servait à personne. Mr. Shortley n'avait pas peur du travail : il se levait à quatre heures, trayait ses vaches, et sur les midi, alors que tout le monde croyait qu'il se reposait, il était tout à son alambic. Ça ne courait pas les rues, des travailleurs comme lui. Les nègres étaient au courant de l'alambic, mais lui l'était du leur, aussi n'y avait-il jamais eu la moindre histoire entre eux. Mais avec des étrangers dans les lieux, des gens qui voyaient tout et ne comprenaient rien, qui venaient d'un pays où l'on se battait continuellement, où la religion n'avait pas été réformée, avec ces gens-là, on était sur le qui-vive à chaque instant. Elle se dit qu'il devrait exister une loi pour se défendre d'eux. Il n'y avait pas de raison pour qu'ils restent là, prennent la place d'enfants du pays qui avaient été tués dans leurs guerres et dans leurs carnages.

— Qui plus est, jeta-t-elle soudain, Sledgewig a dit qu'aussitôt que son père aurait assez d'économies, ils s'achèteraient une voiture d'occasion. Une fois qu'ils auront une voiture, ils vous diront au revoir.

— Je ne pourrai jamais le payer assez pour qu'il fasse des économies, dit Mrs. Mc Intyre. Ce n'est pas ça qui me tracasse. Bien sûr, si Mr. Shortley avait une incapacité de travail, je serais obligée de demander à Mr. Guizac de s'occuper de la laiterie tous les jours, et dans ce cas, il faudrait bien que je l'augmente. Il ne fume pas, dit-elle, — c'était la cinquième fois en une semaine qu'elle faisait cette remarque.

— Y'a pas un homme, déclara fortement Mrs. Shortley, qui travaille autant que Chancey, qui sait s'y prendre comme lui avec les vaches ou qui soit plus comme il faut — elle croisa les bras et son regard transperça l'espace.

Le bruit du tracteur et de l'ensileuse grandit et Mr. Guizac reparut, ayant fait un tour de champ. « Ce qu'on peut pas dire de tout le monde », ajouta-t-elle entre ses dents. Elle se demandait si le Polonais, au cas où il découvrirait l'alambic de Chancey, saurait seulement ce que c'était. L'empoisonnant avec ces gens-là, c'est qu'on pouvait jamais deviner ce qu'ils savaient. Chaque fois que Mr. Guizac souriait, l'Europe se déployait dans l'imagination de Mrs. Shortley, une Europe mystérieuse et malfaisante, le champ d'expériences du démon.

Le tracteur, l'ensileuse, la remorque repassèrent devant elles, avec un grondement et des grincements de ferraille. « Imaginez un peu le temps que ça aurait pris avec les mules et les hommes, cria Mrs. Mc Intyre. A cette vitesse-là, tout ce champ va être coupé en deux jours. »

— Peut-être bien qu' oui, marmonna Mrs. Shortley, si y'a pas un terrible accident. »

Elle songea que le tracteur avait fait tomber à zéro le prix des mules : aujourd'hui, personne n'en aurait voulu, même pour rien. « Les prochains à disparaître, ça sera les nègres », se dit-elle.

Dans l'après-midi, elle expliqua à Astor et à Sulk qui étaient occupés à remplir l'épandeur d'engrais ce qui allait leur arriver. Elle s'assit près du bloc de sel sous un petit appentis, le ventre sur les genoux et les bras par-dessus. « Vous tous, gens de couleur, vous feriez mieux de vous méfier, dit-elle. Vous savez ce que vaut une mule ?

— Eh ben, rien du tout, dit le vieux nègre, rien de rien.

— Avant qu'y ait un tracteur, il pouvait y'avoir une mule. Et avant qu'y'ait une Personne Déplacée, il pouvait y'avoir un nègre. Le temps viendra, prophétisa-t-elle, où on aura même plus l'occasion de parler d'un nègre. »

Le vieil homme rit poliment : « Oui, c'est vrai, dit-il, ah, ah ! »

Le jeune ne dit rien. Il avait l'air seulement préoccupé, mais quand elle fut rentrée dans la maison, il déclara : « On dirait que Gros Ventre, elle sait tout. »

— T'en fais pas, lui répondit le vieux, ta place est trop miteuse pour qu'on cherche à te la prendre. »

Elle n'osa confier ses pressentiments sur l'alambic à Mr. Shortley avant qu'il eût repris son travail à la laiterie. Une nuit pourtant, quand ils furent couchés, elle dit : « Cet homme fouine. »

Mr. Shortley croisa les mains sur sa poitrine osseuse et prit l'immobilité du cadavre.

— Il fouine, répéta-t-elle, en lui envoyant un coup de genou dans le flanc. Qui peut dire ce qu'ils savent et ce qu'ils savent pas ? Qui peut dire au cas où il dénicherait ton alambic s'il irait pas tout lui raconter ? Comment savoir s'ils n' font pas d'alcool en Europe ? Ils conduisent bien des tracteurs ! Ils ont toute espèce de mécaniques. Réponds-moi !

— Ne m' tourmente pas maintenant, dit Mr. Shortley, je suis mort.

— C'est ses petits yeux qui sont pas de chez nous, marmonna-t-elle, et cette façon qu'il a d'hausser les épaules..., et elle haussa les épaules plusieurs fois. Pourquoi qu'il hausse les épaules comme ça ? demanda-t-elle.

— Si tout le monde était aussi mort que moi, personne n'aurait d'embêtements, dit Mr. Shortley.

— Ce curé... », lança-t-elle, et elle se tut un instant, puis reprit : « En Europe, ils ont sans doute une aut' façon de faire de l'alcool, mais j' crois qu'ils les connaissent toutes. Ils connaissent un tas de trucs pas francs. Ils ont jamais fait de progrès ou de réformes. Ils ont la même religion qu'il y a mille ans. Ça n' peut être que le diable qu'en est la cause. Ils sont toujours à se battre entre eux, à se disputer. Et puis ils nous mettent dans le bain. Est-ce qu'ils nous y ont pas mis deux fois déjà, et on est assez bête pour aller là-bas arranger leurs histoires. Et puis un beau jour, ils s'amènent ici, ils fouinent partout, trouvent ton alambic et vont tout lui raconter. Et ils sont toujours prêts à lui baiser la main. M'entends-tu ?

— Non, dit Mr. Shortley.

— Et j' vais te dire aut' chose. Ça m'étonnerait pas du tout qu'ils comprennent c' que tu dis, en anglais ou non.

— J' parle pas d'autre langue, murmura Mr. Shortley.

— Je m' doute, dit-elle, que sous peu y' aura plus de nègres ici. Et j' vais te dire : j'aime mieux les nègres que ces Polonais. Qui plus est, quand le moment sera venu, j' suis prête à défendre les nègres. Quand Gobblehook est arrivé, tu t' rappelles comme il leur a serré la main, comme s'il voyait pas de différence, comme s'il avait été noir comme eux, mais quand il prend Sulk à voler des dindes, il s'en va tout lui dire. J' le savais qu'il volait des dindes. J'aurais bien pu lui dire moi-même. »

Mr. Shortley avait la respiration sereine de l'homme endormi.

—Un nègre ne sait pas quand il a un ami, dit-elle. Et j' vais te dire aut' chose. Je sais des tas de choses par Sledgewig. Elle a dit qu'en Pologne ils habitaient une maison de brique et qu'une nuit un homme était venu leur dire d'en partir avant le lever du jour. Tu l' crois, toi, qu'ils avaient une maison en brique?... C'est des airs qu'ils se donnent. Une maison en bois m' suffit bien, à moi! Chancey, tourne-toi par ici. J' déteste voir les nègres maltraités et mis à la porte. J'ai le cœur sensible pour les nègres et les pauv' gens. Est-ce que j'ai pas toujours été comme ça ? demanda-t-elle. Est-ce que j'ai pas toujours été l'amie des nègres et des pauv' gens ? Quand le temps sera venu, j' défendrai les nègres et on verra c' qu'on verra. J' veux pas voir ce curé chasser tous les nègres.

Mrs. Mc Intyre acheta une herse neuve et un tracteur avec une grue, parce que, disait-elle, pour la première fois elle avait sous la main un homme qui savait se servir de la mécanique. Mrs. Shortley l'avait accompagnée jusqu'au champ pour inspecter ce qu'il avait hersé la veille. « Ç'a été fait de main de maître », dit Mrs. Mc Intyre, en laissant errer son regard sur les ondulations de la terre rouge.

Mrs. Mc Intyre avait changé depuis que la Personne Déplacée travaillait pour elle et Mrs. Shortley avait observé ce changement avec une attention extrême : depuis quelque temps, Mrs. Mc Intyre se comportait comme quelqu'un qui s'enrichit en secret, et elle ne se confiait plus comme jadis à Mrs. Shortley, qui soupçonnait le prêtre d'être à l'origine de ce changement. Ces curés étaient très rusés — d'abord, il la ferait entrer dans son église, puis il mettrait la main sur le magot. « Eh bien, songeait Mrs. Shortley, ça sera elle qui sera le dindon de la farce ! » Mrs. Shortley, elle aussi, avait un secret. Elle savait une chose que la Personne Déplacée était en train de faire, une chose qui renverserait Mrs. Mc Intyre. « J' prétends toujours qu'il va pas travailler jusqu'à la fin de ses jours pour soixante-dix dollars par mois », murmura-t-elle. Elle était décidée à garder son secret pour elle et Mr. Shortley.

— Eh bien ! dit Mrs. Mc Intyre, il faudra peut-être que je renvoie un peu de main-d'œuvre pour lui donner davantage.

Mrs. Shortley acquiesça, afin de bien montrer

qu'elle s'en doutait depuis quelque temps. « Je n dis pas que ces nègres ne l'ont pas senti venir, dit-elle, mais ils font du mieux qu'ils peuvent. On peut toujours dire à un nègre ce qu'il a à faire et rester à côté de lui tant qu'il l'a pas fait.

— C'est ce que le Juge disait », déclara Mrs. Mc Intyre, et elle l'approuva d'un regard. Le Juge avait été son premier mari, celui qui lui avait laissé la ferme. Mrs. Shortley avait entendu dire qu'elle l'avait épousé à trente ans, alors que lui en avait soixante-quinze — avec l'idée qu'elle serait riche à sa mort. Mais le vieil homme était un coquin, et à la succession, on s'aperçut qu'il n'avait plus un sou vaillant. Tout ce qu'il lui laissait, c'était les cinquante acres et la maison. Mais elle parlait toujours de lui avec respect, et citait ses maximes, comme « Le malheur des uns fait le bonheur des autres » et « Il n'est pire danger que danger caché ».

— Cependant, fit remarquer Mrs. Shortley, il n'est pire danger que danger caché », et elle dut se retourner pour que Mrs. Mc Intyre ne voie pas son sourire. Ce que la Personne Déplacée était en train de faire, elle l'avait découvert grâce au vieil Astor, et ne s'en était ouverte à personne, sauf à Mr. Shortley. Mr. Shortley s'était dressé sur son lit, tel Lazare surgissant du tombeau.

— Ferme-la ! avait-il dit.

— Oui, avait-elle répondu.

— Et tout de suite.

— Oui, avait-elle ajouté. Et Mr. Shortley était retombé sur le dos.

— Le Polonais ne s' méfie pas, avait dit Mrs. Shortley. J' suis sûre que c'est le curé qui l'a lancé là-dedans. Tout ça vient du curé.

Le prêtre venait souvent voir les Guizac et faisait toujours une petite visite à Mrs. Mc Intyre; ils se promenaient ensemble dans la propriété, elle lui montrait les transformations en écoutant son bavardage. L'idée vint soudain à l'esprit de Mrs. Shortley qu'il essayait de la persuader de faire venir une autre famille polonaise à la ferme. Avec deux familles, on ne parlerait plus que polonais ou presque. Les nègres seraient partis et ces deux familles se ligueraient contre Mr. Shortley et elle-même. Elle imagina une guerre des mots, elle voyait les mots polonais et les mots anglais se défier, s'avancer les uns contre les autres, et s'empoigner — non des phrases, mais des mots, bla-bla-bla-bla-bla, des mots pointus qu'on se lançait à toute volée, qui s'affrontaient et luttaient corps à corps. Elle vit les mots polonais, sales, bien renseignés et jamais réformés, jeter de la boue sur les mots anglais bien propres, jusqu'à ce qu'ils soient tous couverts de la même saleté. Elle les vit empilés dans une pièce — tous les cadavres des mots sales, les leurs et les siens, entassés comme les corps des actualités. « Dieu me protège, s'écria-t-elle intérieurement, de la puissance nauséabonde de Satan! » A partir de ce jour, elle se mit à lire la Bible avec une attention toute neuve. Elle se pencha sur l'Apocalypse et cita les Prophètes et ne tarda pas à acquérir une compréhension plus profonde de son existence. Elle vit lumineusement que la signification du monde était un mystère délibéré du Créateur, et ne fut pas surprise de soupçonner qu'un rôle avait été prévu pour elle dans Sa création, parce qu'elle était forte. Elle vit que le Seigneur et Dieu tout-puissant avait créé les forts pour faire ce qui devait être fait, et elle était sûre qu'elle serait prête à Son appel.

Dans l'immédiat, elle sentait que son devoir était de surveiller le prêtre.

Ses visites l'irritaient de plus en plus. La dernière fois, on l'avait vu fouiner dans les coins, ramasser des plumes par terre. Il avait trouvé deux plumes de paon, quatre ou cinq de dinde et une vieille plume de poule, et il les avait emportées en les tenant comme un bouquet. Ce comportement imbécile ne pouvait tromper Mrs. Shortley. Elle connaissait son vrai visage et son vrai but : amener une foule d'étrangers en des lieux qui ne leur appartenaient pas pour y jeter le désordre, chasser les nègres et introduire la Prostituée de Babylone au milieu des Justes. Chaque fois qu'il venait à la ferme elle se cachait et le surveillait jusqu'à ce qu'il parte.

Ce fut un dimanche après-midi qu'elle eut sa vision. Elle avait été rentrer les vaches à la place de Mr. Shortley qui avait mal au genou, et elle marchait lentement dans le pâturage, les bras croisés, les yeux fixés sur les nuages lointains et bas qui ressemblaient à d'interminables rangées de poissons blancs échoués sur un grand rivage bleu. Épuisée, elle s'arrêta au sommet d'une côte pour pousser un long soupir car ses jambes devaient porter un poids considérable et elle n'était plus aussi jeune qu'autrefois. Par moments, elle sentait son cœur, tel un poing d'enfant, se contracter, puis se détendre dans sa poitrine, et quand elle éprouvait cette sensation, son esprit se paralysait, et elle allait à la dérive, telle une immense nef livrée aux courants. Mais elle avait gravi cette côte sans frémir, et elle s'arrêta au sommet, fière d'elle-même. Soudain, tandis qu'elle regardait, le ciel se scinda en deux pans, comme un rideau de théâtre, et une silhouette gigantesque lui fit face. Elle était de la couleur or pâle du soleil en ces débuts d'après-midi. Elle n'avait aucune forme définie, mais elle y distingua des roues de feu incrustées d'yeux noirs et farouches, qui tournaient follement autour de la silhouette. Elle ne pouvait dire si cette silhouette avançait ou reculait tant sa splendeur était grande. Elle ferma les yeux pour la mieux regarder, et la forme devint rouge sang, et les roues devinrent blanches. Une voix retentissante ne clama que ce mot : « Prophétie ».

Elle resta sur place, chancelante un peu, mais droite toujours, les yeux clos, les poings serrés, et son chapeau de paille enfoncé sur le front. « Les fils des nations impies seront massacrés, clama-t-elle. Les jambes seront à la place des bras, les pieds aux visages, les oreilles dans la paume des mains. Qui demeurera indemne ? Qui ? »

Elle ouvrit bientôt les yeux. Le ciel était rempli de poissons blancs qui dérivaient mollement sur le flanc, au gré de quelque courant invisible, et des fragments de soleil submergés, à quelque distance, apparaissaient de temps à autre, comme s'ils étaient emportés par le flot dans la direction opposée. Marchant ainsi qu'un automate, elle parcourut le pâturage et arriva à l'étable. Elle la traversa, comme frappée d'hébétude, et n'adressa pas un mot à Mr. Shortley. Puis elle s'engagea sur la route, et vit la voiture du prêtre arrêtée devant la maison de Mrs. Mc Intyre. « Encore là, murmura-t-elle, et venu pour détruire. »

Mrs. Mc Intyre et le prêtre marchaient dans la cour. Pour éviter de se trouver nez à nez avec eux, elle tourna à gauche et entra dans la réserve, une bâtisse à une seule pièce où étaient entassés, sur un côté, des sacs d'aliments variés pour les animaux. Il y avait de vieilles coques d'huîtres dans un coin, quelques calendriers sales au mur, des réclames d'aliments pour les veaux et de plusieurs spécialités pharmaceutiques. L'une d'elles représentait un homme distingué et barbu, en redingote. Il brandissait une bouteille, et sous ses pieds étaient écrits ces mots : « Je n'ai plus de constipation grâce à cette merveilleuse découverte. » Mrs. Shortley s'était toujours senti de la sympathie pour cet homme, comme s'il était une connaissance de choix, mais aujourd'hui, son esprit se concentrait tout entier sur la dangereuse présence du prêtre. Elle se posta à une fissure entre deux planches, d'où elle pourrait l'épier. Elle le vit s'avancer avec Mrs. Mc Intyre vers la couveuse des dindes, tout contre la réserve.

— Arrrr!, dit-il, comme ils approchaient de la couveuse. Regardez les petits mignons oiseaux! Il se baissa, plissa les yeux et regarda à travers le grillage.

La bouche de Mrs. Shortley se contracta.

— Croyez-vous que les Guizac veulent me quitter, demanda Mrs. Mc Intyre. Croyez-vous qu'ils iront à Chicago ou dans une autre ville de ce genre?

— Et pourquoi s'en iraient-ils maintenant? demanda le prêtre. Son doigt se mit à frétiller dans la direction d'une dinde, et son grand nez était collé au grillage.

— L'argent! dit Mrs. Mc Intyre.

— Arrrr! alors, donnez-leur-en plus, dit-il d'une voix indifférente. Il faut bien qu'ils vivent!

— Moi aussi, dit Mrs. Mc Intyre entre ses dents. Ça va me forcer à me débarrasser de quelques autres.

— Et... vous êtes satisfaite des Shorrrtley? s'informa-t-il, plus attentif aux dindes qu'à son hôte.

— Le mois dernier, j'ai surpris Mr. Shortley cinq

fois à fumer dans la grange, dit Mrs. Mc Intyre — cinq fois !

— Et les nègrrres sont-ils mieux ?

— Ils mentent, volent, et il faut tout le temps être sur leur dos.

— Tss, tss, dit-il ; lesquels choisirez-vous de congédier ?

— J'ai décidé de donner à Mr. Shortley son mois de préavis demain, dit Mrs. Mc Intyre.

Le prêtre semblait à peine l'entendre, tant il était occupé à faire frétiller son doigt à travers le grillage. Mrs. Shortley tomba assise avec un choc sourd sur un sac ouvert de farine pour les poules, et souleva des nuages de poudre. Elle se surprit à regarder le mur d'en face, où l'homme distingué du calendrier offrait sa merveilleuse découverte, mais elle ne le voyait pas. Elle avait les yeux fixés droit devant elle, comme une aveugle. Alors elle se leva et courut d'un trait jusqu'à chez elle. Son visage était d'un rouge quasi volcanique.

Elle ouvrit tous les tiroirs, sortit de dessous le lit des boîtes et des vieilles valises bosselées. Elle entreprit de vider les tiroirs dans les boîtes, sans s'arrêter une minute, ni enlever le chapeau de soleil qu'elle avait sur la tête. Elle commanda à ses deux filles d'en faire autant dans leur chambre. Quand Mr. Shortley rentra, elle ne le regarda même pas, se contenta de diriger un bras vers lui, tandis que l'autre continuait à faire les bagages. « Amène la voiture à la porte de derrière, dit-elle. Tu n' vas pas attendre qu'on t' jette dehors. »

Mr. Shortley n'avait jamais douté de l'omniscience de sa femme. Il comprit la situation en une demi-seconde et, l'air sombre, battit en retraite vers la porte, sortit, et amena l'auto derrière la maison. Ils attachèrent les deux lits de fer sur le toit de la voiture, les deux fauteuils à bascule dans les lits, et ils roulèrent les deux matelas entre les fauteuils. A l'intérieur de la voiture, ils entassèrent les vieilles valises et les boîtes en laissant une petite place pour Annie-Maud et Sarah-Mae. Cela leur prit le reste de l'après-midi et la moitié de la nuit, mais Mrs. Shortley était décidée à partir avant quatre heures du matin pour que Mr. Shortley ne puisse pas faire une traite de plus dans cette ferme. Et son visage, pendant tout ce temps-là, n'avait cessé de virer du rouge au blanc, puis du blanc au rouge.

Ils furent prêts juste avant l'aurore. Il y avait une petite bruine. Ils s'installèrent de leur mieux dans la voiture, coincés entre des boîtes, des paquets et des ballots de couvertures. L'automobile noire au toit carré s'ébranla avec plus de grincements que d'habitude, comme si elle protestait contre la surcharge.

A l'arrière, les deux filles maigres aux cheveux blond filasse étaient assises sur une pile de boîtes et il y avait, quelque part sous les couvertures, un petit chien à pattes courtes et une chatte avec ses deux chatons. La voiture avançait lentement, comme une arche surchargée qui eût fait voie d'eau ; elle s'éloigna de la masure et passa devant la maison blanche où Mrs. Mc Intyre dormait à poings fermés, loin de se douter que ses vaches ne seraient pas traites par Mr. Shortley ce matin-là; puis, devant la masure du Polonais, au sommet de la côte; elle atteignit enfin la grille au moment où la franchissaient les deux nègres, l'un derrière l'autre, qui s'en allaient aider à la traite. Ils regardèrent attentivement la voiture et ses occupants mais, même quand les faibles phares jaunes leur éclairèrent le visage, ils firent poliment semblant de ne rien voir, ou tout au moins feignirent de rester indifférents. Après tout, cette voiture si lourdement chargée était peut-être une brume voyageuse dans la demi-lumière de l'aube. Ils continuèrent à monter la côte du même pas égal, sans se retourner.

Un soleil jaune foncé se levait dans un ciel du même gris uni que celui de la grand-route. Des champs d'herbe drue s'étendaient de chaque côté d'eux. « Où va-t-on ? » demanda Mr. Shortley pour la première fois.

Mrs. Shortley avait un pied sur une caisse, si bien que son genou lui rentrait dans le ventre. Le coude de Mr. Shortley lui frôlait le nez et le pied gauche de Sarah-Mae, qui passait par-dessus le siège avant, lui touchait l'oreille.

— Où allons-nous ? répéta Mr. Shortley, et comme il ne recevait aucune réponse, il tourna la tête et la regarda.

Une colère farouche semblait concentrer lentement toutes ses ardeurs sur son visage, comme si elle se préparait à l'assaut final. Elle se tenait toute droite, malgré sa jambe recroquevillée sous elle et la menace d'un genou au niveau de son cou ; mais on remarquait une étrange absence de lumière dans ses yeux d'un bleu d'acier. Toute l'intensité de leur vision semblait tournée vers l'intérieur. Elle agrippa soudain le coude de Mr. Shortley, et, en même temps, le pied de Sarah-Mae, et elle les tira, les poussa, comme si elle essayait d'adapter à son propre corps deux membres excédentaires.

Mr. Shortley lança un juron et arrêta la voiture. Sarah-Mae cria à sa mère de la lâcher, mais Mrs. Shortley avait l'intention, semblait-il, de remanier sur-le-champ toute l'ordonnance de la voiture. Elle se penchait en avant, se rejetait en arrière, saisissait tout ce qui lui tombait sous la main et le serrait contre elle, la tête de Mr. Shortley, la jambe de Sarah-Mae, la chatte, un ballot de draps et de couvertures, son propre genou rond comme une lune ; puis, tout à coup, la violence qui était sur son visage décrut, se mua en étonnement, et ses mains relâchèrent leur étreinte. L'un de ses yeux se rapprocha de l'autre, sembla s'affaisser doucement, et elle ne bougea plus.

Les deux filles, qui ignoraient ce qui lui arrivait, demandèrent en chœur : « Où va-t-on, m'man ? Où va-t-on ? » Elles pensaient qu'elle leur faisait une farce, et que leur père, qui ne détournait pas les yeux de son visage, faisait le mort. Elles ne savaient pas qu'elle venait de connaître une redoutable expérience, ni même qu'elle avait été arrachée à tout ce qui lui appartenait en ce monde. La route grise et lisse qui se déroulait devant elles leur fit peur, et elles répétèrent de plus en plus fort : « Où va-t-on, m'man, où va-t-on ? » — tandis que leur mère, dont l'énorme corps immobile était ramassé contre le siège et dont les yeux semblaient de verre bleu, paraissait contempler pour la première fois les frontières terrifiantes de sa véritable patrie.

— Eh bien, dit Mrs. Mc Intyre au vieux nègre, on peut se passer d'eux. On en a vu venir et repartir, des blancs et des noirs. » Elle était dans l'étable que le nègre nettoyait et, avec son râteau, elle attrapait parfois un épi de maïs dans un coin, ou lui désignait quelque flaque d'eau oubliée. Quand elle découvrit que les Shortley étaient partis, elle en fut ravie : ainsi elle n'aurait pas à les congédier. Les gens qu'elle embauchait la quittaient toujours — c'était leur genre. De toutes les familles qu'elle avait eues, les Shortley étaient les mieux, si l'on exceptait la Personne Déplacée : eux n'étaient pas des incapables. Mrs. Shortley était une brave femme, et elle lui manquerait, mais, comme disait le Juge, « on ne peut pas avoir le tout et son reste », et puis la Personne Déplacée faisait parfaitement l'affaire. « On les a vus venir et repartir », répéta-t-elle, satisfaite.

— Et moi et vous, dit le vieil homme en se baissant pour passer sa binette sous une mangeoire, on est encore là. »

Elle comprit exactement ce qu'il voulait lui faire comprendre, au ton qu'il employa. Des rayons de soleil s'infiltraient par le plafond craquelé, et découpaient le dos du vieillard en trois parties distinctes. Elle regarda les longues mains serrées sur le manche de la binette, et la vieille silhouette qui se courbait sur elles. « Tu étais peut-être ici *avant* moi, se dit-elle, mais il est plus que probable que j'y serai encore quand tu seras parti. »

— J'ai passé la moitié de ma vie à perdre mon temps avec des bons à rien, dit-elle d'une voix sévère, mais maintenant, c'est bien fini.

— Les noirs et les blancs, dit-il, c'est tout pareil.

— C'est bien fini, répéta-t-elle, et elle tira d'un coup sec sur la blouse de travail qu'elle avait jetée sur ses épaules comme une cape. Elle portait un chapeau de paille noir aux larges bords, qu'elle avait payé vingt dollars, il y avait vingt ans de cela, et qu'elle utilisait maintenant comme chapeau de soleil. « L'argent est la source de tous les maux, dit-elle. Le Juge le disait tous les jours. Il déplorait que l'argent existe. Il prétendait que si vous êtes arrogants, vous les nègres, c'est parce qu'il y a trop d'argent en circulation. »

Le vieux nègre avait connu le Juge « L' Juge disait

qu'il aimerait voir le jour où il s'rait trop pauvre pour payer un nègre pour travailler, dit-il. Il disait que quand c' jour-là arriverait, le monde y r'tomberait sur ses pieds. »

Elle se pencha en avant, mains sur les hanches et cou tendu : « Eh bien, ce jour-là n'est pas loin et je vous le dis à tous : vous feriez mieux de vous méfier. Rien ne me force plus à me contenter d'idioties, maintenant. J'ai quelqu'un qui *doit* travailler. »

Le vieil homme savait quand répondre et quand se taire. Au bout d'un moment, il dit : « On les a vus venir et on les a vus repartir.

— Pourtant les Shortley n'étaient pas les plus mauvais, loin de là, dit-elle. Je me souviens bien des Garrit.

— Avant eux, y' a eu les Collins, rappela-t-il.

— Non c'étaient les Ringfield.

— Doux Jésus, ces Ringfield ! murmura-t-il.

— Des gens de cet acabit ont horreur du travail, dit-elle.

— On les a vus venir et on les a vus repartir, répéta-t-il comme un refrain. Mais on en a jamais eu un, dit-il en se redressant lentement jusqu'à lui faire face, comme celui qu'on a maintenant. » Son visage avait la couleur de la cannelle, et ses yeux étaient tellement usés par l'âge qu'ils semblaient être enfouis sous des toiles d'araignée.

Elle le regarda fixement, et ne détourna point son regard avant qu'il se fût courbé pour prendre sa binette ; il ramena un monceau de copeaux contre la brouette. Elle dit sèchement : « Il lui faut moins de temps pour laver cette étable qu'il en fallait à Mr. Shortley pour s'y décider. »

— Il est de Palogne, murmura le vieux.

— De Pologne.

— En Palogne ça n'est pas comme ici, dit-il. Ils ont des façons de faire différentes, et il se mit à marmonner des paroles incompréhensibles.

— Qu'est-ce que tu dis ? Si tu as quelque chose à dire sur lui, dis-le, et dis-le tout haut. »

Il resta muet, fléchissant les genoux au risque de perdre l'équilibre, puis glissa son râteau sous l'auge.

— Si tu es au courant de quelque chose qu'il a fait et qu'il aurait pas dû faire, tu dois me le dire.

— C' n'est pas comme quelque chose qu'il devrait ou devrait pas, marmonna-t-il, c'est quelque chose que personne d'autre ne fait.

— En somme, tu n'as rien contre lui, dit-elle sèchement ; il est ici et il y restera.

— On n'en a jamais vu un comme lui avant, c'est tout, murmura-t-il, en lui adressant son rire poli.

— Les temps changent, dit-elle. Sais-tu ce qui arrive à ce monde ? Il enfle. Il se remplit de tant de gens que seuls les débrouillards, les économes et les énergiques vont survivre. Elle mit en relief les mots : « débrouillards, économes, énergiques », en les martelant sur la paume de sa main.

Par-delà l'étable, elle apercevait la Personne Déplacée, qui se tenait à la porte ouverte de la grange, le tuyau vert à la main. Il y avait une certaine raideur dans sa personne qui semblait contraindre Mrs. Mc Intyre à l'approcher lentement — même en pensée. La raison en était, croyait-elle, qu'elle ne pouvait converser aisément avec lui. Chaque fois qu'elle lui disait quelque chose, elle se surprenait à parler fort, avec des hochements de tête extravagants, tout en ayant conscience qu'un des nègres était caché derrière le hangar le plus proche, en train d'épier.

— Ah ça non ! dit-elle en s'asseyant sur l'un des râteliers, bras croisés. J'ai décidé une fois pour toutes que j'ai eu assez de bons à rien ici, et que je ne vais pas passer le restant de mes jours à perdre mon temps avec des Shortley, des Ringfield et des Collins, alors que le monde est plein de gens qui *doivent* travailler.

— Comment qu'y en a tant de trop ? demanda le vieux nègre.

— Les gens sont égoïstes, dit-elle. Ils font trop d'enfants ; ça en devient insense.

Il avait pris la brouette et franchissait à reculon la porte ; il s'arrêta à la frontière de l'ombre et de la lumière, immobile, en mâchant ses gencives, comme s'il avait oublié dans quelle direction il voulait aller.

— Ce que vous, les noirs, ne comprenez pas, c'est que je suis la seule ici qui fasse tout marcher. Si vous ne travaillez pas, je ne gagne plus rien, et je ne peux pas vous payer. Vous dépendez tous de moi, mais chacun de vous se comporte comme une chaussure enfilée au mauvais pied.

Il n'était pas possible de dire, d'après son visage, s'il avait entendu. Finalement, il sortit avec la brouette. « Le Juge disait bien qu'y avait pas pire danger que danger caché », marmonna-t-il, mais assez distinctement ; puis il fit demi-tour et s'éloigna en poussant sa brouette.

Elle se leva et le suivit : une profonde ride verticale était apparue au milieu de son front, juste au-dessous des bandeaux roux. « Il y a longtemps que le Juge a cessé de payer les notes ici », cria-t-elle au vieil homme.

Il était le seul des nègres à avoir connu le Juge, et il était d'avis que cela lui donnait des droits. Il avait tenu en médiocre estime Mr. Crooms et Mr Mc Intyre, ses autres maris, et, de sa manière allusive et polie, il l'avait félicitée lors de ses deux divorces. Quand il le jugeait nécessaire, il venait travailler sous la fenêtre où il savait qu'elle était assise, et se parlait tout seul, faisait questions et réponses, usait de la périphrase et du refrain. Un jour, elle s'était levée sans bruit et avait claqué la fenêtre si fort qu'il en était tombé à la renverse. D'autres fois, il parlait avec le paon. Le paon le suivait partout dans la ferme, l'œil fixé sur l'épi de maïs qui sortait de la poche du vieil homme, ou bien, lorsqu'il était assis, le paon venait se servir lui-même. Une fois, par la porte ouverte de la cuisine, elle l'avait entendu dire à l'oiseau : « Je m' souviens quand y' en avait vingt comme toi à la ferme, maintenant y' a seulement toi et deux paonnes. Du temps de Crooms c'était douze; cinq du temps de Mc Intyre; et maintenant plus que toi et deux paonnes. »

Cette fois-là, elle était sortie de la cuisine et avait dit : « Mr. Crooms et Mr. Mc Intyre. Je ne veux plus t'entendre les appeler autrement. Et mets-toi bien ça dans la tête : quand ce jeune paon crèvera, il ne sera pas remplacé. »

Elle ne gardait le paon que par une sorte de crainte superstitieuse de tourmenter le Juge au fond de son tombeau. Il avait aimé les voir se promener dans la ferme car, disait-il, ils lui donnaient l'impression d'être riche. De ses trois maris, le Juge était le plus présent à son esprit, bien qu'il fût le seul qu'elle eût enterré. Il reposait dans le caveau de famille — une petite parcelle de terrain avec une grille autour, au milieu du champ de maïs derrière la maison — avec sa mère, son père, son grand-père, trois grand-tantes et deux cousins morts dans leur prime jeunesse. Mr. Crooms, son second mari, était enfermé à quarante milles de là dans un asile d'aliénés, et Mr. Mc Intyre, le dernier, était ivre mort, supposait-elle, dans quelque chambre d'hôtel en Floride. Mais le Juge, enterré dans le champ de maïs avec tant de parents, n'avait en somme pas quitté la maison familiale.

Elle l'avait épousé pour son argent, alors qu'il était déjà d'un âge avancé; mais il y avait eu une autre raison qu'elle refusa d'admettre alors, même au fond de son cœur; elle éprouvait de la sympathie pour lui. C'était un magistrat qui ne manquait pas d'originalité; il était sale, prisait et passait dans le pays pour être riche; il portait des chaussures montantes, une cravate-cordelière blanche, un complet gris à raies noires et un panama jauni, été comme hiver. Ses dents et ses cheveux avaient la couleur du tabac, et son visage était rose argile, grêlé et sillonné de marques mystérieuses — préhistoriques, eût-on dit — comme si on l'eût déterré au milieu de fossiles. Il flottait autour de sa personne une odeur de factures tendrement manipulées et tachées de sueur, mais il n'avait jamais d'argent sur lui, pas une pièce de monnaie à montrer. Elle avait été sa secrétaire quelques mois et le vieil homme, perspicace, avait vu immédiatement que cette femme l'admirait pour lui-même. Elle l'épousa : les trois années qui suivirent leur mariage furent les plus heureuses et les plus prospères de la vie de Mrs. Mc Intyre; mais à sa mort, on s'aperçut qu'il était ruiné. Il lui laissait une maison hypothéquée et cinquante acres de terrain : mais il s'était arrangé pour faire abattre les arbres avant de mourir. C'était comme le couronnement d'une vie réussie : il emportait tout avec lui.

Mais elle avait survécu. Elle avait survécu à une kyrielle de métayers et de laitiers dont le vieux Juge lui-même n'eût pu venir à bout; à toute une tribu de nègres sinistres et suspects, qui la grugeaient d'un bout à l'autre de l'année ; elle avait même réussi à sauvegarder son bien contre les sangsues accessoires, marchands de bestiaux, bûcherons et brocanteurs de tout poil qui venaient brailler dans sa cour, sur des camions faits de bric et de broc. Elle redressait un peu le buste, gardait les bras croisés sous sa blouse, et son visage exprimait le contentement, alors qu'elle observait les gestes de la Personne Déplacée : maintenant, il fermait le robinet et rentrait dans la grange. Elle était désolée que le pauvre eût été chassé de Pologne, eût dû traverser toute l'Europe pour repartir à zéro dans une pauvre masure en pays étranger ; mais elle n'en était aucunement responsable. Elle-même avait connu de durs moments. Elle savait ce que lutter veut dire. Il faudrait obliger les gens à lutter. On avait probablement tout donné à Mr. Guizac depuis son évasion de Pologne. Sans doute n'avait-il pas eu assez à lutter. Elle lui avait donné un emploi. Elle ne savait s'il lui en était reconnaissant ou non. Elle ne savait rien de lui, sauf qu'il faisait son travail. En vérité, il ne lui paraissait pas encore très réel. Il était une sorte de miracle dont elle avait été témoin, dont elle parlait, mais auquel elle n'accordait pas encore une croyance totale.

Elle le regarda sortir de la grange et se diriger vers Sulk qui arrivait du bout de l'enclos. Le Polonais gesticula puis sortit un objet de sa poche et tous deux se mirent à le regarder. Elle prit l'allée pour les rejoindre. La haute silhouette du nègre était pleine de nonchalance et il tendait la tête en avant, de la même manière ahurie que d'habitude. Il avait à peu près le niveau mental d'un idiot de village, mais c'est ainsi que les noirs étaient de bons travailleurs. Le Juge disait qu'il fallait toujours embaucher des nègres simples d'esprit, parce qu'ils ne sont pas assez intelligents pour s'arrêter de travailler Le Polonais faisait des gestes rapides. Il laissa quelque chose au noir, puis s'éloigna ; bientôt elle entendit le tracteur se mettre en marche. Mr. Guizac allait travailler dans le champ. Le nègre n'avait pas encore bougé ; il regardait bouche bée l'objet qu'il tenait à la main.

Elle entra dans l'enclos et traversa la grange. Elle jeta un regard satisfait sur le sol de ciment mouillé encore, mais impeccable. Il n'était que neuf heures et demie : Mr. Shortley n'avait jamais rien lavé avant onze heures. Comme elle sortait par l'autre porte, elle vit le nègre qui suivait à pas lents une allée oblique de l'autre côté de la route, les yeux toujours fixés sur ce que Mr. Guizac lui avait donné. Il ne la voyait pas. Il s'arrêta, plia les genoux, s'appuya sur une main et sa langue se mit à décrire de petits cercles. C'était une photographie qu'il avait à la main. Il leva un doigt et caressa l'image. Puis il la vit et parut se muer en statue, la bouche restant figée dans un demi-sourire, et le doigt en l'air.

— Pourquoi n'as-tu pas été au champ ? demanda-t-elle.

Il leva un pied, ouvrit plus grande la bouche tandis que la main qui tenait la photo rampait vers sa poche.

— Qu'est-ce que c'est ça ? dit-elle.

— C'est rien, marmonna-t-il, et il la lui tendit automatiquement.

C'était la photographie d'une fillette d'une douzaine d'années, en robe blanche. Elle avait une couronne dans ses cheveux blonds et des yeux très clairs, doux et câlins.

— Qui est cette enfant ? demanda Mrs. Mc Intyre.

— C'est sa cousine, dit le jeune noir d'une voix aiguë.

— Et qu'est-ce que tu fais de cette photo ? demanda-t-elle.

— Elle va m' marier, dit-il d'une voix plus aiguë encore.

— T'épouser ? cria-t-elle.

— J' paie la moitié pour la faire venir, dit-il. J' donne trois dollars par semaine à Mr. Guizac. Elle est plus grande maintenant. C'est sa cousine. Ça lui est égal qu'est-ce qui la marie, elle est heureuse de s'en aller d' là-bas.

La voix aiguë sembla fuser comme un jet sonore puis retomba soudain quand il vit le visage de Mrs. Mc Intyre. Ses yeux avaient la couleur d'un granit bleu quand le soleil frappe dessus, mais elle ne le regardait pas. Elle regardait la route, d'où parvenait le bruit d'un tracteur lointain.

— J' crois pas qu'elle pourra v'nir d' toute façon, murmura le garçon.

— Je vais faire en sorte qu'on te rende tout ton argent », dit-elle d'une voix neutre, puis elle fit demi-tour et s'éloigna, en emportant la photo pliée en deux. Rien dans sa petite silhouette raide ne trahissait le moindre trouble.

Aussitôt rentrée chez elle, elle s'allongea sur son lit, ferma les yeux et pressa la main sur son cœur, comme si elle essayait de le maintenir en place. Au bout d'un instant, elle se dressa sur son séant et dit tout haut : « Ils sont tous pareils. Ça a toujours été comme ça », et elle se rallongea sur le lit. « Vingt ans à se faire carotter, à se faire rouler, et ils ont pillé jusqu'à sa tombe », — et, à ce souvenir, elle se mit à pleurer doucement, en essuyant ses yeux de temps à autre avec le bord de sa blouse.

Elle pensait à l'ange au-dessus de la tombe du Juge. C'était un chérubin nu, en granit, que le vieil homme avait un jour vu à la devanture d'un magasin d'articles funéraires. Il lui avait plu tout de suite, d'abord parce que le visage de l'ange lui rappelait celui de sa femme, puis parce qu'il souhaitait avoir une œuvre d'art authentique sur sa tombe. Il l'avait ramené par le train, en le serrant contre lui sur une banquette de peluche verte. Mrs. Mc Intyre n'avait jamais remarqué aucune ressemblance entre l'ange et elle. Elle l'avait toujours trouvé affreux, mais quand les Herrin l'avaient volé sur la tombe du vieil homme, elle s'était sentie choquée et outragée. Mrs. Herrin l'avait trouvé très joli, et elle avait été souvent le voir sur la tombe; les Herrin partirent un beau jour, et l'ange avec, sauf ses doigts de pied, car la hache que le vieil Herrin avait utilisée pour le desceller avait frappé un peu trop haut. Mrs. Mc Intyre n'avait jamais pu s'offrir un ange de remplacement. Quand elle eut pleuré tout son saoul, elle se leva et gagna l'arrière-vestibule, recoin sombre et silencieux comme une chapelle, où se trouvaient le fauteuil à bascule du Juge et son bureau. Elle s'assit sur le bord du fauteuil, le coude appuyé sur le bureau. C'était un énorme bureau à cylindre criblé de cases pleines de papiers poussiéreux. De vieux carnets de comptes et des registres s'entassaient dans des tiroirs à demi ouverts et il y avait un petit coffre-fort, vide mais verrouillé, encastré comme un tabernacle au centre même du meuble. Elle avait laissé intacte cette partie de la maison depuis la mort du vieil homme. C'était une sorte de monument commémoratif, et sacré, puisque c'était là qu'il dirigeait ses affaires. Quand on l'inclinait, même légèrement, dans un sens ou dans l'autre, le fauteuil noir laissait entendre un gémissement sépulcral et rouillé identique à celui que le Juge poussait quand il déplorait sa pauvreté. Son principe premier était de parler comme s'il était l'homme le plus pauvre du monde; elle l'avait adopté plus tard non seulement pour l'imiter, mais parce que c'était vrai. Quand elle s'asseyait, le visage tendu et contracté tourné vers le coffre-fort vide, elle savait qu'il n'y avait personne au monde de plus pauvre qu'elle.

Elle resta immobile devant le bureau pendant près d'un quart d'heure puis, ayant refait quelques forces, elle se leva, monta dans sa voiture et se dirigea vers le champ de maïs.

La route traversait un petit bois de pins ombreux et se terminait en haut d'une colline, dont la pente s'ouvrait ensuite en éventail, pour se redresser et se déployer en une ample marée de panicules vertes. Mr. Guizac fauchait à partir de l'extérieur du champ, et, par cercles successifs, arrivait en son centre même, là où se trouvait le tombeau, fort bien caché par le maïs; elle apercevait le Polonais à la lisière lointaine de la pente, monté sur le tracteur, avec l'ensileuse et la remorque derrière.

De temps en temps, il devait descendre du tracteur et grimper sur la remorque pour étaler le fourrage, parce que le nègre n'était pas arrivé. Elle le regardait avec impatience, debout devant son coupé noir, bras croisés sous sa blouse de travail, tandis qu'il faisait lentement le tour du champ, se rapprochant d'elle peu à peu, si bien qu'elle put lui faire signe de descendre. Il arrêta le tracteur, bondit à terre, vint à elle en courant et en essuyant son visage cramoisi avec un chiffon souillé de graisse.

— Je veux vous parler, dit-elle, et elle lui fit signe de venir à la lisière du boqueteau où il y avait de l'ombre. Il retira sa casquette et la suivit en souriant, mais son sourire disparut quand elle se retourna et lui fit face. Ses sourcils fins et hérissés comme des pattes d'araignée s'étaient rapprochés, menaçants, et la profonde ride verticale qui naissait au niveau des bandeaux plongeait maintenant jusqu'à l'arête de son nez. Elle tira de sa poche la photo pliée en deux et la lui tendit en silence. Puis elle recula d'un pas et dit : « Mr. Guizac ! vous voudriez faire venir cette pauvre enfant innocente, et essayer de la donner à un noir idiot, voleur et qui pue le nègre ! Quel espèce de monstre êtes-vous donc ? »

Il prit la photographie, et son sourire, lentement, reparut. « Ma cousine, dit-il. Elle a douze ans là-dessus. C'est sa première communion. Seize maintenant. »

« Monstre ! » se dit-elle, et elle le dévisagea comme si elle ne l'avait jamais vu. Son front et son crâne étaient blancs là où ils avaient été protégés par la casquette, mais le reste du visage était rouge et hérissé de petits poils jaunes. Ses yeux ressemblaient à deux clous brillants derrière ses lunettes à monture dorée, réparées au-dessus du nez avec du fil à botteler. Son visage semblait un assemblage de morceaux empruntés à plusieurs autres. « Mr. Guizac », dit-elle, et elle parla lentement au début puis accéléra l'allure pour s'arrêter enfin au milieu d'un mot, à bout de souffle. « Mr. Guizac, ce nègre ne peut pas prendre pour femme une blanche venue d'Europe. Ce n'est pas ainsi qu'il faut parler aux nègres. Vous allez l'exciter, et de plus, c'est interdit. Ça se fait peut-être en Pologne mais pas ici ; il va falloir cesser tout ça. C'est absurde. Ce nègre n'a pas une once de bon sens et vous allez l'exciter, et c'est int... »

— Elle au camp trois ans, dit-il.

— Votre cousine, déclara-t-elle avec force, ne peut venir ici épouser un de mes nègres.

— Elle seize ans, dit-il. De Pologne — maman morte, papa mort. Elle attend dans un camp. Trois camps. » Il tira de sa poche un portefeuille, y fouilla, et sortit une autre photo de la même jeune fille, mais de quelques années plus âgée, et vêtue de quelque chose de sombre et d'informe. Elle était debout contre un mur, avec une femme toute petite qui, apparemment, n'avait plus de dents. « La maman d'elle, dit-il, montrant du doigt la femme. Elle morte dans le camp deuxième. »

— Mr. Guizac, dit Mrs. Mc Intyre, en repoussant la photo. Je ne veux pas qu'on jette le désordre chez mes nègres. Je ne peux pas faire marcher cette ferme sans eux. Je peux la faire marcher sans vous, mais pas sans eux, et si vous parlez encore de cette fille à Sulk, vous n'aurez plus de travail chez moi. Vous comprenez ? »

Il n'y paraissait guère, à voir son visage. Il essayait, semblait-il, d'ajuster tous ces mots dans son esprit pour leur donner forme de pensée. Mrs. Mc Intyre se rappela les paroles de Mrs. Shortley : « Il comprend tout, il fait seulement semblant de ne pas comprendre pour faire exactement c' qui lui plaît. » Et, de nouveau, la colère et l'indignation se peignirent sur son visage.

— Je ne peux comprendre comment un homme qui se dit chrétien, clama-t-elle, puisse faire venir ici une fille innocente pour la donner à un pauvre type comme ça. Je n'arrive pas à comprendre. Non ! », et elle hochait vigoureusement la tête et ses yeux bleus regardaient au loin, consternés. Au bout d'un instant il secoua les épaules, et laissa tomber les bras comme s'il était épuisé. « Noir, c'est égal pour elle, dit-il. Elle au camp trois ans. »

Mrs. Mc Intyre eut l'impression que ses genoux allaient se dérober sous elle.

— Mr. Guizac, dit-elle, je ne veux plus avoir à vous reparler de ça. Si vous continuez, vous vous trouverez une autre place vous-même.

Il resta muet. Elle eut l'impression qu'il ne la voyait pas. « Cette ferme est à moi, dit-elle, et c'est à moi de décider qui peut y venir et qui ne le peut pas. »

— Oui, dit-il, et il remit sa casquette.

— Je ne suis pas responsable de la misère du monde, dit-elle après coup.

— Oui, dit-il.

— Vous avez une bonne place. Je ne suis même pas sûre que vous m'en soyez reconnaissant, ajouta-t-elle.

— Oui », dit-il, et, avec un léger haussement d'épaules, il retourna au tracteur.

Elle le regarda monter sur la machine et pénétrer dans le maïs. Quand il fut passé devant elle et qu'il eut disparu, elle monta au sommet de la côte et s'arrêta, bras croisés, en regardant le champ d'un œil sombre. « Ils sont tous les mêmes, marmonna-t-elle, qu'ils viennent de Pologne ou du Tennessee. Je suis venue à bout des Herrin, et des Ringfield, et des Shortley; je materai un Guizac aussi. » Et son regard se rétrécit, se referma ainsi qu'une tenaille sur la silhouette qui décroissait, comme si elle l'eût regardée dans la mire d'un fusil. Toute sa vie, elle avait lutté contre le trop-plein du monde et maintenant il était installé chez elle sous la forme d'un Polonais. « Tu ressembles à tous les autres, dit-elle, sauf que tu es débrouillard, économe et énergique. Mais moi aussi. Et ici, je suis chez moi. » La petite silhouette au chapeau noir, en blouse noire, au visage de chérubin vieillissant, se redressa : elle croisa les bras comme si elle eût défié le monde entier. Mais son cœur battait comme sous le choc de quelque violence secrète. Elle ouvrit les yeux pour embrasser tout le champ, et la forme sur le tracteur en fut réduite à la dimension d'une sauterelle.

Elle resta là quelque temps. Il y avait une brise légère et le maïs ondoyait en amples vagues sur les deux pentes de la colline. La grande ensileuse, avec son ronflement monotone, continuait sans trêve à le hacher et à le projeter dans la remorque. Avant la tombée de la nuit, la Personne Déplacée achèverait ses derniers cercles, et il ne resterait plus, au flanc des deux collines, que le chaume et, juste au centre, tel un petit îlot qui émerge des flots, le tombeau où gisait le Juge, grimaçant sous son monument profané.

Le prêtre, son long visage suave appuyé sur un doigt, parlait depuis dix minutes du Purgatoire à Mrs. Mc Intyre, qui, assise en face de lui dans un fauteuil de la véranda, le regardait d'un air furieux. Elle avait apporté deux verres de limonade et elle ne cessait de faire cliqueter les morceaux de glace dans son verre, et d'agiter son collier, son bracelet, comme un poney impatient fait tinter les clochettes de son harnais. « Il n'y a aucune obligation morale à le garder, se disait-elle, absolument aucune. » Elle se leva brusquement et sa voix trancha dans le jargon du prêtre comme une scie mécanique. « Écoutez, dit-elle, je ne fais pas de théologie, je suis une femme pratique. Je veux vous parler de quelque chose de pratique. »

— Arrrr ! » grogna-t-il, en s'arrêtant dans un grincement.

Elle avait mis un bon doigt de whisky dans son verre, pour pouvoir endurer la longue visite du prêtre, puis elle s'était assise maladroitement dans son fauteuil, surprise de découvrir qu'il était moins profond qu'elle ne le pensait. « Mr. Guizac ne donne pas satisfaction », dit-elle.

Le vieil homme leva un sourcil faussement étonné. « Il n'est qu'en surnombre, dit-elle. Il ne s'adapte pas. Il me faut quelqu'un qui s'adapte. »

Le prêtre retourna avec soin son chapeau sur ses genoux. Dans de tels cas, il avait un petit truc à lui, qui consistait à attendre une seconde en silence, puis à relancer la conversation dans les voies de son choix. Il avait environ quatre-vingts ans. Elle n'avait jamais rencontré de prêtre catholique avant qu'elle eût chargé celui-ci de lui trouver une « Personne Déplacée ». Lorsqu'il lui eut procuré les Polonais, il avait profité de leur installation pour essayer de la convertir — tout comme elle s'y attendait.

— Donnez-lui le temps, dit le vieillard ; il apprendra à s'adapter. Où est votre si superbe oiseau ? demanda-t-il, et il dit : « Arrrr, je le vois. »

Il se leva et regarda la pelouse où s'avançaient le paon et les deux femelles, précautionneusement, et leurs longs cous hérissés de plumes d'un bleu très vif chez le paon, d'un vert argenté chez les paonnes, étincelaient au soleil de l'après-midi déclinant.

— Mr. Guizac, attaqua Mrs. Mc Intyre d'une voix égale et neutre, est très compétent. Je l'admets. Mais il n'arrive pas à s'entendre avec mes nègres, et ils ne l'aiment pas. Je ne peux pas le laisser chasser mes nègres. Et puis, je n'aime pas son attitude : il n'a pas la moindre reconnaissance.

Le prêtre avait la main sur la porte et l'ouvrit, prêt à s'esquiver. « Arrrr, il faut que je parte », murmura-t-il.

— Je vous préviens que si j'avais un blanc qui comprenne les noirs, il me faudrait rendre sa liberté à Mr. Guizac, déclara-t-elle en se levant.

Il se retourna alors, et la regarda droit dans les yeux. « Il n'a nulle part où aller », dit-il. Puis ajouta : « Madame, je vous connais assez bien pour savoir que vous ne voudriez pas le mettre à la porte pour une bagatelle », et sans attendre une réponse, il leva la main, et lui donna sa bénédiction d'une voix sourde.

Elle eut un petit sourire irrité et dit : « En tout cas, je n'y suis absolument pour rien. »

Le prêtre détourna son regard vers les paons. Ils étaient arrivés au milieu de la pelouse. Le mâle s'arrêta longuement, rejetant en arrière son col incurvé, il dressa sa queue et la déploya en une cascade de frémissements chatoyants. Des rangs superposés de petits soleils rebondis flottèrent au-dessus de sa tête dans une brume verte et dorée. Le prêtre était en extase, bouche bée. Mrs. Mc Intyre se dit qu'elle n'avait jamais vu vieillard aussi stupide.

— Le Christ reviendra ainsi, déclara-t-il d'une voix forte et joyeuse, et il s'essuya les lèvres du revers de la main, fasciné. Le visage de Mrs. Mc Intyre prit une rigidité puritaine et elle rougit. Le Christ mêlé à la conversation la mettait aussi mal à l'aise que les problèmes sexuels avaient gêné sa mère.

— Ce n'est pas ma faute si Mr. Guizac ne sait où aller, dit-elle. Je ne m'estime pas responsable de tous les gens dont on ne sait que faire sur cette planète. » Le vieillard ne parut pas entendre. Toute son attention était concentrée sur le paon, qui maintenant reculait à pas menus, la tête rejetée contre sa queue déployée. « La Transfiguration », murmura le prêtre. Elle n'avait pas la moindre idée de ce dont il parlait. « Mr. Guizac n'avait pas à venir ici, pour commencer », dit-elle, en lui jetant un regard dur. Le paon replia sa queue et se mit à picorer l'herbe.

— Il n'avait pas à venir, pour commencer, répéta-t-elle, en insistant sur chaque mot.

Le vieil homme sourit distraitement. « Il est venu nous racheter », dit-il ; il lui tendit la main en un geste suave, et dit qu'il devait partir.

Si Mr. Shortley n'était pas revenu quelques semaines plus tard, elle aurait cherché à embaucher un nouvel ouvrier agricole. Elle n'avait pas souhaité son retour, mais quand elle vit l'auto noire familière prendre la route de la ferme et s'arrêter à côté de la maison, elle eut l'impression que c'était elle qui revenait après un long voyage malheureux. Elle s'aperçut soudain que c'était Mrs. Shortley qui lui avait manqué. Elle n'avait eu personne avec qui parler depuis que Mrs. Shortley était partie, et elle se précipita à la porte, pour voir la lourde silhouette de Shortley se hisser marche à marche.

Il était seul. Il avait un chapeau de feutre noir et une chemise imprimée de palmiers rouges et bleus, mais les rides de sa figure tannée et couverte de boutons étaient plus profondes qu'un mois auparavant.

— Eh bien ! dit-elle, où est Mrs. Shortley ?

Mr. Shortley ne répondit rien. L'altération de son visage paraissait provoquée par quelque cause profonde; il ressemblait à un homme qui fût resté longtemps sans boire. « C'était un ange, dit-il d'une voix forte, c'était la femme la plus douce du monde. »

— Où est-elle ? murmura Mrs. Mc Intyre.

— Morte, dit-il. Elle a eu une attaque le jour où qu'elle est partie d'ici.

Le visage de Mr. Shortley avait la rigidité de la mort. « Je m' figure que c'est ce Polonais qui l'a tuée, dit-il. Elle a vu clair en lui dès le début. Elle savait qu'il venait du diable. Elle me l'a dit. »

Il fallut trois jours à Mrs. Mc Intyre pour se remettre de la mort de Mrs. Shortley. Elle se disait que tout le monde aurait pu les considérer comme des parentes. Elle reprit Mr. Shortley à son service, bien qu'en fait elle n'eût pas besoin de lui sans sa femme. Elle lui dit qu'elle allait donner ses trente jours de préavis à la Personne Déplacée dès la fin de ce mois, et qu'il pourrait alors le remplacer à la laiterie.

Mr. Shortley eût préféré retrouver ses vaches tout de suite, mais il attendrait, puisqu'il le fallait. Il dit que ça lui ferait plaisir de voir partir le Polonais, et Mrs. Mc Intyre déclara qu'elle en serait ravie. Elle avoua qu'elle aurait dû se contenter de la main-d'œuvre qu'elle avait au début, et ne pas aller en chercher au bout du monde. Mr. Shortley dit qu'il n'aimait guère les étrangers depuis qu'il avait fait la Première Guerre mondiale, qu'il savait comment ils étaient. Il en avait rencontré de toutes les espèces, dans cette guerre, mais aucun d'entre eux n'était comme les gars d'ici. Il dit qu'il se rappelait la figure d'un type qui lui avait balancé une grenade, et qu'il avait des petites lunettes rondes exactement comme celles de Mr. Guizac.

— Mais Mr. Guizac est polonais, il n'est pas allemand, dit Mrs. Mc Intyre.

— Y a pas grande différence entre les deux, avait expliqué Mr. Shortley.

Les nègres étaient heureux de revoir Mr. Shortley. Le Polonais eût volontiers exigé qu'ils fournissent le même travail que lui, tandis que Mr. Shortley acceptait leurs limites. Lui-même n'avait jamais été un travailleur acharné, même lorsque Mrs. Shortley était là pour l'épauler ; sans elle, il était encore plus distrait et plus lent. Le Polonais travaillait avec plus d'ardeur que jamais, et semblait ne pas soupçonner qu'on allait le congédier. Mrs. Mc Intyre le voyait accomplir en un tour de main des travaux qui lui avaient paru irréalisables. Pourtant, elle était résolue à se débarrasser de lui. La vue de cette petite silhouette raide et remuante lui était devenue intolérable ; de plus, elle avait le sentiment que le vieux prêtre l'avait dupée. Il avait bien dit que la loi ne l'obligeait aucunement à garder le Polonais s'il ne donnait pas satisfaction, mais avait fait intervenir l'obligation morale.

Elle se proposait de lui dire que son obligation morale *à elle* ne s'appliquait qu'à ses compatriotes, à Mr. Shortley, qui avait combattu dans la guerre mondiale pour la défense de son pays, et non point à ce Mr. Guizac qui n'était arrivé ici que pour profiter au mieux de la situation. Elle sentit qu'elle devrait s'en expliquer avec le prêtre avant de congédier la Personne Déplacée. Le premier du mois arriva et le prêtre n'avait point reparu ; elle décida d'attendre encore quelques jours pour remettre son préavis au Polonais.

Mr. Shortley se disait qu'il aurait dû se douter qu'aucune femme ne fait ce qu'elle dit quand elle dit qu'elle va le faire. Il ne savait pas s'il s'accommoderait de ces hésitations perpétuelles. A son avis, elle s'attendrissait, elle hésitait à mettre le Polonais à la porte de crainte qu'il n'ait du mal à trouver une autre place. Sur ce point, il pourrait lui dire la vérité vraie : si elle lui rendait sa liberté, dans trois ans il aurait sa maison à lui et une antenne de télévision sur le toit. Mr. Shortley jugea politique de venir à sa porte tous les soirs pour lui exposer certains faits. « Quelquefois un blanc n'est pas aussi considéré qu'un nègre, disait-il, mais ça n'a pas d'importance parce qu'il est toujours blanc; parfois, pourtant — et là il s'arrêtait et son regard fuyait vers l'horizon — un homme qui a combattu, qui a été blessé et qui est mort au service de sa patrie n'est pas aussi estimé que l'un de ceux qu'il a combattus. J' vous l' demande : est-ce que c'est juste? »

Quand il lui posait ces questions, il observait son visage et était persuadé qu'elle était troublée. Elle ne semblait pas bien portante en ce moment. Il remarqua les rides autour de ses yeux, qui n'existaient pas du temps que Mrs. Shortley et lui étaient les seuls domestiques blancs dans la ferme. Et toutes les fois qu'il pensait à Mrs. Shortley, il sentait son cœur s'enfoncer comme un vieux seau dans un puits à sec.

Le prêtre se gardait de paraître, comme s'il eût été effrayé par sa dernière visite, mais finalement, comme le Polonais n'était toujours pas congédié, il se risqua à revenir, pour reprendre l'instruction religieuse de Mrs. Mc Intyre au point où il se souvenait de l'avoir laissée. Jamais elle ne lui avait demandé de l'éclairer sur ces problèmes, mais c'était plus fort que lui : dans toutes les conversations, quel que fût l'interlocuteur, il introduisait une petite définition de l'un des sacrements, ou de quelque dogme. Il s'asseyait dans la véranda, et ignorait l'expression mi-moqueuse, mioffusquée de Mrs. Mc Intyre tandis que dans son fauteuil elle agitait le pied en guettant l'occasion de lui river son clou.

— Car, dit-il comme s'il parlait d'un événement de la veille, lorsque Dieu a envoyé son Fils unique, Jésus-Christ Notre-Seigneur — il inclina légèrement la tête — pour racheter l'humanité, Il...

— Père Flynn ! dit-elle d'une voix qui le fit sursauter, je veux vous parler de quelque chose de sérieux !

Sous l'œil droit du vieillard, la peau eut un tressaillement.

— De mon point de vue, déclara-t-elle en lui jetant un regard féroce, le Christ n'était qu'une Personne Déplacée, lui aussi.

Il leva un peu les mains et les laissa retomber sur ses genoux.

— Arrrr, murmura-t-il comme s'il réfléchissait sur ses paroles.

— Je vais lui dire de reprendre sa liberté, déclara-t-elle, je n'ai aucune obligation envers cet homme. Je n'en ai qu'envers ceux qui ont fait quelque chose pour leur pays, je ne dois rien à ceux qui ne sont venus ici que pour tirer profit de tout ce qu'ils peuvent trouver...

Elle accéléra son débit, car les arguments affluaient à sa mémoire. On eût dit que l'attention du prêtre s'éloignait furtivement jusqu'à quelque oratoire privé, pour y attendre que passât l'orage. Une ou deux fois, son regard tenta de s'égarer vers la pelouse, comme s'il cherchait quelque échappatoire. Mais elle ne s'arrêta pas. Elle lui dit qu'il y avait trente ans qu'elle était dans cette ferme, qu'elle préservait à grand-peine son patrimoine contre les entreprises de ceux qui venaient de nulle part et n'allaient nulle part, et qui n'avaient d'autre désir que de se payer une auto. Elle avait découvert qu'ils étaient tous les mêmes, qu'ils soient originaires de Pologne ou du Tennessee. Quand les Guizac se sentiraient prêts, ils n'hésiteraient pas à la quitter. Elle lui déclara que les gens qui paraissaient riches étaient les plus pauvres de tous parce qu'ils avaient le plus de frais. « Comment croyez-vous, lui demanda-t-elle, que je paie mes notes de fourrage ? » Elle lui dit qu'elle voudrait bien faire ravaler sa maison, mais qu'elle ne pouvait se le permettre. Elle ne pouvait même pas se permettre de faire restaurer le monument sur la tombe de son pauvre mari. Elle lui demanda d'essayer de deviner le montant de ses primes d'assurances pour l'année. Elle lui demanda enfin s'il croyait qu'elle était cousue d'or, et le vieil homme émit une sorte de beuglement affreux, comme si c'était là une question comique.

Quand la visite fut terminée, elle se sentit accablée, bien qu'elle l'eût nettement emporté sur le prêtre. Elle décida sur-le-champ que, le premier du mois, elle donnerait à la Personne Déplacée son préavis de trente jours, et elle en informa Mr. Shortley.

Mr. Shortley resta muet. Son épouse avait été la seule femme à sa connaissance qui ne reculât jamais, une fois sa décision prise. Elle disait que le Polonais avait été envoyé par le diable et par le prêtre. Mr. Shortley ne doutait pas que ce curé exerçât une certaine influence sur Mrs. Mc Intyre et qu'avant longtemps on la verrait assister à ses messes. On eût dit qu'elle se rongeait par le dedans : elle était plus maigre, plus nerveuse et moins vive d'esprit. Maintenant elle regardait un bidon de lait sans s'apercevoir qu'il était sale, et il l'avait vue remuer les lèvres lorsqu'elle se trouvait seule. Le Polonais ne faisait jamais rien de travers, mais il l'irritait tout autant.

Quant à Mr. Shortley, il n'en faisait qu'à son bon plaisir et elle semblait ne pas s'en apercevoir, même si elle en était contrariée. Elle n'avait pas été sans remarquer que le Polonais et sa famille engraissaient ; elle signala à Mr. Shortley que leurs joues s'étaient remplies et qu'ils mettaient de côté tout ce qu'ils gagnaient. »

— Oui, madame, et un de ces jours il pourra tout racheter et s'installer à votre place, avait-il risqué — il constata que l'affirmation l'avait ébranlée.

— Attendez seulement le premier du mois, avait-elle déclaré.

Mr. Shortley attendit, le premier arriva, et personne ne fut renvoyé. Tout se passa comme il l'avait prévu. Mr. Shortley n'était pas un violent, mais il détestait qu'une femme se fît rouler par un étranger. Un homme ne pouvait laisser faire sans réagir.

Rien ne s'opposait au renvoi immédiat de Mr. Guizac, mais elle en repoussait de jour en jour l'échéance. Elle était préoccupée par ses factures et par sa santé. La nuit elle ne dormait pas, ou s'il lui arrivait de s'assoupir elle rêvait au Polonais. Elle n'avait encore jamais congédié personne, on l'avait quittée. Une nuit, elle rêva que Mr. Guizac et sa famille s'installaient chez elle et qu'elle déménageait pour aller vivre chez Mr. Shortley. Cela dépassait les bornes : elle se réveilla et ne put trouver le sommeil pendant plusieurs nuits. Une autre fois, elle rêva que le prêtre venait la voir et ronronnait : « Chère madame, je sais que votre cœur si tendre ne vous laissera pas renvoyer ce pauvre homme. Pensez aux milliers de pauvres gens comme lui, pensez aux fours crématoires, aux wagons de déportation, aux camps, aux enfants malades et à Notre-Seigneur Jésus-Christ. »

— Il est de trop ici, il a mis la pagaille partout, répondait-elle. Moi je suis une femme pratique et logique : ici il n'y a pas de fours, ni de camps, ni de Notre-Seigneur Jésus-Christ, et puis, s'il part, il gagnera davantage. Il travaillera à l'usine, achètera une voiture — qu'on ne me raconte pas d'histoires, tout ce qu'ils veulent, c'est une auto.

— Les fours, les wagons et les enfants malades, ronronnait le prêtre, et Notre-Seigneur Jésus-Christ.

— C'en est trop ! » dit-elle.

Le lendemain matin, en prenant son petit déjeuner, elle décida d'aller lui signifier son congé sur-le-champ ; elle se leva, sortit de la cuisine avec sa serviette de table à la main. Mr. Guizac passait l'étable au pulvérisateur, le dos cambré et une main sur la hanche, sa position habituelle. Il arrêta le jet et la regarda d'un air impatient, comme si elle le dérangeait dans son travail. Elle n'avait pas pensé à ce qu'elle dirait, elle était simplement venue. Elle resta à la porte de l'étable et parcourut d'un œil sévère le sol impeccable et les étais ruisselants.

— Ça va ? dit-il.

— Mr. Guizac, dit-elle, je n'arrive plus à faire face à mes obligations.

Puis, d'une voix plus forte et plus ferme, en appuyant sur chaque mot : « J'ai des factures à payer. »

— Moi aussi, dit Mr. Guizac. Beaucoup de factures, peu d'argent », dit-il et il haussa les épaules.

A l'autre bout de l'étable, elle vit une ombre longue au nez busqué se glisser comme un serpent et s'arrêter à mi-chemin de la porte ouverte et baignée de soleil ; derrière elle, le silence régna soudain, là où elle avait perçu le bruit des pelles des nègres. « Je suis chez moi, dit-elle rageusement. Vous êtes tous de trop, tous autant que vous êtes. »

— Oui », dit Mr. Guizac, et il rouvrit le robinet.

Elle s'essuya la bouche avec la serviette qu'elle avait à la main, puis sortit comme si elle avait mené à bien sa tâche.

L'ombre de Mr. Shortley s'éloigna de la porte; il s'appuya contre le mur et alluma la moitié d'une cigarette qu'il tira de sa poche. Maintenant, il ne pouvait plus qu'attendre que la main de Dieu se décidât à frapper, mais une chose était certaine : il n'attendrait pas sans rien dire. Le jour même, il se mit à exposer son point de vue et ses griefs à qui voulait l'entendre, noir ou blanc; à l'épicerie comme au tribunal, au coin de la rue et en la présence même de Mrs. Mc Intyre, car c'était un homme qui avait son franc-parler. Si le Polonais avait été en mesure de comprendre ce qu'il avait à dire, il le lui aurait fait savoir sans ménagement. « Tous les hommes ont été créés libres et égaux, dit-il à Mrs. Mc Intyre, et pour le prouver, j'ai risqué ma vie. J'ai été de l'aut' côté de l'eau, je m' suis battu. J'ai versé mon sang, j'ai souffert, j' suis mort et j' suis revenu — et pour quoi? pour voir ceux que j'ai combattus installés à ma place. J'ai manqué d'être tué par une grenade. J'ai vu celui qui m' la lancée : un p'tit bonhomme avec des lunettes comme les siennes. Ils les avaient peut-être achetées à la même boutique. Le monde est si petit! » et il eut un rire amer. Comme Mrs. Shortley n'était plus là pour faire des discours, il s'était mis à en faire lui-même et s'était aperçu qu'il était assez doué : les gens le suivaient sans effort. Il parlait beaucoup aux nègres.

— Pourquoi que tu retournes pas en Afrique?

demanda-t-il à Sulk un matin, en nettoyant le silo. C'est ton pays, non ?

— J' veux pas y aller, dit le garçon. Ils pourraient m' manger.

— Si tu te tiens tranquille, y a pas de raison pour que tu restes pas ici, dit Mr. Shortley. Tu t'es pas sauvé de nulle part. On a amené ton grand-père de force ; lui, ça lui disait rien de venir. Ceux que j' peux pas sentir, c'est ceux qui se sont sauvés du pays d'où qu'ils viennent.

— J'ai jamais eu envie de voyager, dit le nègre.

— Moi, dit Mr. Shortley, si jamais je devais r'commencer à voyager, ce serait en Chine ou en Afrique. Si tu vas dans un de ces deux patelins, tu peux dire tout de suite c' qu'il y a de différent entre eux et nous. Ailleurs, le seul moyen d' savoir, c'est quand ils s' mettent à causer. Et encore, on peut pas toujours se rendre compte, vu que la moitié savent l'anglais. C'est là où qu'on a fait une gaffe : fallait pas pousser tous ces gens à apprendre l'anglais. Il y aurait sacrément moins d'ennuis si chacun n' connaissait que sa langue à lui. Ma défunte femme disait que connaître deux langues c'était comme avoir des yeux derrière la tête. Y' avait pas moyen d' lui en faire accroire, à elle.

— Pas vous, pour sûr, marmonna le garçon, qui ajouta : « Elle était gentille, pour ça oui. J'ai jamais connu une blanche aussi gentille qu'elle. »

Mr. Shortley se détourna et travailla un instant en silence. Puis il se redressa et, avec le manche de sa pelle, tapota sur l'épaule du noir. Son regard mouillé se fixa une seconde sur le garçon. Puis il murmura, profond et mystérieux : « La vengeance m'appartient, a dit le Seigneur. » Mrs. Mc Intyre s'aperçut qu'en ville tout le monde connaissait la version Shortley et qu'on critiquait unanimement sa conduite à elle. Elle avait conscience maintenant qu'elle était moralement obligée de renvoyer le Polonais et que, si elle ne l'avait fait jusque-là, c'était à cause de la difficulté de la démarche. Elle ne pouvait supporter davantage cette impression de culpabilité, chaque jour plus lancinante : un samedi matin, elle alla le trouver pour le congédier. Elle se dirigea vers le hangar des machines où il faisait démarrer le moteur du tracteur. Le sol était gelé et les champs ressemblaient à des bandes de moutons au dos rugueux. Le soleil était d'une blancheur argentée et au-dessus de l'horizon, les arbres hérissaient les lances de leurs rameaux dénudés. On eût dit que le paysage reculait du petit cercle sonore autour du hangar. Mr. Guizac était accroupi à côté du petit tracteur et y ajustait une pièce. Mrs. Mc Intyre espérait que le champ serait retourné pendant les trente jours que le Polonais passerait encore à la ferme. Le jeune nègre était debout auprès de lui, des outils à la main, et Mr. Shortley s'apprêtait à monter sur le gros tracteur et à le sortir du hangar en marche arrière. Elle avait l'intention d'attendre le départ de Shortley et du nègre pour se libérer de sa corvée. Immobile, elle regardait Mr. Guizac et battait la semelle sur le sol durci, car le froid lui montait au long des jambes et la paralysait. Elle avait un lourd manteau noir, un foulard rouge sur la tête et son chapeau noir à large bord par-dessus, pour se protéger les yeux de la lumière. Noyé dans la pénombre, son visage avait l'air absent, et deux ou trois fois ses lèvres s'agitèrent en silence. Mr. Guizac, par-dessus le bruit du tracteur, cria au nègre de lui passer un tournevis, le saisit, puis se retourna sur le dos et se glissa sous le tracteur. Elle ne voyait pas son visage, elle ne voyait que les pieds, les jambes et le tronc qui dépassaient avec une sorte d'insolence. Ses bottes de caoutchouc étaient craquelées et souillées de boue. Il leva un genou, puis le baissa, et pivota légèrement. Ce qu'elle lui reprochait le plus, c'était qu'il ne fût pas parti de lui-même.

Mr. Shortley était monté sur le gros tracteur et le sortait maintenant du hangar. On eût dit que le tracteur le réchauffait, comme si sa chaleur et sa puissance envoyaient dans son corps un influx auquel il obéissait instantanément. Il remonta en marche arrière le plan légèrement incliné, l'avant de sa machine pointé sur le petit tracteur, puis s'arrêta, bloqua le frein, sauta du siège et revint au hangar. Mrs. Mc Intyre avait les yeux fixés sur les jambes de Mr. Guizac, maintenant allongées de tout leur long. Elle entendit le frein du gros tracteur se déclencher, leva les yeux et vit la lourde machine hésiter puis s'ébranler. Plus tard seulement, elle se rappela que le nègre avait, d'un bond silencieux, évité la machine, comme si un ressort sous ses pieds l'eût propulsé ; elle avait vu Mr. Shortley tourner la tête avec une incroyable lenteur et regarder par-dessus son épaule, silencieusement ; elle avait voulu crier « attention ! » à la Personne Déplacée, mais était restée muette. Son regard, celui de Shortley et celui du nègre s'étaient rencontrés, fondus en un unique et terrible regard qui faisait d'eux des complices pour l'éternité ; puis elle avait entendu le petit bruit de la colonne vertébrale du Polonais quand la roue du tracteur avait passé dessus. Alors les deux hommes s'étaient précipités et elle s'était évanouie.

Lorsqu'elle revint à elle, elle se souvint d'avoir couru sans but, peut-être vers la maison, y être entrée, en être ressortie, mais elle ne pouvait se souvenir si vraiment elle s'y était encore évanouie, ni pour quelle raison. Lorsqu'elle regagna finalement le hangar, l'ambulance était arrivée. Le corps de Mr. Guizac était invisible : sa femme et ses deux enfants étaient penchés dessus avec un homme en noir qui murmurait des mots qu'elle ne comprenait pas. Tout d'abord elle le prit pour le médecin, mais, à sa grande gêne, elle reconnut bientôt le prêtre, qui était venu avec l'ambulance et glissait quelque chose dans la bouche du mort. Quand le prêtre se redressa, elle vit d'abord les jambes de pantalon ensanglantées, puis le visage non point détourné d'elle, mais aussi lointain et indifférent que le paysage alentour. Elle regardait, dans un état voisin de l'hébétude. Il lui semblait être dans un pays étranger, où les gens courbés sur le corps étaient des indigènes, et elle une étrangère qui regardait le mort que l'ambulance emportait.

Le soir même, Mr. Shortley disparut sans prévenir, et un désir soudain de parcourir le monde s'empara de Sulk qui partit pour le Sud. Quant au vieil Astor, il ne pouvait travailler sans compagnie. Mrs. Mc Intyre se rendit à peine compte que tous l'avaient abandonnée : elle fit une dépression nerveuse et dut aller à l'hôpital. Lorsqu'elle en revint, elle comprit que cette ferme était trop lourde pour elle ; elle fit vendre toutes ses vaches aux enchères, et le vendeur s'en défit à perte ; puis elle cessa toute activité et vécut avec ce qui lui restait, en essayant de sauvegarder sa santé chancelante ; une jambe se paralysa, puis les mains et la tête furent saisies de tremblements ; finalement, elle resta clouée à son lit avec une seule négresse pour s'occuper d'elle. Sa vue déclina, et elle perdit totalement la parole. Peu de gens songeaient à aller la voir au fond de sa campagne

— sauf le vieux prêtre. Il venait régulièrement une fois par semaine, avec un sac de croûtes : après les avoir données au paon, il entrait, s'asseyait auprès du lit de la malade, et lui expliquait les doctrines de l'Église.

DU MÊME AUTEUR

Aux Éditions Gallimard

LA SAGESSE DANS LE SANG

LES BRAVES GENS NE COURENT PAS LES RUES

ET CE SONT LES VIOLENTS QUI L'EMPORTENT

MON MAL VIENT DE PLUS LOIN

LE MYSTÈRE ET LES MŒURS

POURQUOI CES NATIONS EN TUMULTE?

L'HABITUDE D'ÊTRE

Impression Bussière
à Saint-Amand (Cher),
le 13 mai 2008.
Dépôt légal : mai 2008.
1er dépôt légal dans la collection : janvier 1981.
Numéro d'imprimeur : 081632/1.
ISBN 978-2-07-037258-4./Imprimé en France.

160416

R.C.L.

JUIN 2012

A